新世纪全国中医药高职高专规划教材

中医外治技术

（供针灸推拿学专业用）

主　编　刘明军　（长春中医药大学）
副主编　黄　莺　（成都中医药大学）
　　　　于天源　（北京中医药大学）
　　　　隋淑雪　（山东中医药高等专科学校）

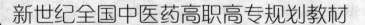

中国中医药出版社
·北　京·

图书在版编目(CIP)数据

中医外治技术/刘明军主编．—北京：中国中医药出版社，2006.6（2016.10重印）
新世纪全国中医药高职高专规划教材
ISBN 7－80156－937－7

Ⅰ．中…　Ⅱ．刘…　Ⅲ．外治法－高等学校：技术学校—教材　Ⅳ．R244

中国版本图书馆 CIP 数据核字(2006)第 031276 号

中国中医药出版社出版
北京市朝阳区北三环东路 28 号易亨大厦 16 层
邮政编码：100013
传真：64405750
北京市泰锐印刷有限责任公司印刷
各地新华书店经销
*
开本　787×1092　1/16　印张　19.5　字数　365　千字
2006 年 6 月第 1 版　2016 年10月第 4 次印刷
书号　ISBN 7－80156－937－7
*
定价：24.00 元
网址　www.cptcm.com

社长热线　010 64405720
读者服务部电话　010 64065415　010 84042153
书店网址　csln.net/qksd/

全国高等中医药教材建设
专家指导委员会

名誉主任委员　李振吉（世界中医药学会联合会副主席）
　　　　　　　邓铁涛（广州中医药大学　教授）
主 任 委 员　于文明（国家中医药管理局副局长）
副主任委员　王永炎（中国中医科学院名誉院长　中国工程院院士）
　　　　　　　高思华（国家中医药管理局科技教育司司长）
委　　　员　（按姓氏笔画排列）
　　　　　　　马　骥（辽宁中医药大学校长　教授）
　　　　　　　王绵之（北京中医药大学　教授）
　　　　　　　王　键（安徽中医学院党委书记、副院长　教授）
　　　　　　　王　华（湖北中医学院院长　教授）
　　　　　　　王之虹（长春中医药大学校长　教授）
　　　　　　　王北婴（国家中医药管理局中医师资格认证中心　主任）
　　　　　　　王乃平（广西中医学院院长　教授）
　　　　　　　王新陆（山东中医药大学校长　教授）
　　　　　　　尤昭玲（湖南中医药大学校长　教授）
　　　　　　　石学敏（天津中医药大学教授　中国工程院院士）
　　　　　　　尼玛次仁（西藏藏医学院院长　教授）
　　　　　　　龙致贤（北京中医药大学　教授）
　　　　　　　匡海学（黑龙江中医药大学校长　教授）
　　　　　　　任继学（长春中医药大学　教授）
　　　　　　　刘红宁（江西中医学院院长　教授）
　　　　　　　刘振民（北京中医药大学　教授）
　　　　　　　刘延祯（甘肃中医学院院长　教授）
　　　　　　　齐　昉（首都医科大学中医学院院长　教授）
　　　　　　　严世芸（上海中医药大学　教授）
　　　　　　　孙塑伦（国家中医药管理局医政司　司长）
　　　　　　　杜　健（福建中医学院院长　教授）

前　言

随着我国经济和社会的迅速发展，人民生活水平的普遍提高，对中医药的需求也不断增长，社会需要更多的实用技术型中医药人才。因此，适应社会需求的中医药高职高专教育在全国蓬勃开展，并呈不断扩大之势，专业的划分也越来越细。但到目前为止，还没有一套真正适应中医药高职高专教育的系列教材。因此，全国各开展中医药高职高专教育的院校对组织编写中医药高职高专规划教材的呼声愈来愈强烈。规划教材是推动中医药高职高专教育发展的重要因素和保证教学质量的基础已成为大家的共识。

"新世纪全国中医药高职高专规划教材"正是在上述背景下，依据国务院《关于大力推进职业教育改革与发展的决定》要求："积极推进课程和教材改革，开发和编写反映新知识、新技术、新工艺和新方法，具有职业教育特色的课程和教材"，在国家中医药管理局的规划指导下，采用了"政府指导、学会主办、院校联办、出版社协办"的运作机制，由全国中医药高等教育学会组织、全国开展中医药高职高专教育的院校联合编写、中国中医药出版社出版的中医药高职高专系列第一套国家级规划教材。

本系列教材立足改革，更新观念，以教育部《全国高职高专指导性专业目录》以及目前全国中医药高职高专教育的实际情况为依据，注重体现中医药高职高专教育的特色。

在对全国开展中医药高职高专教育的院校进行大量细致的调研工作的基础上，国家中医药管理局科教司委托全国高等中医药教材建设研究会于2004年6月在北京召开了"全国中医药高职高专教育与教材建设研讨会"，该会议确定了"新世纪全国中医药高职高专规划教材"所涉及的中医、西医两个基础以及10个专业共计100门课程的教材目录。会后全国各有关院校积极踊跃地参与了主编、副主编、编委申报、推荐工作。最后由国家中医药管理局组织全国高等中医药教材建设专家指导委员会确定了10个专业共90门课程教材的主编。并在教材的组织编写过程中引入了竞争机制，实行主编负责制，以保证教材的质量。

本系列教材编写实施“精品战略”，从教材规划到教材编写、专家审稿、编辑加工、出版，都有计划、有步骤地实施，层层把关，步步强化，使“精品意识”、“质量意识”始终贯穿全过程。每种教材的教学大纲、编写大纲、样稿、全稿都经专家指导委员会审定，都经历了编写启动会、审稿会、定稿会的反复论证，不断完善，重点提高内在质量。并根据中医药高职高专教育的特点，在理论与实践、继承与创新等方面进行了重点论证；在写作方法上，大胆创新，使教材内容更为科学化、合理化，更便于实际教学，注重学生实际工作能力的培养，充分体现职业教育的特色，为学生知识、能力、素质协调发展创造条件。

在出版方面，出版社严格树立“精品意识”、“质量意识”，从编辑加工、版面设计、装帧等各个环节都精心组织、严格把关，力争出版高水平的精品教材，使中医药高职高专教材的出版质量上一个新台阶。

在“新世纪全国中医药高职高专规划教材”的组织编写工作中，始终得到了国家中医药管理局的具体精心指导，并得到全国各开展中医药高职高专教育院校的大力支持，各门教材主编、副主编以及所有参编人员均为保证教材的质量付出了辛勤的努力，在此一并表示诚挚的谢意！同时，我们要对全国高等中医药教材建设专家指导委员会的所有专家对本套教材的关心和指导表示衷心的感谢！

由于“新世纪全国中医药高职高专规划教材”是我国第一套针对中医药高职高专教育的系统全面的规划教材，涉及面较广，是一项全新的、复杂的系统工程，有相当一部分课程是创新和探索，因此难免有不足甚至错漏之处，敬请各教学单位、各位教学人员在使用中发现问题，及时提出宝贵意见，以便重印或再版时予以修改，使教材质量不断提高，并真正地促进我国中医药高职高专教育的持续发展。

全国中医药高等教育学会

全国高等中医药教材建设研究会

2006 年 4 月

新世纪全国中医药高职高专规划教材

《中医外治技术》编委会

主　编　刘明军　（长春中医药大学）

副主编　黄　莺　（成都中医药大学）

于天源　（北京中医药大学）

隋淑雪　（山东中医药高等专科学校）

编　委　（以姓氏笔画为序）

于天源　（北京中医药大学）

刘明军　（长春中医药大学）

张　欣　（长春中医药大学）

张　彪　（贵州遵义中医学校）

苏珍枝　（山西生物应用职业技术学院）

姜青松　（绵阳医学专科学校）

梅荣军　（黑龙江中医药大学）

隋淑雪　（山东中医药高等专科学校）

黄　莺　（成都中医药大学）

黄玉剑　（陕西省中医学校）

学术秘书　张　欣　（长春中医药大学）

主　审　罗才贵　（成都中医药大学）

钟以泽　（成都中医药大学）

编写说明

“新世纪全国中医药高职高专规划教材”是国家中医药管理局统一规划、宏观指导，全国中医药高等教育学会、全国高等中医药教材建设研究会具体负责，26所开办中医药高职高专教育的院校联合编写的教材。本教材是根据教育部《关于“十五”期间普通高等教育教材建设与改革的意见》的精神，为适应我国中医药高职高专教育发展的需要，全面推进素质教育，培养适合21世纪发展需要的高素质实用型创新人才而编写的。

中医外治技术是中医学的重要组成部分，是随着中医学发展而逐渐形成的，是研究传统中医学理论和方法的一门新兴学科，也可以说是既古老而又年轻的学科。它有着悠久的历史和丰富的理论与实践经验。中医外治技术是传统中医学中具有特色治疗作用的疗法，是我国人民在长期与疾病作斗争的过程中发明并发展的独特疗法。经过历代医家的不断总结和提高，中医外治技术日趋完善。这些独特疗法在保障人民健康，增强人民体质上发挥了独特作用。

《中医外治技术》教材编写的主要目的是使学生了解中医外治技术的概念、中医外治技术的形成和发现过程，熟悉中医外治技术的特点和治疗对象，掌握常用中医外治技术的作用机理、具体方法及临床应用，为进一步发掘 、整理、完善中医外治技术理论，培养合格人才打下一定的基础。

本教材包括绪论、药物熏洗疗法、药物外敷疗法、药浴疗法、穴位埋线疗法、针刀疗法、放血疗法、拔罐疗法、点穴疗法、踩跷疗法、捏脊疗法、刮痧疗法、离子导入疗法、磁疗法等内容。

本教材在编写过程中，得到了长春中医药大学、成都中医药大学、北京中医药大学、黑龙江中医药大学、山东中医药高等专科学校、陕西省中医学校、绵阳医学专科学校、贵州遵义中医学校、山西生物应用职业技术学院等兄弟院校的大力支持；成都中医药大学罗才贵教授、钟以泽教授作为主审，付出了大量精力，对教材全部内容进行了认真审阅，并提出许多修改意见和建议，使本教材得以顺利完成。此外，长春中医药大学的逄紫千、胡英华同志也为本教材做了大量的工作，在此一并谨表谢意！由于参编人员较多，流派较广，地域差别及水平有限，教材中定有不尽完善之处，希望各院校在使用过程中提出宝贵意见，以便进一步修订。

《中医外治技术》编委会

2006 年 3 月

目 录

第一章　绪　论

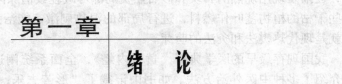

中医外治技术是泛指运用各种中医外治法治疗疾病的操作方法。换言之，各种中医外治法组成了中医外治技术。而中医外治法是指一切施于体外或从体外进行的疗法，包括针灸、刮痧等应用医疗器械的治疗方法，推拿等应用手法治疗的方法，以及应用天然物理因素的治疗方法和中药外用的治疗方法等。中医外治法是中医学宝库中的一个重要组成部分，不仅方法繁多，各具特色，而且适应证广泛，具有"简、验、廉、效"的临床应用特点，很受群众欢迎。这种萌芽于原始社会，经历了数千年曲折发展历程的中医疗法，在现代科学技术的渗透及影响下，呈现了一个崭新的局面，展示了无限广阔的发展前景。

一、中医外治技术发展简史

中国医药学是个伟大的宝库，在中国经历了数千年的实践检验，证明其传统医学理论和各种内外治法都是行之有效的。中医治法归纳起来可以分为两大类，用口服药治疗疾病的方法统称为内治法，口服药物以外治疗疾病的方法统称为外治法。中医外治法历史源远流长，是中医治疗学的重要组成部分。

（一）中医外治技术的萌芽期

中医外治技术历史悠久，在远古的原始社会已有多种外治法的产生，如包扎、止血、外敷、热熨、砭石、按摩、针灸、舞蹈等。当时，人们的生活环境艰苦险恶，劳动工具简陋，经常会在与野兽斗争或生产实践中出现跌仆损伤、碰撞扭挫而致疼痛肿胀，在负伤处用手压迫、抚摩，便起到了散瘀消肿、减轻疼痛的作用，这就是按摩法产生的源头。当人们被野兽咬伤或在寻找食物及劳动过程中被刺伤体表而引起出血时，用手指压迫或用捣烂的草茎、树叶、唾液等涂敷伤口，就可以制止出血，促进伤口愈合，于是逐渐发现某些植物有止血作用，有些树脂还能杀菌、防腐、促进血液循环，这样就产生了最早的敷贴法。随着生产工具的改进以及与疾病作斗争经验的积累，古人逐渐懂得了用兽角进行"杯吸术"，即拔罐法；用甲壳、兽骨、鱼刺、砭石等除去异物、切开脓肿和施行放血，即放血法。古人在发明了火以后，很快应用于医疗。他们在围火取暖的同时，逐渐发现用烧热的石块和砂石热熨局部可减轻或消除因寒湿引起的病痛；用某些干枯的植物茎叶作燃料，进行局部的温热刺激，能治愈腹痛、腹泻等疾病。这就是现代热熨法和灸法的萌芽。

我国现存最早的医学典籍《黄帝内经》，全面系统阐述了中医学理论体系，并介绍了多种中医外治方法。如书中记载了“形苦志乐，病生于筋，治之以熨引”的熨法、“导引按跷”的按摩法以及浴法、膏法、熏法等外治方法和“桂心渍酒，热熨寒痹”、“白酒和桂以涂风中血脉”等外治药物。医圣张仲景在《伤寒杂病论》中记载了鼻内吹药、塞鼻、灌耳、舌下含药、润导、浸足、坐药、扑法、洗法、熏法、暖脐法、点药烙法、温覆取汗法、温粉止汗法、头风摩顶法以及救自缢而死的类似现代人工呼吸法等十余种外治方法。

由此看出，中医外治法从最早无意识的萌芽状态，发展到秦汉时期，已经具有了一定的水平，开始应用于医疗实践了。

（二）中医外治技术的发展期

从三国时期开始，中医外治技术进入了一个快速的发展阶段。运用各种外治法治疗疾病的医案，不断涌现。如：名医华佗应用“麻沸汤”给病人内服麻醉做开腹手术，并用“神膏”外敷伤口，促进愈合。晋代葛洪的名著《肘后备急方》着眼于临床急救，书中近半篇幅介绍了中医外治法，如用竹管导尿，救猝死用半夏末吹鼻，治卒中五尸以商陆根煎熬囊贮更番热熨，“令爪其病人人中取醒”以治卒中的方法等。南北朝龚庆宣所著《刘涓子鬼遗方》是我国现存最早的一部创伤外科专书，记载了脓肿切开排脓和用水银治疗皮肤病等经验。晋代以后外治法趋于细化，开始向专科发展。晋代皇甫谧的著作《甲乙经》问世后，针灸疗法的经络穴位逐渐统一规范，经验日趋丰富。推拿则又分化出正骨推拿、小儿推拿、喉科推拿、养生按摩等。物理治疗出现后，已有泥疗、沙浴、日光浴、温泉浴、蜡疗之分。天然磁石应用于临床，产生了磁疗法。唐代医家孙思邈创立有磁穴疗法、磁水疗法、磁粥疗法、磁酒疗法。他的医学著作《千金要方》全书共30卷，其中23卷均有外治法的内容。全书共收集医方4500多首，其中有1200余首外治方，运用了50多种外治方法，涉及到内、外、妇、儿、五官、皮肤科等多种病证。《千金要方》中还有对尿潴留患者以葱管作导尿器械的记载。唐代医家王焘在《外台秘要》中也收集了大量外治方，如用苦参煎汤淋浴治小儿身热等。宋代的医学著作《太平圣惠方》和《圣济总录》等书中都载有伤科外治法的内容。如《圣济总录》中有治疗骨折脱位的方法，以及对开放性创伤强调要清创缝合，若有感染则要采取外洗疮口的方法以祛秽解毒等。

在中医外治技术的发展期，中医外治法不论在治疗方法的种类上，还是在治疗疾病的范围上，都较以前有了进一步的扩大，为中医外治技术的发展奠定了坚实的基础。

（三）中医外治技术的形成期

中医外治技术的形成期是在明清时期，此时外治法已应用于临床各科数百种疾病的治疗。明代陈实功的医学著作《外科正宗》堪称此时期的代表作。在治疗脓肿病方面，他强调要“开户逐贼”，“使毒外出为第一”，运用刀、针扩创引流，或采用腐蚀药物清除坏死组织。书中还记载有截肢术、鼻息肉摘除术、气管缝合术、咽喉食道内异物清除术以及竹筒吸脓法、枯痔散治痔法、火针治瘰疬法等，均具有极高的临床价值，说明当时外治法应用范围十分广泛。明代医家李时珍的医药学巨著《本草纲目》，辑录了大量外治方药。其外治方法有 80 余种，除皮肤科和伤科外，还有 1600 余首外治方药用于其他科。《本草纲目》还记载了很多穴位敷药疗法，使药物外治法与经络腧穴相结合，提高了临床疗效。清代程鹏程编撰的第一部外治专书《急救广生集》，又名《得生堂外治秘方》，专门介绍中医外治技术，总汇了清代以前千余年的外治经验和方法。全书共 10 卷，收治病证 400 余种，选方 1500 余首，涉及内科、外科、妇科、儿科、皮肤科、骨伤科等科。所载诸方，具有简、便、廉、验的特点。如取五倍子末填脐中以及临卧用川郁金末均匀调涂乳上治疗自汗盗汗，用蒜泥贴足心治疗鼻血不止，用绿豆皮、决明子、野菊花等药制成“药枕”平肝明目，以葱白杵烂填脐中、艾火灸之治疗大小便不通，硼砂末点眼治疗腰部扭伤等，均属外治佳法。清代医家赵学敏总结前人经验，汇集整理成医学著作《串雅内篇》、《串雅外篇》。其中《串雅外篇》所收的外治法，资料十分丰富。该书分为禁药门、起死门、保生门、奇药门、针法门、灸法门、熏法门、贴法门、蒸法门、洗法门、熨法门、吸法门、取虫门等共 28 门，包括各种外治方法共 600 条，内、外、妇、儿、五官等科的一些急慢性疾病，无不可以选择外治法治疗。吴师机所著的《理瀹骈文》是清代成就最大、最具影响的一部外治专著，书中收集了近百种外治方法，并重点介绍了膏药治病的经验。书中记载，在治疗胸部以上部位疾病时，运用涂顶、覆额、点眼、塞鼻、塞耳、揉项及敷手腕、膻中、背心等方法；在治疗脐以上胸部以下的中部疾病时，运用敷脐、熏脐、蒸脐、填脐等方法；在治疗脐以下部位疾病时，运用坐浴、坐熏、摩腰、暖腰、兜肚、敷膝、熏腿、贴腿肚、掬脚跟等方法。吴师机不仅系统整理和总结了千余年来的中医外治法的经验，并从理论上进行了深入探讨，指出内治与外治在治病祛邪方面并没有本质的区别，只是方法不同而已，医理是一致的。他还将众多的外治方法，归纳为嚏、填、坐三法，创立了表、里和半表半里三焦分治的外治体系。

明清时期，人们对中医外治法研究之深，运用之广，整理之系统，远远超过以前的任何时期，标志着中医外治技术形成期的到来。

（四）中医外治技术的复兴期

自清代末期以后，中医药事业的发展不断受到歧视、排斥和摧残，跌入了前所未有的低谷，中医外治法也一度湮没不彰。新中国成立以后，随着中医药政策的贯彻落实，中医外治技术也获得了新的发展。尤其是与现代科学技术相结合后，采用了新的仪器和器具，催生了新的外治方法，如超声药物透入疗法、超声雾化吸入法、中药电离子导入法、红外线疗法、激光疗法、磁疗法、肌电生物反馈疗法、音乐疗法、心理疗法等，借助声、光、电、化、磁的能量，促进药物由外而内，延伸和发展了传统的中医外治技术，提高了外治法的疗效。中医外治法还不断吸收现代药物研究成果，大胆改革创新外用药物的传统剂型，提高用药效率。如在膏药的生产制作中，使用的新型贴膏剂，有助于表皮的水合作用和角质软化，可加速药物的渗透吸收；还有的膏药应用透皮控释剂，可使药物缓慢释放持续 72 小时。中医外治法与保健品的结合，是中医外治法发展的一个亮点，如在治疗高血压、颈椎病、鼻炎、神经衰弱等慢性病时应用的药枕以及各种药物背心、兜肚、护肩、护膝、腰带、保健衣裤等。这既是对中医外治方法的继承与进一步发展，也是中医外治法朝着现代化方向发展的又一条途径。

中医外治技术的不断发展进步，说明了中医外治法的医疗实践应用方面正在全面复兴，必将达到一个新的高度，同时也展现了中医外治法强大的生命力和广阔的发展前景。

二、中医外治技术的临床应用特点

中医内病外治、外病外治的一些治疗方法，具有简、便、廉、捷、验等优点，易学易用，使用安全，毒副作用少，在临床各科病证中有显著疗效，尤其对老幼虚弱之体、攻补难施之时、不肯服药之人、不能服药之证，药物外治法与内治法有殊途同归、异曲同工之妙，更有内服法所不及的诸多优点。

（一）治法多样，简便易行

外治法来源于医疗实践，方式方法多种多样，如手法、器械、药物并用，施治部位较广泛，具有多种可供选择的治疗途径。由于外治法大多作用于人体患部、经穴和特定部位，因而可选用点眼、塞鼻、塞耳、敷脐、敷手心、塞肛门、塞阴道等方法，这些部位均很容易找到且易于施术，故极易推广应用。此外，外治法所用材料大多较为普遍，方法容易掌握，特别是中药外治一般所需的剂量较小，无需高、精、尖或特殊的仪器和设备，故可以节约大量药材，减少开支，也便于操作，易于推广。

（二）疗效可靠，适应证广

实践证明，外治法能够迅速而有效地控制和消除临床症状，故对内、外、妇、儿、皮肤、五官诸科的多种疾病有很好的治疗和辅助治疗作用。对病情轻浅单纯的疾病以及在疾病的初期阶段，完全可起到主治作用，尤其是不肯服药的儿童，不能服药或鼻饲的病种，久病体虚或脾胃运化功能失常，难受攻补之人均无过多禁忌，可酌情使用，每能起到内治所不能及的效果，以补内治之不逮，丰富了临床治疗手段。如高热，用冰块敷前额降温，防止发生变证；鼻衄可以用冰块敷双侧的迎香穴来止血；癫痫发作，急掐人中而使其缓解；中暑昏倒之病人，用卧龙丹取嚏促使其苏醒；对尿潴留患者，采用搐鼻、敷脐等手段，亦可使尿液排出；对麦粒肿可行背部挑刺治愈等等。这为临床各种疾病的治疗创造了有利的条件，是一种行之有效的治疗方法。外治法不仅对急性病有迅速控制症状的作用，而且对某些慢性病疗效也是十分显著的。如治疗支气管哮喘采用外敷消喘膏，冬病夏治，可使其症状得以减轻和治愈，其他如罂粟壳敷脐治疗慢性腹泻，神阙穴贴五倍子膏治疗自汗、盗汗，滴耳治疗耳聋耳鸣等，均可以收到显著的效果。

（三）安全可靠，副作用少

中药外治所需的药量远远小于内服药量；且往往采用患病局部或病位相邻的部位施药，在局部形成较高的药物浓度，而血中药物浓度则甚微；有的药物即使通过人体直接吸收而发挥作用，也因其选择适宜的途径直接进入体循环，避免了药物对肝脏及其他器官的毒害。而敷脐、耳压等疗法则几乎无毒害作用。由于外治法是施术于体表外且在体外进行，通过皮肤、黏膜的渗透作用起到治疗效果，这样就可以随时观察患者的用药反应而决定去留。因此，其方法较内服法安全可靠，副作用小，并且可避免意外事故的发生。正如《理瀹骈文》所言："外治法治而不效，亦不致造成坏症，尤可另易他药而收效，未若内服不当则有贻误病机之弊。""自来相戒，误入非心毒药，所见不真，桂枝下咽，承气入胃，并可以毙，即一味麻黄、一味黄连、一味白术、一味熟地，用之不当，贻误无穷。"从中可以领悟到，治疗疾病要求辨证准确，治其根本，才能立起沉疴，勿犯虚虚之戒。外治法亦是如此，只要辨证准确，施治得法，操作细致，一般来说，比内服药安全可靠，且副作用很少。

（四）精于辨证，定位用药

辨证论治是中医遣方用药的根本，古今历代医家均十分重视审证求因，通过运用望、闻、问、切四诊来全面地了解患者的症状和体征，然后进行分析、综合、归纳，弄清疾病发生的原因、部位、性质、轻重程度、范围大小及发展趋势，从而选择适宜的外治方法进行治疗。如果虚实不明、寒热不辨、表里相混、阴阳不分地使用外治法，就不会取得应有的效果，甚至会使病情恶化，这在使用外治法时要特别注意。吴师机说："外治之法，间有不效者，乃看证未的，非药不效也。""大凡外治用药，皆本内治之理，而其中有巧妙处，则法为之也。"故其强调治病要"明阴阳，识脏腑。"在《理瀹骈文》中也始终贯穿应用阴阳五行、脏腑经络理论来指导临床。如小儿发热辨证属风热者，可选用薄荷叶捣烂揉擦迎香穴，以疏风散热。只有辨证准确，才能使外治法有据可依，有法可循，治之无误，更好地发挥其治疗作用。中药外治法施于局部组织内的药物浓度显著高于血液浓度，故发挥作用充分，局部疗效明显优于内治，且取效迅捷。如用锡类散灌肠治疗溃疡性结肠炎，可在病灶局部直接发挥解毒生肌的作用；颈椎病项强臂麻，用活血通络的药物作枕，其疗效不逊色于内服，且免除了长期服药之苦；关节局部寒冷疼痛，用温经活血通络药局部外敷加热熨，散寒效果较内服药为优。

（五）重视剂型，防治结合

外治法所用药物的剂型颇多，除传统的丸、散、膏、丹等外，目前又开发出气雾剂、灌肠剂、乳剂、熨剂等，各种剂型由于制剂工艺不同，作用特点各异，因而临床辨证施治时，要针对性地加以选择，以充分发挥其疗效。如虚寒胃痛或妇女痛经则宜选用热熨剂或灸法来温通经络止痛；跌打损伤则宜选用中药外洗或外擦；疮疡溃烂则不宜选用对皮肤有刺激的药物如酊剂。所有这些，均说明剂型的选择合理与否，直接影响到疗效的好坏，应引起足够的重视。中医古典医籍中有麻油滴鼻预防瘟疫的记载，又用液状石蜡滴鼻预防流感，认为可能是油类在鼻黏膜上形成保护层的作用。用食醋熏蒸或滴鼻预防流感、流脑、腮腺炎，已普遍为群众所接受。许多中药外治法，如药物兜肚、药枕、药榻、药被、药衣、佩戴香囊等等，不但可以用于治疗疾病，还可健脑益聪，强身健体，实践证明具有较高的养生保健和防治疾病的价值。

（六）强调三因制宜

中医学强调"天人相应"，认为大自然的千变万化、寒暑交替、斗转星移都直接或间接地影响着人体的生理与病理，而人体本身又有禀赋、年龄、体质、性别之不同，各地区的生活习惯和环境也有差异，因而运用外治法时就要注意到自然因素和人为因素的影响，即所谓因人、因地、因时制宜。

1. **因人制宜：**外治法和内治法一样均需要根据患者的体质、年龄、性别、生活习惯以及既往病史等具体情况来选择适当的治疗，而不能片面地、孤立地看待疾病，机械地使用外治法。如小儿患风寒感冒，用葱白、生姜、胡椒加水煮沸，令患儿吸其蒸气，汗出即愈；而成人患风寒感冒则必须用搐鼻取嚏、生姜擦背而收功。对孕妇则禁止在腹部使用刺激力强的外治法。凡此种种，说明外治法要因人施治，正确使用，方能驱除病邪。

2. **因时制宜：**四时气候变化，对人体的生理功能、病理变化均产生一定的影响，根据不同季节气候特点，采取适宜的治疗方法，是十分必要的。吴师机治疗四时伤寒的伤寒通用膏，春夏加石膏、枳实，秋冬加细辛、桂枝，就充分体现了这一特色。如麻疹欲出不透者，在夏季气候炎热时，宜用紫背浮萍、椿根皮、西河柳、生姜煮水擦背，而在冬季气候寒冷则应采用熏气疗法。

3. **因地制宜：**我国地域辽阔，各地四季气候差异悬殊，因而在运用外治法时，必须结合当地的气候特点，采取适当的治疗方法。如采用灌肠治疗小儿外感高热时，在西北严寒地区，宜用辛温解表之品，如桂枝、麻黄等；而在东南温热之地，则辛温解表之品宜少用，以免过汗伤正。如有的地区，药源匮乏，则需选择用药，或以他药代之，切不可死板僵化，而治之失时。

三、中医外治技术的作用原理

中医外治技术从人的整体观出发，以脏腑经络学说为理论基础。中医学认为，经络是人体运行气血的通路，位于深部的主干为经，位于浅表部位的分支为络，络的分支为孙络。经与络组成一个纵横交错、沟通表里上下、联系全身的网络。它的生理功能是行气血，营阴阳，濡筋骨，利关节，内属脏腑，外络肢节，把人体联系成为一个整体，以维持人体组织器官的正常活动。人体的五脏六腑、五官七窍、四肢百骸、筋骨皮肉都需要气血的濡养与经络的联系，才能发挥各自的功能，并相互协调形成一个有机的整体。腧穴为人体气血汇聚之所，是脏腑经络之气达于体表的部位，也是中医外治法常用的治疗部位。经络腧穴在接受了来自体表的药物或手法、器械、温热等刺激后，将感应传向远方，达到疏通气血，调整阴阳，发挥脏腑器官抗御病邪的能力，从而达到治疗疾病的目的。

从现代科学看来，中医外治技术中的多种治疗方法，是以物理因子，包括力、热、光、磁、声、电等刺激为主，配合以外治药物，通过皮肤、黏膜透入局部或血液，产生局部或全身药理效应而发挥作用，其中物理能的吸收常是诸种作用的基础。机体的细胞、体液及各种组织成分在物理能的作用之下，引起一系列的电力学、生物物理学、生物化学、生物磁学等理化反应，包括自由基的清除、温度梯度变化、pH 值变化、形态效应，影响生化过程的各种酶的活化、生物活性物质的产生、组织的化学结构和生物磁场的改变，以及其他的变化等，进一步在局部与全身产生生理效应，从而达到调节、促进、维持、恢复或代偿各种生理功能，消除病因，消除或减轻病理过程的目的。

四、中医外治技术的分类和学习方法

（一）中医外治技术的分类

中医外治技术的治法种类很多，细分有数百种，常用的有四五十种。随着科学技术的不断发展和应用于医疗临床实践，又产生出很多应用现代化仪器的外治技术新方法。总体来说，中医外治技术主要分为以下几种：

1. **针法**：针法依针刺部位的不同可分为体针、头针、耳针、鼻针、面针、眼针、舌针、脊背针、手针、足针、腕踝针、皮内针等疗法；依针具不同又可分为毫针、三棱针、巨针、七星针、芒针、火针、水针、温针、指针、小针刀、脉冲电针、声电针、微波针、激光针等疗法。

2. **灸法**：根据灸法使用的艾、灸具、灸法的不同可分为艾炷灸、艾条灸、隔物灸（姜、蒜、药饼）、药绒艾、温针灸、温筒灸、发泡灸、丹灸、雷火针灸、灯火灸等法。

3. **推拿疗法**：根据手法、施治部位、治疗对象的不同可分为成人推拿法、小儿推拿法、正骨推拿法、足部按摩法、保健按摩法、捏脊疗法、整脊疗法、按脊疗法、拍击疗法、指拨法、推扳法、颠簸疗法等。

4. **药物外治法**：根据药物的剂型、使用方法与附加物理治疗方法的不同可分为围药法、薄贴法、油膏法、掺药法、药捻法、吹法、滴法、点法、拭法、导法、吸法、注射法、洗涤法、熏法、熨法、烘法。

5. **拔罐疗法**：也称角法，根据使用罐具、治疗方法不同可分为火罐法、水罐法、抽气罐法、药罐法、针罐法等。

6. **手术疗法**：根据治疗目的、手术方式、使用器械的不同可分为麻醉法、针刀法、手术法、烙法、割治法、挑抬法、结扎法、埋线法、挂线法、枯痔法、放腹水法、修脚术、刮痧法、夹板固定术、棉垫压迫术等。

7. **物理疗法**：根据利用的自然条件可分为日光浴法、沙浴法、泥疗法、温泉疗法等。根据利用的器械不同可分为神灯照射法、蜡疗法、磁石疗法。

8. **其他疗法**：常用的有鳝鱼血疗法、蜂蜇疗法、蜞针疗法。

（二）中医外治技术的学习方法

1. 善于发掘、整理古典医籍中的外治内容：中医外治技术的历史源远流长，疗效可靠，很多古代的外治方法一直沿用至今。因此，及时发掘、整理古典医籍中的外治内容，是学习中医外治技术的方法之一。

2. 了解外治法的治疗机理：任何一种治疗方法都有其治疗的作用机理，中医的外治技术也是如此。根据不同的疾病特点，了解和掌握外治技术的作用机理，是治疗的关键，也是学习外治技术的重要方法。

3. 重视外治法的剂型选择、治法选择：在药物外用治疗方面，要根据患者体质、病情、年龄等不同，选择不同的药物剂型、不同的治疗方法。

4. 促使中医外治技术现代化：古老的中医外治技术，在中医临床上一直发挥着巨大的治疗作用。但是医学在不断地进步，传统的外治法也需要和现代医学技术相结合，才有利于中医药的发展和提高。中医药现代化是中医学发展的必然趋势，学习和掌握现代化科学知识，有利于丰富中医外治技术的内容。

第二章 药物熏洗疗法

药物熏洗疗法是以中医药基础理论为指导，将中药煎煮后，先利用蒸气熏蒸，待药液降温后，再用药液淋洗、浸浴全身或患处局部的一种治疗疾病的方法，是中医外治法的重要组成部分。熏洗疗法有广义和狭义之分，广义的熏洗疗法包括烟熏、蒸气熏和药物熏洗三种方法，狭义的熏洗疗法仅指药物熏洗的治疗方法。熏洗疗法根据治疗的形式和使用的部位不同，可以分为溻渍法、淋洗法、熏洗法和热罨法四种类型。医学著作中对熏洗疗法记载最早的是《五十二病方》，现存最早的中医经典著作《黄帝内经》从邪气入侵途经是由外入内和“善治者治皮毛，其次治肌肤，其次治筋脉”、“除其邪则乱气不生”和“治病必先治其病所从生者也”等立论，认为“其有邪者，渍形以为汗”，“寒者热之，热者寒之……摩之浴之”（此“渍形”、“浴之”即熏洗法），首次将熏洗法列为重要和常用的治则、治法，与温、补、泻、汗等治法甚至与寒者热之、热者寒之等治则相提并论，为熏洗疗法初步奠定了理论基础。以后历代医家应用范围不断扩大。本法是借助热力和药力的综合作用，具有促进腠理疏通，气血运畅，改善局部营养和全身机能的功能，达到解毒消肿、活血通络、行气止痛、祛风燥湿、杀虫止痒等目的。熏洗疗法具有应用广泛、疗效独特、奏效迅捷、安全稳妥、操作简便、易学易用、经济实惠等特点。

第一节 药物熏洗疗法的基本原理

中药熏洗疗法主要是利用物理热量与中草药结合产生大量的药物蒸气，将药物施于皮肤或患部，借温度、机械和药物的作用对机体发挥直接、间接的治疗作用。其中最主要的还是药物直接对机体病变局部发挥治疗作用，疏通经络，调和气血，促进血液循环，改善局部营养状况和全身机能，从而达到治愈疾病的目的。如《太平圣惠方》曰：“发背……肿赤热而疼痛，或已溃，或未溃，毒气结聚，当用药煮汤淋溻疮上，散其热毒……能荡涤壅滞，宣畅血脉。”《外科正宗》

谓："凡疮未溃前……俱要煎葱艾汤，每日淋洗疮上……使气血疏通，易于溃散。"熏洗疗法的基本原理有二：

一、直接作用

直接作用是药物通过熏洗方法，透过皮肤，到达腠理，深入脏腑，直接吸收输布全身，以发挥其功效。熏洗药物的直接治疗作用主要决定于熏洗药物的种类，其作用原理有：

1. 祛风除湿，杀虫止痒：痒感是皮肤病患者最主要的自觉症状，是由于风、湿、热、虫、毒等浸淫皮肤所致。故对神经性皮炎、皮肤瘙痒症、银屑病、疥疮、肛门湿疹等应用祛风止痒、清热除湿、解毒杀虫等方药熏洗，通过血管扩张，循环加速，汗腺开泄，排毒增加；同时久浸温汁，角质软化，药物易渗，可发挥杀虫去屑、洁肤止痒等作用。

2. 疏通腠理，解毒消肿：对疔、疮、痈、疽、疖等化脓感染性疾病，熏洗疗法可清热解毒，促进局部炎症早日吸收而散瘀消肿，或促进坏死组织脱落，肉芽组织增生，生肌敛口，从而促进创面愈合。

3. 清热燥湿，收敛止痒：急性湿疹、皮炎初期，渗出明显，如应用清热燥湿、收敛止痒等方药进行溻渍等，利用药物及冷热作用来影响末梢血管、淋巴管的舒缩性，从而改善局部循环，以达到抑制渗出、清热止痒等治疗目的。

4. 温经散寒，活血化瘀，行气止痛：冻疮、血栓闭塞性脉管炎、雷诺病、硬皮病等常因寒湿凝滞、经络受阻、气滞血瘀等所致，如应用温经散寒、活血化瘀、行气止痛等方药熏洗、浸洗，通过改善患部血液及淋巴循环、疏通经络、行气活血、化瘀消肿、散寒止痛来发挥治疗作用。

二、间接作用

间接作用是指除了药物之外，皮肤或患部受到温热、机械等物理刺激，通过经络系统的调节而起到纠正脏腑、阴阳、气血的偏盛偏衰，补虚泻实，扶正祛邪等作用用以治疗疾病。

1. 促进新陈代谢作用：温热和药力的刺激，可促进血管扩张，加强新陈代谢，营养组织。同时还可促进药物的渗透吸收，从而增强全身效应。如皮肤久浸于温热药汤中，能使角质层软化或膨胀，药物容易透过角质而被吸收，也可通过毛囊或腺管被吸收到体内而发挥作用。

2. 增强神经末梢刺激作用：皮肤的神经末梢感受器受到刺激，通过神经的反馈原理形成新的反射，破坏了原有的病理反射联系，从而起到生理调节和增强治疗效应的作用。

第二节 药物熏洗疗法的器具与操作规程

一、药物熏洗疗法的器具

1. **浴盆**：洗浴、熏洗用。

2. **坐浴盆**：肛门及会阴部疾病坐浴、洗浴、熏洗用。

3. **面盆**：通常选用搪瓷脸盆，用于头面部、四肢熏洗，亦可作坐浴盆用。

4. **木桶**：大木桶用于全身熏洗，小木桶用于四肢、手足浸洗或熏洗。

5. **冲洗器**：淋洗患处用。

6. **小喷壶**：冲洗用。

7. **火炉或电炉**：煎煮药物用。

8. **砂锅或砂罐**：煎煮药物用，也可用大搪瓷锅或脸盆代替。

9. **小木凳、带孔木架、坐浴椅**：熏洗时放置患肢或臀部用。

10. **布单、毯子或浴罩**：用于熏洗时围盖盆、桶。

11. **毛巾或浴巾**：用于熏洗后擦干身体或患部。

12. **浴帽**：熏洗时用于包裹头发。

13. **换药器械及药物**：熏洗患处时使用。

二、熏洗的操作规程

（一）熏洗前准备阶段

1. **室温的调节**：室内备温度计，以便随时测试室内温度变化并加以调节。冬季室温保持在20℃以上，室内备取暖设备；夏季注意室内通风换气，使空气流通。

2. **熏洗的时机**：宜在饭后1～2小时进行。饱餐后不应立即熏洗。空腹时由于肠胃空虚，体能下降，熏洗时大量汗出，易造成虚脱；而饭后立即熏洗，可造成胃肠或内脏血液流动减少，不利于消化，甚至可引起胃肠不适而恶心呕吐。

（二）熏洗阶段

1. **熏洗时间**：严格掌握好熏洗时间，熏洗时间不可过长，一般15～30分钟。

2. **补充液体和能量**：由于大量出汗，体液丢失很多，熏洗时可备糖盐水适量，以吸管频饮以补充体液和能量。

3. **防止晕厥：**熏洗时皮肤血管充分扩张，体表血液量增多，造成头部缺血，易发生晕厥。熏洗过程中，护理人员要守候在旁边，注意观察患者反应。如患者出现头晕、心慌，立即停止熏洗，平卧休息。可给病人喝糖盐水，以补充水分及能量，必要时静脉推注50%葡萄糖注射液40～60ml。

4. **控制温度：**熏洗过程中严格控制好药温，一般为50℃～60℃，以局部皮肤红润，患者自感舒适为宜。切不可过高，以免烫伤皮肤；也不可过低，以免影响疗效。

5. **防体位性低血压：**患者熏洗完成后，慢慢起身，防止猛然站起，引起体位性低血压而致眩晕。

6. **注意保暖：**熏洗完毕后，立即用浴巾擦干表体的水分，协助患者穿好衣服，休息10～20分钟后，再做其他活动。

（三）全身熏洗法

1. 将配选的药物先煎汤去渣取汁，趁热倒入浴盆中，盆内放一小木凳，高出药水水面约10cm，患者坐在小木凳上，用浴罩或布单、毛毯等在上面盖住（仅头部暴露在外）勿使热气外泄，待温度适宜，取出小木凳，再进行洗浴，以出汗为宜。

2. 熏洗完毕后用浴巾擦干全身，卧床被覆浴巾休息，如能小憩片刻更好，待汗消后再换穿衣服。

（四）局部熏洗法

1. **手部熏洗：**将所选药物煎汤取汁，趁热倒入盆中，将患手放于盆上进行熏洗，用布将手和盆口盖严，不使热气外泄，待温度适宜，把手或腕部与前臂浸入药液中浸洗。

2. **足部熏洗：**将所选药物煎汤取汁，趁热倒入瓷盆或小木桶内，将患足放在带孔小木架上，外用布单将口盖严，待水温适宜，取出小木架，将患足及小腿浸入药液中浸洗。

3. **头部熏洗：**将所选药物煎汤取汁，趁热倒入盆内，患者取端坐姿势，向前微倾，面向汤盆闭眼，进行熏蒸，或用布单将头、面与盆相对盖严，待水温适宜，揭去布单，再频频洗头面部。

4. **二阴熏洗：**将所选药物煎汤取汁，趁热倒入盆内，盆上放置带孔横木架，患者暴露臀部坐在木架上进行熏蒸，外周盖以布单，勿使热气外泄，待药汤温度适宜，拿掉木架，将臀部浸入盆中坐浴。

第三节 药物熏洗疗法的适应证与注意事项

一、适应证

全身熏洗法主要用于皮损广泛的全身性皮肤病，局限性皮肤病是局部熏洗法的主要适应证，如脓疱疮、毛囊炎、手足癣、神经性皮炎、银屑病、皮肤瘙痒症、湿疹、脂溢性皮炎、冻疮、阴道炎、丹毒等。

二、注意事项

1. 冬季熏洗时应注意保暖，夏季要避风。全身熏洗后皮肤血管扩张，血液循环旺盛，全身温热出汗，必须待汗干，穿好衣服后再外出，以免感受风寒，发生感冒等疾病。

2. 药汤温度要适宜，不可太热，以免烫伤皮肤，也不可太凉，以免产生不良刺激。如果熏洗时间较久，药汤稍凉时，须再加热，这样持续温热熏洗，才能收到良好的治疗效果。

3. 夏季要当日煎汤当日使用，药汤不要放置过夜或太久以免变质，降低药效，影响治疗效果，甚至发生不良反应。

4. 在全身熏洗过程中，若患者感到头晕、不适等应停止熏洗，可让其平卧于通风处或卧床休息。同时监测血压、呼吸、脉搏等生命体征。

5. 如熏洗无效或病情反而加重者，则应停止熏洗，改用其他治疗方法。

6. 急性传染病、重症心脏病、高血压病等忌用熏洗法。

7. 妇女妊娠期及月经期，不宜进行阴部熏洗。

8. 饥饿以及过度疲劳时不宜熏洗。

第四节 药物熏洗疗法的临床应用

药物熏洗疗法在临床实践中应用广泛，是中医外治的一大特色。“有诸内必形诸外”，在多种皮肤疾病治疗过程中，它与内治法相辅相成，疗效显著。在针对具体疾病应用时，应遵从中医整体观念，全身辨证和局部辨证相结合，合理地运用理、法、方、药，做到有的放矢。

一、药物熏洗疗法在皮肤科的应用

药物熏洗疗法是治疗皮肤病的重要手段。此法可使药物直达病所，对于急性渗出性皮肤病，如急性湿疹、脚气、接触性皮炎、脓疱疮、脂溢性湿疹等，表现为红斑、丘疹、水疱糜烂、渗出性痂皮者，以清热燥湿、收敛止痒为治。应用时药液不宜过热，以免刺激创面，应以湿敷为主。对肥厚性皮肤病，如慢性湿疹、神经性皮炎、结节性痒疹、银屑病、皮肤淀粉样变等皮肤粗糙肥厚者，治以活血通络、软坚润肤、祛风止痒，以促进血液循环，增强代谢机能，软化上皮。应用时以熏为主，药液应偏热为好。对急性炎症性皮肤病，如毛囊炎、痤疮、丹毒、痈，应以清热解毒、凉血消肿为治法，起到局部消炎杀菌、消肿止痛作用。对寄生虫类皮肤病，如体虱、头虱、疥疮等皮肤病，应以燥湿杀虫治之，除熏洗皮肤外，还要烫煮衣服。对浅部真菌皮肤病，如手足癣、头癣、体癣、股癣等，常在燥湿清热药中加入一定的抑制真菌药物和食醋。

《医宗金鉴·外科心法要诀》曰："涤洗之法，乃疡科之要药也。"熏洗疗法主要用来治疗急慢性炎症疾患，如丹毒、急性疏松结缔组织炎、痈、疖、化脓性指头炎、甲沟炎、脉管炎、深浅静脉炎等。在应用时根据炎症的不同阶段采用不同的中药熏洗。炎症初期红肿热痛者，应发散风邪，清热解毒，改善局部血液循环，促进炎症吸收。成脓期局部肿胀突起，用手指按压有波动感时，应托表透脓，加速脓栓形成，使坏死组织和感染局部形成脓肿，易于排脓消肿。溃脓期脓流不畅，中心腐肉不尽，疮面暗红，疮口不敛，应双补气血，清解余毒，以清除腐败之物，利于创面生肌收口。凡疮形肿而不高，微红微热者，以行血疏风、活血散瘀、消肿止痛为治，如深浅静脉炎、脉管炎等。

（一）手足癣

1．湿热下注证：多见于水疱型和糜烂浸渍型。皮疹表现多为散在或簇集的瘙痒性小水疱，搔破滋水外渗，水疱干涸脱皮；或指趾间染毒，皮脱糜烂，自觉疼痛，基底潮红，瘙痒难忍；舌质红，苔薄腻或黄腻，脉弦滑或滑数。

（1）草乌复方洗剂（《中医皮肤病学简编》）

组成：生草乌、百部、土槿皮、白鲜皮、威灵仙、猪牙皂各9g，醋250ml，水250ml。

功效：散寒除湿，杀虫止痒。

用法：上方药物浸泡一夜，浓煎熏洗。

（2）苦参汤（成都中医药大学附属医院经验方）

组成：苦参、地肤子、蛇床子、白芷、百部、芒硝、陈艾、野菊花、当归各15g。

功效：清热解毒，除湿止痒。

用法：将上述中药用冷水泡半小时后，用武火烧开，文火熬制40分钟，浓煎后放至温热，将手或足放入其中浸泡半小时，一日2次。

（3）甘草枯矾汤（成都中医药大学附属医院经验方）

组成：花粉20g，黄芩10g，桔梗10g，枯矾10g，大黄15g，甘草60g。

功效：清热解毒，收敛止痒。

用法：将上述中药用冷水泡半小时后，用武火烧开，文火熬制40分钟，浓煎后放至温热，将手或足放入其中浸泡半小时，一日2次。

2. **肾虚风袭证：**病久不愈，时常趾间奇痒难忍，或浮肿滋水外溢，或干痒脱皮，甚则皲裂，遇热或遇水疼痛不适，舌质淡红，少苔，脉虚细。

3. **风盛血燥证：**病久不治或失治，水疱、糜烂等症皆不明显，足部弥漫干枯，皮厚而粗糙，边缘清楚，时有瘙痒或不痒，遇冬则皮肤干裂，行走不便，舌质红少津，脉弦细。

以上两种证型多见于角化过度型。

（1）当归补血汤加减（成都中医药大学附属医院经验方）

组成：当归20g，黄芪30g，黄精20g，大黄20g，王不留行15g，丹参20g，菟丝子30g，甘草60g。

功效：益气养阴，止痒润燥。

用法：将上述中药用冷水泡半小时后，用武火烧开，文火熬制40分钟，浓煎后放至温热，将手或足放入其中浸泡半小时，一日2次。

（2）桃红四物汤加减（成都中医药大学附属医院经验方）

组成：桃仁10g，红花10g，黄芪30g，黄精20g，制首乌20g，当归10g，大黄6g，甘草60g。

功效：养血活血，滋阴润燥。

用法：将上述中药用冷水泡半小时后，用武火烧开，文火熬制40分钟，浓煎后放至温热，将手或足放入其中浸泡半小时，一日2次。

（3）当归饮子加减（成都中医药大学附属医院经验方）

组成：生首乌、当归、黄芪、桑椹子各20g，乌梅、白芷、地骨皮、苍术、大黄各15g，陈艾、红花各12g。

功效：益气活血，滋阴润燥。

用法：将上述中药用冷水泡半小时后，用武火烧开，文火熬制40分钟，浓煎后放至温热，将手或足放入其中浸泡半小时，一日2次。

（二）扁平疣

1．风热毒蕴证：突然发病，颜面部起扁平丘疹，表面光滑，针头至粟粒大小，淡红色或正常皮色，伴轻度瘙痒，舌质红，苔薄黄，脉浮数。

2．肝郁痰凝证：发病时间长，病变以手背及面颊以下部位为主，皮损颜色紫褐，质硬，皮损长期不消退，舌质紫暗，苔薄黄，脉弦涩。

以上两证临床外治选方如下：

（1）消疣Ⅰ号汤（经验方）

组成：木贼10g，白芷10g，红花10g，地骨皮15g，木瓜10g，马齿苋20g，薏苡仁40g。

功效：清热解毒，软坚散结。

用法：将上述中药用冷水泡半小时后，用武火烧开，文火熬制40分钟，浓煎后放至温热，以药水洗脸后，用棉签蘸取药液在疣体上反复摩擦，至发红为度。

（2）马齿苋合剂（经验方）

组成：马齿苋30g，木贼20g，香附、白芷、乌梅、板蓝根、苍术、贯众、红花、地骨皮、五倍子各15g。瘙痒者加千里光、夏枯草各30g。

功效：清热解毒，软坚散结。

用法：水煎取浓汁，熏蒸洗浴或浸泡患处，每天1～2次，每次30分钟，1周为一疗程。

（3）消疣Ⅱ号汤（《皮肤科学》）

组成：木贼、香附、板蓝根、山豆根各30g。

功效：清热解毒。

用法：上药用水浓煎，趁热熏蒸、擦洗患处。

（4）消疣Ⅲ号汤（经验方）

组成：贯众15g，板蓝根15g，大青叶15g，紫草15g，苦参10g，蛇床子10g，地肤子10g，苍术10g，细辛5g，露蜂房10g。

功效：清热解毒，除湿止痒。

用法：上药加水1000ml，煎取500ml，先熏蒸，待温，以药汁擦洗病变处，每次20分钟，每天2次。

（三）汗疱疹

1．脾经湿热证：表现为手指、掌对称性分布的水疱，伴心烦脘闷，便溏，尿黄，舌质红，苔黄腻，脉濡数。

2．寒湿困阻证：皮损常见于足底或足跖，水疱散发，伴便溏，尿清，舌淡，苔腻，脉濡缓或滑。

（1）苍肤水剂（《中医秘单偏验方妙用大典》）

组成：苍耳子、地肤子、土槿皮、蛇床子、苦参、百部各15g，枯矾10g。

功效：清热燥湿，杀虫止痒。

用法：上药用水3000ml煎好后去渣，待药液变温，浸洗患处。

（2）苦参汤（经验方）

组成：苦参、地肤子、蛇床子、白芷、百部、芒硝、陈艾、野菊花、当归各15g，桂枝、细辛、枯矾各10g。

功效：清热解毒，除湿止痒。

用法：将上述中药用冷水泡半小时后，用武火烧开，文火熬制40分钟，浓煎后放至温热，将手或足放入其中浸泡半小时，一日2次。

（3）甘草枯矾液（成都中医药大学附属医院经验方）

组成：甘草60g，枯矾10g，乌梅、五倍子、大黄各15g，漏芦根30g。

功效：收涩敛汗，除湿止痒。

用法：将上述中药用冷水泡半小时后，用武火烧开，文火熬制40分钟，浓煎后放至温热，将手或足放入其中浸泡半小时，一日2次。

（4）苦矾汤（《外科与皮肤疾病千首妙方续集》）

组成：白鲜皮、明矾、苦参各30g，乌梅15g。

功效：清热解毒，除湿止痒。

用法：水煎，待药液温后浸洗患部，每次10～15分钟，每日1～2次，浸洗后擦干，涂20%尿素霜1次。

（四）银屑病

1．血虚风燥证：病程日久，皮损不扩展，或仅有少许新疹出现，疹色不鲜红，鳞屑干燥，口干咽燥，或头晕眼花，舌质淡红，苔少，脉细或缓。

2．血瘀证：病期较长，反复发作，皮损肥厚，呈钱币状、块状，少数呈蛎壳状，色紫暗，覆盖较厚干燥银白色鳞屑，不易脱落，或伴关节不利，口干不欲饮，舌质暗红或青紫，或见瘀斑、瘀点，脉细涩或弦涩。

（1）黄连解毒汤加减（成都中医药大学附属医院经验方）

组成：黄柏、大黄、胡黄连各15g，马齿苋、白鲜皮、甘草各30g，首乌20g。

功效：清热解毒，除湿止痒。

用法：将以上药物水煎浓汁，熏洗患处，早晚各1次。特别适合于皮损稍偏红，瘙痒剧烈的银屑病患者。

(2) 当归饮子加减（成都中医药大学附属医院经验方）

组成：生首乌、当归、黄芪、桑椹子各20g，乌梅、白芷、地骨皮、苍术、大黄各15g，陈艾、红花各12g。

功效：益气养阴，润燥止痒。

用法：将上述中药用冷水泡半小时后，用武火烧开，文火熬制40分钟，浓煎后放至温热，将手或足放入其中浸泡半小时，一日2次。

(3) 蛇床子散加减（《新编中医皮肤病学》）

组成：徐长卿、千里光、地肤子各30g，黄柏、蛇床子、苍耳子、狼毒、白鲜皮各10g，土槿皮、槐花各15g。

功效：清热解毒，除湿止痒。

用法：将上述中药用冷水泡半小时后，用武火烧开，文火熬制40分钟，浓煎后放至温热，外洗患处，一天2次。

(4) 二叶汤（《头面皮肤病诊疗选方大全》）

组成：桃楮叶、侧柏叶各250g。

功效：温通经络，畅达气血，疏启汗孔。

用法：加水适量，煮沸20分钟后，待温熏洗患处。

(5) 经验方（《新编中医皮肤病学》）

组成：野菊花、花椒、枯矾各120g，朴硝500g。

功效：清解余毒，除湿止痒。

用法：加水适量，煮沸15分钟，取药汁，先熏后洗患处，每次15～20分钟，每日1次。特别适合于寻常型银屑病消退期和红皮病型银屑病。

（五）鱼鳞病

1. 血虚风燥证：自幼发病，皮肤干燥粗糙，上覆鳞屑，呈灰白色或污秽色，间有白色网状沟纹，肌肤甲错，偶有轻微瘙痒感，或见于手足发胝，冬重夏轻，伴见形体消瘦，面色苍白，感头晕目眩，舌红，苔薄，脉细。

2. 瘀血阻滞证：幼年即发病，皮肤呈弥漫性角化，状如鱼鳞，肌肤干燥粗糙，以至皲裂，伴见面色暗黑，舌质紫暗，有瘀点或瘀斑，脉涩。

(1) 大黄汤（《圣济总录》）

组成：大黄15g，桂枝、桃仁各30g。

功效：活血祛风，润燥养肤。

用法：共研细末，用纱布包裹，加水1000ml，煎至500ml，先熏后洗患处，每日2次。

（2）经验方1（《皮肤性病中医治疗全书》）

组成：桃仁、鸡血藤、白鲜皮、白及、黄精各30g，红花10g，荆芥20g。

功效：活血化瘀，养血润肤。

用法：水煎熏洗患处，每日1次。

（3）经验方2（《中医秘单偏验方妙用大典》）

组成：黑豆皮、蚕豆皮、扁豆皮各等量。

功效：活血化瘀，润肤止痒。

用法：根据皮损面积大小，取上述三种豆皮共125～500g，水2000～5000ml，煎沸15～30分钟后离火待温，用软毛巾浸液湿敷熏洗患处，每日1～2次。此药每煎一次可使用两天。

（4）当归饮子加减（成都中医药大学附属医院经验方）

组成：生首乌、当归、黄芪、桑椹子各20g，乌梅、白芷、地骨皮、苍术、大黄各15g，陈艾、红花各12g。

功效：益气养阴，养血润肤。

用法：将上述中药用冷水泡半小时后，用武火烧开，文火熬制40分钟，浓煎后放至温热，将手或足放入其中浸泡半小时，一日2次。

（5）红花地骨皮汤（成都中医药大学附属医院经验方）

组成：红花、杏仁各10g，地骨皮、苍术、当归、大黄各15g，黄芪30g，甘草60g。

功效：益气养阴，养血活血。

用法：将上述中药用冷水泡半小时后，用武火烧开，文火熬制40分钟，浓煎后放至温热，熏洗患处，一日2次。

（六）湿疹

1. 风热证：发病迅速，以红色丘疹为主，常泛发全身，剧痒，抓破出血而渗液不多，舌红，苔薄白或薄黄，脉弦带数。

2. 湿热证：发病迅速，皮损红，作痒，滋水淋漓，味腥而黏或结黄痂，或沿表皮糜烂，大便干结，小便黄或赤，舌红，苔黄或黄腻，脉滑带数。

以上二证多见于西医的急性湿疹。

（1）蛇床子洗剂（《中医皮肤病学简编》）

组成：蛇床子、苦参各30g，威灵仙、苍术、黄柏、明矾各9g。

功效：清热解毒，除湿止痒。

用法：水煎熏洗患处。适合急性湿疹初起红斑、丘疹、丘疱疹期。

（2）马齿苋水洗剂（《常见病中草药外治疗法》）

组成：马齿苋、黄柏各30g。

功效：清热解毒，燥湿止痒。

用法：水煎熏洗湿敷患处，每日3次。尤其适用于急性湿疹红肿、瘙痒、渗出多者。

（3）三黄洗剂（《中医外科学》）

组成：大黄、黄柏、黄芩、苦参各等分。

功效：清热，止痒，收涩。

用法：将上药用水浓煎，熏洗患处。

（4）苦参汤（《疡科心得集》）

组成：苦参60g，蛇床子30g，野菊花90g，凤眼草90g，樟脑125g。

功效：祛风止痒，清热除湿。

用法：共煎水，去渣，熏洗患处，每日3次。

3．脾湿证：皮损暗淡不红，渗液少而清稀，或以结痂及轻度浸润增厚的斑片为主，面色无华，纳差，大便溏，小便可，或有腹胀，舌淡，苔薄白，脉缓滑或濡。此型相当于西医的亚急性湿疹。

（1）参柏汤（《熏洗疗法》）

组成：苦参30g，苍术、黄柏、白鲜皮各15g。

功效：清热解毒，除湿止痒。

用法：煎汤熏洗患处。

（2）九华粉洗剂（《朱仁康临床经验集》）

组成：朱砂、川贝母各18g，龙骨120g，月石90g，滑石620g，冰片18g。

功效：收湿止痒。

用法：将以上各药研细末，调和。每用以上药末30g，加甘油30g，配成洗剂，用此熏洗患处。

4．阴虚夹湿证：病程迁延日久，皮损为丘疹、丘疱疹或为浸润增厚的斑片，舌红，苔光剥，脉细数。

5．血燥风盛型：皮肤肥厚粗糙，色素沉着，或有抓痕、血痂，反复发作，经年不愈，舌淡，苔白，脉沉细或沉缓。

此二型多见于慢性湿疹。

（1）臭梧桐洗剂（《中医皮肤病学简编》）

组成：臭梧桐、野菊花、地肤子各30g，明矾10g。

功效：清热解毒，除湿止痒。

用法：水煎熏洗患处。

（2）大飞扬洗剂（《中医皮肤病学简编》）

组成：大飞扬500g，青凡木1000g，毛麝香12g。

功效：活血通络，疏风止痒。

用法：上药加水2250ml，煎成750ml，湿敷、坐浴、熏洗患处。

（3）狼毒洗剂（《中医皮肤病学简编》）

组成：狼毒6g，苦参62g。

功效：清热解毒，除湿止痒。

用法：水煎熏洗患处。

（4）蛇床子汤（《医宗金鉴》）

组成：蛇床子、威灵仙、归尾、砂仁壳各9g，土大黄、苦参各15g，老葱头7个。

功效：祛风止痒。

用法：水煎取汁，倒入盆内，先熏患处，待冷后再浸洗之。

（七）脂溢性脱发

1. 湿热证

（1）脱脂水剂（《简明中医皮肤病学》）

组成：透骨草、皂角（打碎）各30g。

功效：清热除湿解毒。

用法：上药加水2000ml，煮沸20分钟，过滤去渣取汁，熏洗患处。特别适合于脂溢性脱发使用。

（2）山豆根洗方（《中医皮肤性病学》）

组成：山豆根30g，桑白皮、蔓荆子、五倍子各15g，厚朴12g。

功效：清热解毒，收敛止痒。

用法：水煎淋洗或熏洗，适用于头发油腻时。

（3）脂溢洗方（《朱仁康临床经验集》）

组成：苍耳子、王不留行各30g，苦参15g，明矾9g。

功效：收敛止痒。

用法：以上药煎水半盆，熏洗患处。洗前剪短头发，反复洗头，每日2次，每次15分钟。

2. 血虚风燥证

（1）桑白皮洗方（《中医皮肤性病学》）

组成：桑白皮30g，五倍子15g，青葙子60g。

功效：清热祛风止痒。

用法：水煎淋洗或熏洗，尤其适用于头发干焦者。

（2）经验方（《皮肤病中医诊疗简编》）

组成：王不留行60g，枳壳15g。

功效：行气活血，疏风止痒。

用法：水煎淋洗或熏洗患处，3日1次。

（八）斑秃

1. 血虚风盛证：脱发时间较短，有迅速扩大脱发区之势，伴有头昏，失眠，舌质淡红，苔薄白，脉细数。

2. 气滞血瘀证：病程较长，伴有头痛，胸胁疼痛，夜难安眠，心烦，舌有瘀斑或紫暗，舌底络脉曲张，舌苔薄白，脉沉细或弦涩。

3. 肝肾不足证：病程更久，或素本阴虚，脱发严重，多伴有头昏，失眠，耳鸣，目眩，舌淡红苔剥，脉弦细。

4. 气血两虚证：病后脱发、病久脱发和脱发严重者，伴有神疲乏力，头晕，面色苍白，形体消瘦，舌质淡，舌体多胖嫩，脉细弱。

中医外治熏洗对此四证选方无特殊不同，旨在疏风通络，开窍生发。

（1）海艾汤（《中医皮肤病学简编》）

组成：艾叶、菊花、藁本、蔓荆子、防风、荆芥各9g，薄荷、藿香、甘松各6g。

功效：疏风通络。

用法：上药用布袋装好，加水煎数沸，先用热气熏头面，待汤稍温，用布巾淋洗脱发区，每日2～3次。

（2）羌活汤（《熏洗疗法治百病》）

组成：桑叶、羌活各4.5g，川芎、白芷、藁本各6g，天麻、甘菊、薄荷各3g。

功效：疏风通络。

用法：上药加水2000ml，煮沸20分钟，去渣，熏洗患处，每次洗15～20分钟，隔日1次。

二、熏洗疗法在骨伤科的应用

单独或综合运用熏洗疗法，是中医骨伤科治疗疾病的一大特色。它具有活血化瘀，行气止痛，疏通经络，解毒消肿等作用。

（一）单独运用熏洗疗法

1. 骨折恢复期的治疗：骨折损伤后期往往并发关节僵硬、外伤性骨化或损伤性关节炎，中药熏洗具有行气散瘀、温经通络的作用，通过药物的直接治疗作用和水蒸汽及水的温热效应，可以增强局部组织的血液循环，促进肌肉、肌腱、骨组织的修复，药力从外到内、从筋到骨，层层渗透，温通关节，松解局部肌肉、肌腱及韧带的紧张、挛缩及僵硬。白酒和食醋在骨折熏洗之中起到引诸药直达病所的重要作用，故常在药物煎煮后，加入药液中使用。若配合手法按摩、功能锻炼，则能加快关节功能的恢复，故熏洗是骨折损伤后期一种重要的康复治疗方法。药用海桐皮40g，透骨草30g，伸筋草40g，川椒40g，威灵仙40g，赤芍30g，红花30g，乳香30g，没药30g，防风30g，桂枝30g，五加皮40g，大黄30g，每次30分钟，每日1次，7日为一个疗程。熏洗热敷后立即行被动关节反复屈伸活动，每日1~2次，每次10分钟。7日为一个疗程。用熏洗热敷配合体疗的方法治疗骨折后关节功能障碍疗效显著。

2. 软组织损伤的治疗：可促进损伤局部肌肉组织的血液循环以及血肿、渗出液的吸收，有利于消肿止痛。对挫伤和扭伤等急性软组织损伤，熏洗时要注意药液的温度。损伤初期主要表现为皮下出血、浆液渗出，故在受伤48小时内，须将药液冷却至皮温以下再浸泡或敷于患处，使局部的毛细血管收缩，减少局部的出血和渗出。48小时后可用热的药液浸洗或外敷，促进受伤组织中渗液的吸收。药用透骨草20g，威灵仙20g，乌梅20g，海桐皮20g，五加皮20g，三棱15g，莪术15g，防风15g，艾叶15g，细辛15g，红花15g，伸筋草20g，木瓜20g。局部红肿热痛者，加土茯苓20g，大黄20g，蒲公英20g；陈旧性扭伤者，重用三棱、莪术。

3. 颈椎病的治疗：采用海桐皮30g，透骨草15g，白芷15g，威灵仙15g，乳香6g，没药6g，川芎10g，当归12g，川椒15g，防风15g，制川乌10g，制草乌10g，豨莶草10g，丹参15g，葛根10g，桑枝10g，羌活10g，独活10g，加水1500ml，浸泡1小时，武火煎15~20分钟，熏蒸颈肩患部，待药液置温后，洗患部20分钟，每日2次，10日为一个疗程，疗程间停药3天。可用于治疗各型颈椎病。

4. 半月板损伤的治疗：手术治疗半月板损伤有远期疗效欠佳的缺点，可采用熏洗保守治疗。药用红花20g，骨碎补30g，续断30g，伸筋草30g，木瓜30g，苏木20g，丹参30g，牛膝30g，鸡血藤20g，煎汤熏洗患部，每次30分钟，每日2次，洗后患膝功能位休息1小时，每2周为一个疗程。

（二）熏洗疗法辅以其他方法

熏洗主要是针对局部起治疗作用，而内服药则对全身进行调整理，二者结合，标本兼治，共同取效。

1．**肩周炎**：内服选方当归补血汤加减，药用生黄芪25g，当归20g，桑枝15g，白芥子15g，法半夏15g，细辛3g。熏洗选方二乌汤，药用生草乌20g，生川乌20g，生半夏20g，桂枝50g，细辛20g，生黄芪50g，每日1剂，每次熏洗30～50分钟，每天早晚各1次，7日为一个疗程。

2．**创伤性滑膜炎**：内服药用萆薢30g，当归25g，怀牛膝、五加皮、千年健、木瓜、赤芍各20g，香附15g，甘草3g。取其药渣煎汁，每日熏洗2次，每次30～60分钟，4周为一个疗程，疗程间隔为1周。

3．**急性血源性骨髓炎**：内服药用蒲公英30g，忍冬藤30g，黄柏10g，蜂房12g，炮山甲5g，川牛膝10g，生黄芪15g，鹿角胶10g（另烊），龟板15g，每日1剂，水煎内服。外洗药用透骨草60g，红花30g，乳香20g，没药20g，紫花地丁30g，忍冬藤60g，黄柏30g，蜂房60g，荆芥30g，每日1剂，水煎熏洗，每日2次，30剂为一个疗程。

4．**腰椎间盘突出症**：药用羌活30g，独活30g，威灵仙30g，伸筋草30g，透骨草30g，川乌24g，草乌24g，桑寄生30g，赤芍20g，川芎30g，红花30g，苏木50g，络石藤30g，续断30g，肉桂24g（此为5日剂量），煎水熏洗40分钟后，配合牵引，牵引重量为35～50kg，时间为40分钟，每日1次，治疗后卧床休息20分钟。

5．**跗骨窦综合征**：多由踝部扭伤所致。用中药熏洗配合手法治疗。手法治疗2日1次，主要以拇指点按太冲、阳陵泉、阳辅、复溜、丘墟、足三里、解溪、太溪及阿是等各1分钟，然后握住足背部拔伸牵引并做踝关节内外翻及屈伸活动约3分钟，再用拇指指腹沿伤部韧带左右弹拨，并徐徐揉按顺筋后结束手法。中药熏洗药用透骨草30g，当归20g，伸筋草30g，红花10g，三七10g，苏木15g，桂枝10g，海桐皮30g，五加皮20g，鸡血藤30g，一包针30g，石菖蒲20g，每日1剂，熏洗2次，20剂为一个疗程。

6．**创伤性膝关节滑膜炎**：先行患膝关节腔穿刺，抽出积液，并注入2%利多卡因2ml，7～10天封闭1次。封闭第2天开始，采用桂枝、防风、白芷、花椒、艾叶、伸筋草、透骨草各10g，羌活、独活、五加皮、海桐皮各12g，桑枝30g，煎汤熏洗患膝，每日2次，每次30分钟，连续熏洗1～3周，并适当配合不负重的股四头肌功能锻炼。

7．**类风湿性关节炎**：西药短程冲击，方法用地塞米松10mg，654－2 10mg加入5%葡萄糖溶液250ml中静脉点滴，每日1次。配合中药蠲痹汤（补骨脂、续断、仙灵脾、威灵仙、独活、羌活、桂枝、知母、牛膝各15g，制附子、苍术、赤芍、白芍、防风各10g，细辛3g，伸筋草25g）内服，并用其渣加白鲜皮20g，蛇床子20g，延胡索10g，煎汤熏洗湿敷患处20～30分钟。

三、熏洗疗法在肛肠科的运用

熏洗疗法是适合家庭应用的常用外治法之一，尤宜肛肠疾病的治疗，此法简便易行，取有关中草药水煎，煮沸后过滤去渣，将药液倒入盆内，趁热熏患处，或用毛巾蘸药液趁热敷患处。

1. **脱肛**：甲鱼头1个，党参、炒枳壳各15g，炙升麻6g，煎水熏洗，一日2次，连续熏洗2~3天。

2. **肛门湿疹**：马齿苋30g，苦参30g，白鲜皮25g，黄芩30g，地肤子30g，青黛20g，煎水熏洗，每天2次。

3. **肛裂**：洁尔阴洗剂，加开水配成10%浓度，排便后趁热先熏后坐浴，每次15~20分钟，每日1次，5次为一个疗程。必要时可用2~3疗程。

4. **肛门瘙痒**：五倍子、蛇床子各30g，地肤子20g，蝉衣10g，生地20g，煎水熏洗坐浴20分钟，一日1剂，连用7~14天为一疗程。

5. **肛门周围痈疽**：大黄、黄柏、姜黄、白芷各30g，南星、陈皮、苍术、厚朴、甘草各20g，煎汤熏洗；后用芙蓉叶研成细末，拌麻油、菊花露调敷患处。

6. **痔疮**：无花果鲜叶60g，水煎，熏洗肛门，每日2次。

7. **肛肠手术后并发症**：石榴皮30g，鱼腥草30g，野菊花30g，乌梅30g，紫花地丁30g，水煎熏洗。有清洁创口作用，并利于新的肉芽生长。

四、熏洗疗法在其他科的应用

熏洗疗法治疗妇科疾病应用非常广泛，对各种妇科疾病有显著而独特的疗效。如滴虫性和真菌性阴道炎、阴痒症等女性生殖系统炎症，常用具有清热燥湿、杀虫止痒、祛腐生肌功效的中药如蛇床子、苦参、黄柏、硼砂、枯矾等熏洗外治，由于药物直达病所，故奏效迅捷，有内服药所不及的优点。历代有很多疗效显著的熏洗处方，沿用至今。

五官最易感受外部之气而患病，因而中药熏洗外治最为适用。在眼科主要治疗外障眼病，如急性结膜炎、睑缘炎、麦粒肿、角膜炎等，多表现为眼痛、局部灼热、流泪等，属有余之实证，治宜祛风清热、解毒消肿。用时应先以热气熏眼部，待药液温后再溻洗局部。耳部疾患常用于耳部湿疹、外耳道炎及外耳道疖肿等，以泻肝清热、燥湿消肿为治。用时除熏洗外，还用药汁冲洗外耳道。鼻部疾患主要用于外鼻、鼻前庭和鼻腔疾患，如酒渣鼻、鼻前庭炎、鼻疖、急慢性鼻炎等，常以清热宣肺为治。咽喉病患常用于急慢性咽炎、急慢性喉炎、扁桃体炎等，治宜疏风清热，养阴利咽。用时先用蒸气雾化吸入，待凉时含漱。

口腔科熏洗疗法对口腔黏膜疾患和牙周组织疾病效果较好，如复发性口疮、唇炎、牙龈炎、根端周围炎。用时张大口吸入热气，待温后频频含漱，每次在口腔内保留良久。

内科疾病应用熏洗疗法与内服有殊途同归、异曲同工之妙，尤其对老幼虚弱之体、攻补难施之时，或不肯服药之人、不能服药之症。感冒、外感高热、痹证、中风、痉证、百合病、鼓胀、癃闭、淋证、痢疾等，采用熏洗治疗均有很好疗效。

熏洗疗法在治疗儿科疾病方面有独到之处。古代即有“浴儿法”，用药物煎汤来洗浴新生儿，可防止皮肤病及疮疖的发生。又如用生姜煎汤洗浴，再配合适当的内治法，对外感风寒咳嗽、肺炎、腹泻、痢疾等，收效甚佳。因小儿体质虚弱，腠理不密，在熏洗时要防风、防寒，不可在水中久坐，洗浴时间要适当，浴后注意保暖。

男科疾病包括男性内外生殖器疾病、性功能障碍等。由于男性生殖系统的解剖部位及生理功能的特点，熏洗时对男科疾病，特别是阴茎包皮炎、阴囊湿疹、睾丸炎等前阴疾病有着特有的疗效，药物等可直接作用于病灶，从而获得桴鼓之效。还可通过坐浴会阴部，改善局部的血液循环，消除局部的炎症；或采用药液浸泡双足，除药的作用外，通过经络的传导及穴位的刺激作用，对阳痿、遗精、早泄等性功能障碍疾病也能起到良好的治疗作用。

第三章 药物外敷疗法

药物外敷疗法是中医外治技术中应用最为广泛的治疗方法之一，是将药物制成膏、丹、丸、散、糊、饼等剂型，外敷于腧穴或患处，通过皮肤、黏膜及腧穴等部位吸收，以达到治疗目的的治疗方法。临床应用的外敷疗法种类较多，本章重点介绍薄贴法、油膏法、贴敷法、箍围法、敷脐法、掺药法等。

第一节　药物外敷疗法的基本原理

药物外敷疗法是以脏腑经络、辨证施治为指导，将药物施于皮肤、腧穴等部位，以发挥疏通经络、调理气血、活血化瘀、解毒消肿、蚀疮去腐、扶正祛邪等作用，从而调整脏腑功能，纠正阴阳偏盛偏衰，提高机体抗病能力，达到治愈疾病目的的一种治疗方法。

药物外敷疗法除了治疗如疮疡、皮肤病等传统中医外科疾病外，现代已广泛应用于内、妇、儿多学科领域，取得了较好的疗效，并且在养生、保健方面也有明显的优势。

一、药物外敷疗法的理论基础

中医学对中药外治的机理很早就有论述，《灵枢·海论》载："夫十二经脉者，内属于脏腑，外络于肢节"；《素问·生气通天论》中载："九窍、五脏、十二节皆通乎天气，阳气者，若天与日，失其所则折寿而不彰……故阳强不能密，阴气乃绝；阴平阳秘，精神乃治"。说明体表与内脏之间有着息息相关的联系。中医学的整体观念认为，人体是一个有机的整体，体表与内脏之间，经络纵横交错而遍布全身，在大脑皮质的指挥下，全身的各器官系统是既分工负责，又互相协调来维持各种机能活动，既有运行脏腑气血的作用，又有调节脏腑阴阳平衡的功能。因此，人体如果患病，影响了脏腑的阴阳平衡，发生了病变，便可按照治疗的基本原则来进行补偏救弊，调节阴阳，使人体各种机能趋向平衡，以恢复健康。因此清代外治大师吴师机在其代表作《理瀹骈文》中对药物外治的机理进行了深刻阐述："外治之理，即内治之理，外治之药，亦即内治之药，所异者法耳。"现在看来，仍然具有较高的科学性和实用性。

二、药物外敷的基本作用

1. **整体作用：**药物外敷的整体作用是指药物通过皮肤孔窍、腧穴、黏膜等部位直接吸收，进入经脉、血络，输布于全身以发挥其调节或治疗作用。如丁香敷脐可治疗寒泻。另外，外敷药物还可起到温热刺激、化学刺激和机械物理刺激等作用，以加速血液循环，促进药物的渗透与吸收，增强药物的全身整体效应。

2. **局部作用：**外敷药物的局部作用是指药物对病灶局部的治疗或保健作用。其特点是药物直接作用于局部组织，奏效迅捷，效果明显。如黄连捣敷解毒消痈，治疗疮痈肿痛；三七粉调敷活血止痛，治疗跌打损伤等。

3. **综合作用：**药物外敷的综合作用是指药物既有经过皮肤、黏膜、腧穴等吸收后产生的治疗调节作用，又具有药物对局部组织的物理、化学或温热等刺激作用。如用吴茱萸敷贴涌泉穴，具有引火下行的作用。

三、药物外敷的吸收机制

1. **中医学对药物外敷吸收机理的认识：**中医学认为，人体是以五脏为中心通过经络系统，把五脏六腑、四肢百骸、五官九窍紧密地联系起来，形成一个有机的整体，从而使人体的各个组成部分之间，在结构上不可分割，在功能上相互为用，在病理上相互影响。因此经络与脏腑间的密切联系，正是药物外治能够奏效的途径所在。正如《理瀹骈文》中所言："外治非谓能见脏腑也，然而病之在，各有其位，各有其名，各有其形。位者阴阳之定也，名者异同之判也，形者凶吉之兆也。位不能移也，名不能假也，形不能掩也，此即脏腑告我者也。外也皆内也，按其位，循其名，核其形，故以病治病，皮肤隔而毛窍通，不见脏腑，恰直达脏腑也。"因此，药物外敷不但能治疗外科疮疡、皮肤病等发生于体表的疾病，对内脏疾病也有较好的治疗效果。

中医理论认为，药物外敷具有直接作用和全身作用两种机制。药物的直接作用是外敷最主要的治疗机制。其全身作用表现为三个方面，首先是卫气载药以行，通过经络系统的作用使药力内达于脏腑，输布于全身；第二是药力由孔窍而入脏腑，通过脏腑、经络的生理联系而作用于全身；第三是通过穴位、经络的放大效应来调节经络气血的运行，从而发挥治疗作用。

2. **药物外敷吸收的现代认识：**药物外敷疗法具有直接和间接两种治疗作用。其直接治疗作用主要表现为药物敷贴后经透皮吸收进入穴位深部，在局部组织器官内形成较高的药物浓度，并随经络及体循环到达全身各部，其优点是药物经透皮吸收后，没有受到分解和破坏，局部组织器官内浓度较高，治疗效果更为明显。间接作用是指药物对敷药的理化刺激，通过经络系统的反射性对内脏器官及病灶组织产生调节作用，从而起到调整阴阳、补虚泻实、扶正祛邪的作用。

经穴外敷是中医皮肤给药的特点，敷脐疗法是其典型代表。现代研究表明，脐部无皮下脂肪，表皮角质层较薄，脐部分布有腹壁动脉和静脉以及丰富的毛细血管网，使药物易于穿透、扩散，利于药物的吸收。

第二节　药物外敷疗法常用剂型的制作

外敷药物剂型较多，主要有膏、丹、丸、散、锭等。本节主要介绍各种外敷药剂型的制作及临床常用的方药。

一、基质的选择

基质又称赋形剂，即加入药物中使其成形的“佐料”，能加强药物的经皮吸收，因此基质的选择十分重要。下面就常用的基质作简单介绍。

1. **水及新鲜药汁：**水可以溶解药物中的有效成分，新鲜药汁一般都具有清热解毒的作用。但水及新鲜药汁的缺点是黏稠度不够，药粉易于干燥，药效持续性差，需经常更换。

2. **酒：**酒具有活血消肿、通经活络、祛风散寒、杀菌消炎等作用，可以扩张皮肤血管，加快血流而促进药物的吸收，能提高一些药物的经皮渗透速率，还可通过膨胀和软化角质层，使汗腺、毛囊开口变大，有利于药物通过皮肤附属器的转运。缺点是容易干燥，且具有一定的刺激性。

3. **醋：**醋能散瘀、止血、解毒、杀虫，具有消痈散肿的作用。现代研究表明，醋中所含的醋酸、乳酸、氨基酸、甘油和醛等化合物对皮肤有柔和的刺激作用，能使小血管扩张，增加局部血液循环，有利于药物成分穿透皮肤。不足之处在于容易干燥。

4. **蜂蜜：**蜂蜜具有润肤、解毒、生肌及止痛作用，能保持一定的湿度和黏稠度，无刺激性，不易蒸发。常用于外伤及溃疡，能促进疮口愈合。

5. **植物油：**一般选用菜籽油、麻油。具有不易酸败及油腻小等优点，缺点是黏稠度低，穿透性较差。

6. **动物油脂：**常用的动物油脂有猪油、羊油等，具有润滑和软化皮肤的作用，其黏稠度较为适宜，有良好的涂展性，易吸收，缺点是容易酸败。

7. 凡士林：凡士林具有很好的黏稠度和涂展性，吸水性较差，不宜用于有大量渗出液的患处。对药物的释放和穿透性较差，可以通过加入适量的表面活性剂改善。如用于各种感染性伤口或皮肤烫伤时，凡士林纱布可以防止敷料与伤口粘连，并能保持伤口湿润。

二、常用剂型的制作

外敷药物的剂型主要有膏药、油膏、丹剂、散剂、锭剂等，本节主要介绍传统手工制作方法，以供参考。

（一）膏药的制作

膏药又称硬膏，古称薄贴，其基质一般用香油、胡麻油、花生油、豆油、棉子油、菜籽油、桐子油等，一般每300g药油用铅丹90g。其传统制作过程主要有以下几个步骤：

第一步是炸料。即将膏药基质放置于锅内加热，然后将配制好的药物细末根据药物性质，分批投入油锅内加热煎炸，并不断搅拌，使药料有效成分溶出，待油温到200℃左右，锅内药料熬至外表深褐，内部焦黄，即可捞出药渣，过滤药油，取清药油再炼。

第二步是炼油。其目的是为了使药油在高温条件下氧化、聚合、变稠，使其适合制膏要求。炼油要掌握好油花、油烟和滴水成珠的火候。

1. 油花：开始沸腾时，油花在锅壁，待油花向锅中央集聚时即可。

2. 油烟：油烟随熬炼时间延长而有变化，初起为白烟，待转为青烟时即可。

3. 滴水成珠：取油少许滴于水中，油滴散开后又集聚，油珠完整，即可准备下丹。炼丹时应不断撩油，使油充分散发。药油将炼成时，撩油速度要快，炼油时，火力不可太大、太猛。

制膏的第三步是下丹。下丹前，要将丹砂炒去潮气。下丹有两种方法，一是火上下丹，即将炼好的药油放在小火上加热，边加热边下丹，一人取丹筛入油锅，一人不停搅拌，使丹与药油化合，此时切忌下丹太快，以致油外溢起火，又忌搅拌不匀，影响膏药质量。二是离火下丹，即将炼好的药油取下，一人取丹筛入油锅，一人不停搅拌，使丹与药油化合。此时切忌下丹过慢，因药油温度在下降。丹与药油化合成膏后，应立即验膏。

第四步是验膏。膏药的熬制有“嫩”、“老”之分，“太老”则脆而硬，无黏性，不易粘贴；“太嫩则黏性太大，粘贴后容易移动，药肉易流散粘着衣物。因此，丹油化合后应立即验膏。膏药以黑如漆，明如镜，贴之即粘着，撕之即能起为佳。

第五步是去火毒。即将制成的膏药分成适当的小药坨，每坨约 1000 ~ 1500g 不等，放在冷水中浸 3 ~ 7 天，每日换水数次，可除去火毒。

第六步是摊涂。即将膏药分摊于狗皮、布、纸等裱褙材料的中央，摊涂范围大小以适合临证治疗需要为宜。

（二）油膏的制作

制作油膏多选用洁净、无杂质、无污染的植物油、饴糖、鲜药汁、酒、醋、蜂蜡、凡士林等作为基质。基质的选择要根据病情而异：用于闭合性损伤者，可选用饴糖作基质，取其硬结后的固定和保护作用；用于开放性创面者，可多用凡士林作基质，取其柔软、滋润作用，以润泽创面，利于生肌长肉；对陈旧性损伤、血肿等可选酒为基质，以增强活血通络、消肿止痛的作用。

油膏的制作方法主要有加热法和冷法两种。

1．加热法：取适量的基质加热熔化，然后将配制好的药物粉末加入，炸枯去滓，成为药油。如配方中有芳香挥发类药物或贵重药物，可待药油稍凉后逐渐加入，调和均匀，成为柔软膏状。亦可将基质加热熔化，即倒入药物细末，不再炸料，搅拌均匀即可。

2．冷法：取适量基质，置乳钵内，将药末逐渐徐缓加入，与基质直接调和或碾和即可。在调制油膏时，必须使掺入的药末充分调和研匀，使药色一致，决不能起块和出现花斑。

随着外用药物剂型的不断革新，临床上大量使用了中药橡胶硬膏，即中药橡皮膏，系由橡胶、树脂、脂肪油等物质与填充剂混合制成基质，加入中药材的浓缩提取物，制成均匀混合的胶浆，摊涂于适宜的裱褙材料上，供贴敷于皮肤上起治疗作用的一种外用膏剂。具有使用、携带方便，黏性大，不污染衣物，可机器生产等优点。

（三）散剂的制作

散剂就是由一种或数种药物通过粉碎研成细粉，均匀混合而成的干燥粉末。其制作过程一般有以下步骤：

1．粉碎：药物的粉碎是散剂制作的重要步骤。将药物按处方要求分别进行加工炮制，干燥后根据药物性质进行粉碎，有如下几种粉碎方法。

（1）共研法：如组成药物中无特殊胶质、黏性或挥发性者，可用共研法。

（2）分研法：凡处方中含有香气浓郁的药物如麝香、冰片，或有贵重药如珍珠、金箔等，须采用分研法。

(3)掺研法：凡处方中含有油脂较多的药物如胡麻仁等，或含有颗粒较小的药物如车前子等，须将此类药物先行研碎，再与其他药物细粉掺和均匀。

(4)配研法：有研细和使药物混合均匀的双重作用。

(5)串研法：凡处方中含有黏性较强的药物如地黄等，可将处方中其他药物预先研碎，取部分粉末与黏性药物串研，使成碎块或颗粒，低温干燥后，再共研成粉。

2. 过筛：药物粉碎后，粉粒大小不同，必须过筛，使粗粉与细粉分离，以得到大小均匀的药粉。一般外用散剂，以能通过80～100目细罗即可。

3. 混合：混合也是制散过程中的重要步骤，混合的均匀程度，可直接影响到疗效和外观，对含有剧毒药物的散剂尤为重要。一般有过罗混合和套色混合两种方法。

(1)过罗混合：一般不含细料的药物，在粉碎后将粉末陆续筛于木箱内，搅拌均匀后，再用马尾罗筛一至二次，即可将药粉混合均匀。

(2)套色混合：如药粉中含有质较重的药物或贵重药物，如朱砂、牛黄等，应先将质重的药物置于钵中，酌加与之等量的药粉研匀后，再加与钵内等量的药粉研匀，如此每次增量，陆续加入其他药粉混合研磨，使其色泽均匀。

在制作散剂应注意以下事项：①原材料在粉碎前，应晒干或低温干燥，但不得烘焦，以免影响质量和及色泽。②对于轻质药粉和重质药粉、固体药粉和液体药、大量药粉和少量药粉的混合，必须混合均匀，以免影响质量。

(四)丹剂的制作

丹剂系用升华或熔合等方法制成的制品，亦有按一般物理混合法制成者。其制作方法一般分为升华法和熔合法。

1. 升华法：升华法的操作过程一般分为坐胎、炼制、收丹等步骤。根据处方要求不同，操作方法可分为以下两种：

(1)将药物细粉置入锅内，以文火加热熔融，或再加入其他药物，以瓷碗盖严锅口，密封后以文、武火加热至升华物全部升华时停火，冷却后取下瓷碗，收集升华物即得。

(2)将药物细粉置入锅内，以文火加热熔融，等熔融物冷却凝固后，将锅小心翻转，倒置在大于锅口的瓷碗或盆上，封闭接口处，再用盆一个，去底，套在锅上，将固定的锅、碗(盆)置于盛满冷水的盆上，在盆内和锅底周围加热，至升华物全部下降于瓷碗(或盆)内，停火冷却，取锅，收集瓷碗(或盆)内的下降物即得。

2. 熔合法：将处方中的矿物类药置于铁锅内，加热熔化及炒炼，并不断炒拌，至与处方要求的色泽、形态相符为度。取出冷却，研为细粉，按处方规定制为丸或其他剂型。

在丹的制作过程中应注意以下事项：①所用容器必须严格检查，不得有裂缝，以免在加热过程中引起中毒。②操作时应随时检查封闭处是否漏气，如有烟逸出，应立即封固，以免中毒。③升华火力应适当，否则将影响药品质量。④操作人员必须采取防护措施，以防止中毒。

（五）锭剂的制作

锭剂是以药物细粉加适当粘合剂制成的固体制品，可供内服和外用。锭剂的制作方法有以下步骤：

1. 粉碎、混合：在锭剂的制作过程中，药物的粉碎、混合与其他剂型的操作方法相同。

2. 制锭：将药物加入适当的糯米糊、蜂蜜或处方规定的其他粘合剂，混合均匀后，揉成团块制锭，具体操作方法有以下两种：

（1）搓捏法：将揉成的团块搓成细条，捏成扁圆形、圆柱形等各种形状的锭剂。

（2）模制法：将揉成的团块压制成大块薄片，分切成适当大小后，置入模型中，加模型盖制成一定形状的锭剂，剪齐边缘。

3. 干燥：按药物性质将制成品干燥。一般是制成品置于阴凉通风处，晾至四五成干，再晒干或低温烘干，每日翻动 1 ~2 次，至完全干燥即可。

第三节　药物外敷疗法的操作及注意事项

一、薄贴疗法

（一）适应证

适用于一切外科疾病的初起、成脓和溃后，如疖肿、疔疮、痈疽、溃疡、肿疡及化脓性骨髓炎、骨结核伴寒性脓肿等。

膏药的功用是由其药理作用和物理作用共同决定的，根据其配方言选药的不同而有不同的功效。所有的膏药因其富有黏性，敷贴于患处，能固定患部位置，使之得到充分的休息，并可保护溃疡疮面，避免外来刺激，能使患处得到较长时间的热疗，改善局部的血液循环，增强抵抗力。

（二）操作方法

由于药膏的组成方剂不同，药物性味有别，各类膏药的适应证也不同，因此临床应用薄贴疗法时，根据具体病证，选择相应的膏药敷贴于选定的经穴、患处或相应的解剖部位。在贴药以前，应先剃净汗毛或尽可能避开汗毛较多的地方，用热毛巾或生姜片将患处或穴位处的皮肤擦净，拭干后再贴。使用黑膏药类膏药，应先将膏药用微火加温软化后再贴。

（三）禁忌证及注意事项

1. 对已溃的疮口，宜用薄型膏药，每日更换1次；未溃之肿疡，宜用厚型膏药，2~3日一换；阴证骨痨或乳癖等，可5~7日一换。

2. 体表部位使用膏药后，有时可引起皮肤焮红，或起丘疹、小疱，瘙痒异常，甚至溃烂等皮肤过敏的反应，即俗称的膏药风（接触性皮炎）；或溃疡脓水过多，淹渍疮口，浸淫皮肤，从而引起皮肤湿疮，此时亦改用油膏或其他药物。

3. 在使用膏药时，不可去之过早，否则易使疮面受伤，造成再次感染，而致溃腐，或使疮面形成红色瘢痕，不易消退，有损美观。

4. 凡含有麝香、乳香、红花、没药、桃仁等活血化瘀成分的膏药，孕妇均应禁用。孕妇的脐部、腹部、腰部都不宜贴膏药，以免引起流产。

二、油膏疗法

（一）适应证

油膏疗法一般适用于肿疡、溃疡、肛门病、皮肤糜烂结痂渗液不多以及损伤、骨折等疾病。

由于油膏的组成不同，应用之时当视疾病的不同阶段和性质辨证选方。如金黄膏、玉露膏运用于阳证肿疡、肛门周围痈疽等；冲和膏用于半阴半阳证；回阳玉龙膏用于阴证；生肌玉红膏功能活血祛腐，解毒止痛，润肤生肌收口，适用于一切溃疡或烧伤，腐肉未脱，新肉未生之时，或日久不能收口者；红油膏功能去腐生肌，适用于一切溃疡；生肌白玉膏润肤生肌收敛，适用于溃疡腐肉已净，疮口不敛者，以及乳头皲裂、肛裂等病；疯油膏润燥杀虫止痒，适用于牛皮癣、慢性湿疮等皮肤干燥肥厚作痒等症；青黛散油膏收湿止痒，清热解毒，适用于蛇串疮、急慢性湿疮等皮肤焮肿痒痛出水不多之症。

（二）操作方法

按照患病部位，将油膏摊在大小适宜、折叠为4～6层的桑皮纸或纱布上。无创口者在油膏上加盖一张极薄的棉纸敷于患部，既可使药力渗透，又可减少对皮肤的刺激。敷上药膏后应加以包扎，以免脱落。一般未溃者使用软膏应较厚，并不宜勤换；已溃后使用软膏宜薄，并要勤换。

（三）禁忌证及注意事项

1. 敷贴油膏后局部皮肤出现瘙痒、潮红、出疹等过敏反应者，不宜使用本疗法。

2. 孕妇、产妇忌用或慎用本疗法。

3. 油膏易发酵发霉，一次不宜调配过多，若出现硬化现象，可酌加少量饴糖调匀。

4. 敷药时要注意摊得平整，切勿留有空隙，以免固定时挤压成疮。

5. 有开放性疮口者，敷药时可在中间预留小孔，便于伤口换药。

三、箍围疗法

（一）适应证

箍围疗法适用于外疡初起或成脓及溃后，肿势散漫不聚，无集中硬块者。

箍围药又称围药、敷药、围敷药，在制作箍围药时，由于疾病的性质和阶段不同，选用的赋形剂也不同。如取其散瘀毒及助行药力则用酒调制；取其辛香散邪则选葱、姜、韭、蒜汁调制；取其清凉解毒，则用菊花汁、丝瓜汁、银花露等调制；取其和缓刺激，则用鸡子清调制；如取其润泽肌肤，利于药物吸收，则用油类调制。《外科精义》指出："夫疮肿之生于外者，由热毒之气蕴结于内也。盖肿于外，有生头者，有漫肿者，有皮厚者，有皮薄者，有毒气深者，有毒气浅者，有宜用温药贴熁焮者，有宜凉药贴熁焮者，有可以干换其药者，有可以湿换其药者，深浅不同，用药亦异，是以不可不辨也。"一般来说，痈疡疮肿表现为红、肿、热、痛的阳证者，宜选取金黄散、玉露散等寒凉诸方，以清热解毒，消肿散瘀；表现为散漫不高，不红不热，或迁延不愈，反复发作的阴证者，可选取回阳玉龙膏等药性偏温诸方以温经散寒，祛瘀化痰；表现为疮形肿而不高，痛而不甚，微红微热等半阴半阳证者，可选取药性平和的冲和膏等方以疏风行气，活血定痛，散瘀消肿。

（二）操作方法

使用箍围药时，外围必须大于肿热范围，宜厚敷。如用于肿疡初起，宜满摊；用于毒势已聚或溃后，余肿未消者，皆宜空出中央，四周摊药敷，以箍毒消肿。

临证之时，一般来说，阳证多用菊花汁、银花露或冷茶汁作基质；半阴半阳证多用葱、姜、韭捣汁或用蜂蜜作基质；阴证多以醋、酒作基质调敷。

（三）禁忌证及注意事项

1. 外疡初起、肿势局限者一般用消散之品厚敷，阳证不可用热性药，阴证不可用寒凉药，以免助邪碍邪。

2. 使用前可先将药物制作粉末备用，随用随调，尤其如姜汁、葱汁、醋、酒、银花露等辛香易挥发的基质，不可久贮，以免药力散失或减弱。

3. 敷药后药物干燥则药力减弱，宜用同种基质时时淋洒其上，使其湿润，可保持药力持久，又可避免药物剥脱或干板不舒。

4. 换药时，应记住“肿皮存者宜干换”，待药物干燥剥落；“肿皮薄者宜湿换”，先将药物淋湿后再除去，以避免不必要的疼痛和损伤。

四、贴敷疗法

（一）适应证

贴敷疗法应用范围非常广泛，其特点是不经消化道吸收，无胃肠道反应，药物直接接触病灶，或通过经络气血传导以治疗疾病。临证之时须仔细辨证，恰当选用药物。常用于治疗头痛、胃痛、痹证、急性乳腺炎、癣、湿疹、丹毒、扭挫伤等各科疾病。

（二）操作方法

外疡初起时宜敷满整个病变部位；当毒已结聚，或溃后余肿未消，宜敷于患处四周，不要完全敷满。敷贴时需注意敷药部位要超过肿势范围。

（三）禁忌证及注意事项

1. 在应用过程中，如出现皮肤过敏现象，即应停用。

2. 外敷时注意调节干湿度，若药物变干，须随时更换，或加基质湿润后再敷上。

五、敷脐疗法

（一）适应证

敷脐疗法临床应用范围较广，以消化系统、泌尿系统疾病疗效较为明显，对儿科、外科的某些疾病也有较好的效果。常用于治疗心绞痛、高血压、盗汗、肝脾肿大、水肿、鼓胀、便秘、痢疾、急性黄疸、淋证、遗精、阳痿、子宫脱垂、痛经等疾病。

（二）操作方法

先洗净患者的脐部，然后将配制好的药物置入脐眼或敷于脐部，再用胶布或纱布等敷料覆盖固定，根据病情可采用闭式敷料，并适当加温，以利吸收。换药之时要根据病情而定，可1~2日一换，也可2~5日一换。如天气炎热，或属芳香易挥发的药物，也可1日两换。

（三）禁忌证及注意事项

1. 药前应注意清洁脐部，如脐部有感染者禁用。

2. 敷药后注意脐部的反应，如出现红肿痒痛或其他不适，应立即将药物清洗干净，并停止治疗。

3. 应用本疗法加用热敷或灸法时，要注意温度，防止烫伤。如见脐部有感染者，应立即停用，先控制感染。

4. 小儿应用本疗法时，宜用绷带、纱布等固定，以免脱落。

5. 孕妇慎用脐疗。凡具有堕胎或可能对胎儿有毒副作用的药物一律不得用于脐疗。

六、掺药法

（一）消散药

1. **适应证：**适用于肿疡初起，肿势局限者。

2. **操作方法：**阳毒内消散、红灵丹适用于一切阳证；阴毒内消散、桂麝散、黑退消散适用于一切阴证。

3. **禁忌证及注意事项：**若病变范围不局限，应配合箍围药使用。

（二）提脓祛腐药

1．适应证：凡溃疡初起，脓栓未脱，或脓水未净，新肉未生之际，均可使用。

2．操作方法：提脓祛腐常用的升丹，系由水银、火硝和明矾制成，常与石膏配合，根据脓腐多少，制成九一丹、八二丹、七三丹、五五丹等应用。

3．禁忌证及注意事项：升丹有一定毒性，面部及暴露部位慎用；面积较大的疮疡慎用。对升丹过敏者禁用。如在使用过程中出现不明原因的高热、乏力、口有金属味等汞中毒症状时，应立即停药。

（三）腐蚀药与平胬药

1．适应证：凡肿疡在脓成未溃之时，或痔疮、瘰疬、息肉等，或疮疡破溃后，疮口过小、僵硬，或胬肉突出，或胬肉不收等妨碍收口时，均可使用。

2．操作方法：由于腐蚀药与平胬药组成不同，药效强弱也不同，临床需辨明其适应证分别使用，可做成药栓插入疮口，使疮口开大，脓腐分出；亦可点放疮顶，代刀破头等。

3．禁忌证及注意事项：腐蚀药与平胬药含有汞、砒等有毒成分，应用时必须谨慎。在头、指、趾等肉薄的骨突处不宜使用过烈的腐蚀药物，必要时需加适当基质以缓和其药力，避免损伤筋骨。使用时应注意中病即止，以免伤及周围正常组织。对汞、砒过敏者禁用。

（四）生肌收口药

1．适应证：通用于疮疡阴证、阳证。在溃疡腐肉已脱，脓水将尽时均可使用。如生肌散、八宝丹能促进肉芽生长，用于溃疡脓腐已尽、肉芽生长缓慢者；生肌定痛药用于溃疡脓腐将尽，局部微见红肿疼痛者；珍珠散用于疮面脓水已净，久不收口者。

2．禁忌证及注意事项：使用生肌收口药时疮口在者以腐脱脓清为度，疮口深者以药线取出时带黏丝者为度。脓腐未尽，腐肉不去者，不可早用。

（五）清热收涩药

1．适应证：用于阳证疮疡初起，局部红肿热痛者，亦可用于急性、亚急性皮炎渗液不多而痒甚者。如青黛散用于大片潮红丘疹而无渗液的皮损；三石散用于皮肤糜烂，稍有渗液而无红热者。

2．操作方法：可直接干扑于皮损处，亦可先涂一层薄油剂后再扑。毛发较多的部位宜剃去毛发后再扑药粉。

3. 禁忌证及注意事项：一般不用于糜烂、渗液较多的皮损处，以免渗液流出不畅，导致自身接触性皮炎。

第四节 药物外敷疗法的临床应用

一、药物外敷疗法的辨证原则

应用药物外敷疗法必须坚持中医理论的指导，严格遵守辨证论治的原则，结合各科疾病的特点选用恰当的方法进行治疗。

在应用药物外敷疗法时，除了考虑处方配伍的一般原则外，还应考虑药物外治特有的规律和特点。外治处方用药多以效捷简便著称，配伍时不一定拘泥于君臣佐使的制方原则，同时由于外用药物不直接进入人体，因此对十八反、十九畏的原则可灵活应用，对峻猛、剧毒药物的应用亦不如内治之剂严格。在选用外治药物时，须遵循其特有的配伍原则：首先外治方中大多加有辛香透达的药物，其目的是率领诸药，通达十二经脉，调节全身气血与脏腑功能；其次是要符合制剂的要求，要考虑药物之间的物理和化学性质，尽量减轻药物的刺激作用和毒副作用。

外敷药物剂型较多，不同剂型有着不同的作用特点，临床应用药物外敷疗法时，必须根据疾病的特点选用适当的剂型，才能充分发挥其治疗作用。

二、药物外敷疗法的临床应用

药物外敷疗法运用极其广泛，本节所列举的疾病仅为临床常用的极少部分，目的是通过举例来帮助认识药物外敷疗法在临床上的具体运用，以起到指导操作的作用。

（一）内科疾病

1. 感冒：现代医学中的呼吸道感染、流行性感冒可参照本病治疗。

（1）白芥子散（经验方）

组成：白芥子 30g。

用法：将白芥子研为细末，用鸡蛋清调拌均匀后敷贴于涌泉穴，每日 1 次，1～3 日为一疗程。

主治：风寒感冒。

(2) 清热祛风膏(经验方)

组成:绿豆粉300g,白芷30g,生石膏300g,滑石30g,麝香0.3g,甘油4.5g,冰片24g,薄荷36g。

用法:先将前四味药共研为极细末,加入麝香、甘油、冰片、薄荷,诸药调匀。使用时取1g药粉,用冷水或白酒调膏,分别敷于囟会、太阳穴,每日1次,一般3日为一疗程。

主治:预防流感。

(3) 清热散(经验方)

组成:淡豆豉30g,连翘15g,薄荷1g。

用法:上药共研末过筛,加入适量葱白,捣融如膏,敷贴于风池、神阙、涌泉等穴位,每日1次,一般3日为一疗程。

主治:风热感冒。

2. 咳嗽:现代医学中的上呼吸道感染、支气管炎、支气管扩张、肺炎等以咳嗽为主要表现者,可参照本病治疗。

(1) 祛寒止嗽散(经验方)

组成:麻黄10g,细辛10g,生半夏10g,生南星各10g,白芥子20g,洋金花20g,冬虫夏草30g。

用法:上药共研为末,用凡士林调拌,取适量贴敷于肺俞穴。2日换药1次,每次6~12小时,一般3次为一疗程。

主治:风寒咳嗽。

(2) 温肺止咳散(经验方)

组成:附片、肉桂、干姜各20g,山柰10g。

用法:上药共研为末,取适量药粉放于双侧肺俞穴,用胶布固定。每日1次,一般3~5日为一疗程。

主治:寒性咳嗽。

(3) 黄豆膏(经验方)

组成:黄豆浆200ml。

用法:将黄豆浆先后用武火、文火煎熬,浓缩成浸膏状,加苯甲酸防腐备用。使用时取黄豆大小浸膏放于2cm×1.5cm薄牛皮纸上,分别敷贴于肩中俞、肺俞、脾俞、肾俞、丰隆、命门等穴位上,用胶布固定。每日1次,一般3~5日为一疗程。

主治:咳嗽。

(4) 斑蝥止嗽方(经验方)

组成:斑蝥如米粒大。

用法：将上药置于肺俞、脾俞、肝俞上，用胶布固定。12~20小时后揭去胶布，局部可见小水泡，任其自然吸收，每日1次，一般1~3日为一疗程。

主治：慢性咳嗽急性发作。

（5）蒌贝膏（经验方）

组成：瓜蒌1枚，贝母50g，青黛15g。

用法：上药共研为末，将蜂蜜120g放于锅内加热，炼去浮沫，加入药粉，调和成膏，敷贴于肺俞、大杼、后溪等穴位，用纱布、胶布固定。每日1次，一般3~5日为一疗程。

主治：痰湿咳嗽。

3. 哮病：现代医学中的支气管哮喘、喘息性支气管炎或其他肺部过敏性疾患所致的哮喘可参照本病治疗。

（1）温肺止哮贴（经验方）

组成：白芥子、细辛各20g，延胡索、甘遂各12g，人工麝香1~1.5g。

用法：上药研末，用姜汁调和，做成小薄饼贴敷于肺俞、膏肓、大椎等穴，每次贴1~2小时，10日为一疗程。

主治：寒哮，可缓解症状。

（2）化痰止哮方（经验方）

组成：白芥子、洋金花、丁香、肉桂、苍术各10g，细辛20g，百部10g。

用法：诸药共研细末，密封保存。用时将适量药粉用温水调和，捻成直径为0.5~0.8cm，高为0.2~0.3cm的圆锥形，贴于天突、膻中、神阙、大椎穴，用胶布固定。每次敷1~2天，中间休息1天，3次为一疗程，两个疗程之间休息3~5天。急性期贴1个疗程，慢性期贴4个疗程。

主治：寒哮。

（3）温肺止哮膏（经验方）

组成：杏仁、桃仁、木通各10g，炒扁豆20g，白胡椒15g，细辛、白芥子、鸡血藤、柴胡各6g，木鳖子15g，沉香、甘遂、陈皮各5g。

用法：诸药共研细末，混合均匀，然后用鸡蛋清或凡士林调膏，将制成的膏药敷于双侧涌泉穴，用纱布固定，每日换药1次，7日为一疗程。

主治：寒哮。

（4）祛痰方（经验方）

组成：制半夏10g，白果仁9g，杏仁6g，细辛6g。

用法：诸药共研细末，用姜汁调为糊状，敷于脐部，纱布包扎，每日1次，一般3~5日为一疗程。

主治：痰湿为患。

（5）止哮膏（经验方）

组成：公丁香0.5g，肉桂5g，麻黄5g，苍耳子3g。

用法：上药共研细末，以白酒调和成膏，敷于脐部，用胶布固定，2天换药1次，10次为一疗程，连用3疗程，2个疗程之间可休息5~7日。

主治：寒哮。

4．胸痹心痛：现代医学中的冠状动脉粥样硬化性心脏病可参照本病治疗。

（1）祛瘀通脉膏（经验方）

组成：薤白、川芎、当归、石菖蒲、乳香、没药、丁香、冰片各30g。

用法：诸药共研细末，用麻油调匀制成油膏，敷于内关、冲门、通里、三阴交、膻中等穴，3日1次。3~5次为一疗程。

主治：心脉瘀阻。

（2）破血消癥膏（经验方）

组成：丹参、三七、檀香、乳香、没药、桃仁、红花、王不留行、血竭、郁金、莪术、冰片各10g。

用法：诸药研末，以白酒调成膏，将药膏敷于左心俞及心前区，1周换药1次。2~3次为一疗程。

主治：心脉瘀阻。

（3）冠心贴（经验方）

组成：川芎30g，红花20g，党参30，黄芪25g，仙灵脾15g，三七粉30g，麝香0.1g，硝酸异山梨酯50mg，二甲基亚砜10g。

用法：先将前四味水煎浓缩，再加后药调成糊状，用时敷于左胸前区，用胶布固定，4日换药1次。3~5次为一疗程。

主治：心脉瘀阻证。

（4）通痹散（经验方）

组成：红花10g，三七10g，地龙20g，冰片3g。

用法：上药共研为末，用温水调敷于膻中、心俞、天应等穴。2日1次，3~5日为一疗程。

主治：心脉瘀阻证。

5．痹证：现代医学中的风湿性关节炎、类风湿性关节炎、强直性脊柱炎、骨性关节炎等疾病，以肢节痹痛为临床表现者可参照本病治疗。

（1）通络止痛膏（经验方）

组成：松香300g，樟脑90g，水菖蒲120g，干姜粉12g。

用法：将松香熔化后加入后三味搅拌均匀，制成膏药备用。使用时将膏药烤软揭开，贴于患处，每3日换药1次。3~5次为一疗程。

主治：风寒湿痹。

（2）吴茱萸散（经验方）

组成：吴茱萸300g。

用法：将吴茱萸研为细末，加入黄酒适量，加温炒热，调成糊状，敷贴于阳陵泉及阿是穴，药冷后即换。每日3~5次，5~7日为一疗程。

主治：风寒湿痹。

（3）温经通痹散（经验方）

组成：生川乌、生草乌、生半夏各15g，肉桂、炮姜、白芷各20g。

用法：上药共研细末，加蜂蜜调匀，敷于患处。每日1次，5~7日为一疗程。

主治：风寒湿痹。热痹禁用。

（4）清热通痹散（经验方）

组成：生半夏15g，生栀子30g，生大黄15g，桃仁10g，红花10g，当归15g。

用法：上药共研为末，加醋调匀，敷于患处。每日1次，5~7日为一疗程。

主治：热痹。

6. 胃脘痛：现代医学中的功能性消化不良、急慢性胃炎、胃痉挛、胃黏膜脱垂、胃下垂、消化性溃疡、上消化道出血等疾病以胃脘部经常性发生疼痛为主症者均可参照本病治疗。

（1）青黄散（经验方）

组成：青黛30g，雄黄15g，密陀僧30g。

用法：上药共研细末，以鸭蛋清调匀，敷于痛处，每日1次，3~5次为一疗程。

主治：胃热疼痛。

（2）乳没止痛散（经验方）

组成：当归30g，乳香、没药各12g。

用法：上药共研细末，用姜汁调成糊状，敷于上脘、中脘、足三里等穴，每日1~3次，2~5日为一疗程。

主治：瘀阻胃络证。

（3）清热止痛贴（经验方）

组成：栀子20g，桃仁、延胡索各10g。

用法：上药共研细末，加白酒调为糊状，敷于疼痛处，每日换药1次，2~5日为一疗程。

主治：胃热疼痛。

(4) 丁桂散（经验方）

组成：吴茱萸50g，白胡椒20g，丁香、肉桂各15g。

用法：上药捣研为末，密封存放。用时取药末10g加温酒调膏，分别敷于脾俞、胃俞、中脘等穴。每日1次，2~5日为一疗程。

主治：胃寒疼痛。

(5) 温胃止痛散（经验方）

组成：苍术20g，川椒15g，干姜、檀香各10g。

用法：上药研末，混合均匀，用姜汁调膏，敷于中脘、脾俞、胃俞等穴，以纱布覆于其上，用胶布固定，每日换药1次，3~5日为一疗程。

主治：胃寒疼痛。

(6) 双黄散（经验方）

组成：黄连6g，干姜8g，半夏6g，甘草6g，黄芩6g，大枣10g，党参20g。

用法：上药共研为末备用。用适量药粉与75%乙醇调成糊状，敷于脐中，用胶布固定，每日换药1次，10日为一疗程，每疗程之间间隔5日，一般用1~4个疗程。

主治：胃热疼痛。

(7) 温胃通络散（经验方）

组成：白芥子、细辛各40g，甘遂、延胡索各10g。

用法：上药共研为末，用生姜汁调和，放入少量麝香，制成如花生大小药丸，敷贴于足三里、中脘、脾俞、胃俞、阴陵泉、上脘等穴，每周1次，每次4~6小时，2~3次为一疗程。

主治：胃寒疼痛。

(8) 丁射散（经验方）

组成：射干、延胡索各10g，丁香3g。

用法：上药研末，加姜汁调成糊状，敷于痛处。每日1次，3日为一疗程。

主治：胃寒疼痛。

7. 头痛：现代医学中的偏头痛、紧张性头痛、丛集性头痛、高血压病、副鼻窦炎、神经性头痛、脑外伤后综合征等出现以头痛为主症者，均可参照本病治疗。

(1) 蓖乳膏（经验方）

组成：蓖麻仁3g，生乳香3g，食盐0.3g。

用法：上药共捣成膏，分摊于两侧太阳穴，约贴1小时左右，痛止即停。

主治：阵发性头痛。

(2) 吴茱萸散（经验方）

组成：吴茱萸100g。

用法：上药研为细末，用时取药粉25g，用陈醋适量调成糊状，于睡前外敷于双侧涌泉穴，每日1次，3~5日为一疗程。

主治：肝阳上亢所致头痛。

（3）乌星散（经验方）

组成：生川乌、南星各30g。

用法：上药共研细末，用鲜大葱汁或鲜姜汁调成糊状，敷于两侧太阳穴，每日3~5次，2~3日为一疗程。

主治：寒性头痛。

（4）泻热散（经验方）

组成：大黄9g，芒硝9g，生石膏15g。

用法：上药共研为末，用醋调成糊状外敷于前额，每日3~5次，2~3日为一疗程。

主治：风热头痛。

（5）二乌散（经验方）

组成：川乌6g，草乌6g，薄荷1g，细辛1g，生石膏12g，胡椒1g。

用法：上药共研为末，用白酒调敷于太阳穴，每日2~3次，3~5日为一疗程。

主治：偏头痛。

（6）六安去痛膏（经验方）

组成：白芷、木香各60g，乳香、红花、冰片各30g，樟脑30g。

用法：诸药共研细末，以蓖麻油调为软膏，敷于压痛点，胶布固定，隔日1次，3~5日为一疗程。

主治：血管性和非器质性头痛。

（7）附子止痛散（经验方）

组成：白附子3g，葱白15g。

用法：将白附子捣为细末，加葱白捣烂为泥，取如黄豆大一粒，摊于纸上，敷于患侧太阳穴处，每日1次，每次约敷1小时，5~7日为一疗程。

主治：偏正头痛。

8. **面瘫**：现代医学的面神经麻痹、面神经炎可参照本病治疗。

（1）面瘫膏（经验方）

组成：白芷5g，僵蚕5g，草乌5g。

用法：上药研为细末，取鲜生姜100g捣汁，将药物与姜汁调和制膏，匀摊于直径为5~7cm的纸上，敷于患侧面部，3日换药1次，到痊愈为止。

主治：面瘫。

（2）巴斑膏（经验方）

组成：巴豆3个（去皮），斑蝥3个（去翅、足），鲜姜拇指大（去皮）。

用法：上药共捣成糊，调和均匀，制膏备用，用时涂在伤湿止痛膏和麝香追风膏上，外敷于患侧面部，每日1次，每次3～5小时，至痊愈为止。

主治：面瘫。

（3）马芷贴方（经验方）

组成：马钱子、白芷各30g，冰片3g。

用法：上药共研为末，取药粉1～2g，撒于直径2cm的胶布上，贴于患侧下关穴，4～6日更换1次，3～4次为一疗程。

主治：面瘫。

（4）三子通络散（经验方）

组成：木鳖子、白芥子、蓖麻子各10g。

用法：上药研末，加蜂蜜调成糊状，敷贴于太阳、下关、地仓等穴，每日1次，用至痊愈为止。

主治：面瘫。

（5）通络散（经验方）

组成：冰片3g，蓖麻仁10粒，葱5根，露蜂房6g，全蝎3g。

用法：上药捣烂如泥，混合均匀，敷贴于患侧下关穴，胶布固定，每日1次，每次20～24小时，用至痊愈为止。

主治：面瘫。

9．癃闭：现代医学中的急慢性肾炎、前列腺炎、膀胱炎可参照本病治疗。

（1）癃闭膏（经验方）

组成：栀子4g，食盐1g，独头蒜（去皮）1枚，麝香0.3g。

用法：将诸药捣烂，制膏备用，敷于脐部，用纱布包扎固定，每日1次，3～5日为一疗程。

主治：肺热壅盛型癃闭。

（2）清热通淋散（经验方）

组成：生山栀3枚，芒硝3g，大蒜3瓣。

用法：上药捣烂，调敷于脐部，以纱布覆盖，并用胶布固定，每日1次，3～5日为一疗程。

主治：肺热壅盛型癃闭。

（3）甘薏散（经验方）

组成：甘遂30g，苡仁15g。

用法：上药烘干后研为细末，加水调成糊状，敷于脐部，每日1次，3~5日为一疗程。

主治：膀胱湿热型癃闭。

(4) 地黄散（经验方）

组成：生地30g，黄柏30g。

用法：取生地汁调黄柏末，敷于气海穴，每日1次，3~5日为一疗程。

主治：肾阴虚型癃闭。

10. 遗精

(1) 五倍子膏（经验方）

组成：五倍子200g。

用法：将五倍子研为细末，以醋调制成膏。用时取如枣核大药膏一团，敷于神阙、关元穴，早晚各换药1次，5~7日为一疗程。

主治：梦遗。

(2) 菟丝子膏（经验方）

组成：菟丝子、韭菜子、茯苓、龙骨各50g。

用法：将上药加麻油熬，并用黄丹收膏。用时取膏适量敷于肾俞穴，以纱布覆盖，胶布固定，每日1次，5~7日为一疗程。

主治：肾气不固型遗精。

(3) 温肾固阳膏（经验方）

组成：硫黄18g，母丁香15g，麝香3g，独头蒜300g，川椒50g，韭菜子、附片、肉桂、蛇床子各20g，广丹250g。

用法：将硫黄、母丁香、麝香研细为末，加独头蒜与之混合，捣烂后制丸如黑豆大，以朱砂为衣；将川椒、韭菜子、附片、肉桂、蛇床子放入麻油300g中加热，药枯后滤去药渣，将油熬至滴水成珠时徐徐加入广丹，搅拌收膏。用时将所炼之膏摊于6~8cm牛皮纸上，取所炼之药丸1粒，粉碎后置于膏药中心，分别敷贴于曲骨、关元、神阙穴。3日换药1次，3~5次为一疗程。

主治：肾气不固型遗精。

(4) 金锁固阳膏（经验方）

组成：葱子、韭菜子、附子、肉桂、丝瓜仁各96g，煅龙骨6g，麝香0.3g。

用法：取葱子、韭菜子、附子、肉桂、丝瓜仁加入麻油熬炼，黄丹收膏，再加入煅龙骨、麝香搅拌，摊于狗皮上，制膏备用。用时贴于气海穴，每日1次，5~7日为一疗程。

主治：肾虚证。

(二) 妇科疾病

1. 闭经

(1) 蜣螂通经散（经验方）

组成：蜣螂（焙干）1 个，威灵仙 10g。

用法：将蜣螂、威灵仙烘干后研为细末，用酒调成糊状，敷于脐部，以纱布覆盖，胶布固定。若局部有灼热、刺痛感时除去，每日 1～2 次，3～5 日为一疗程。

主治：瘀血证。

(2) 益母草散（经验方）

组成：益母草 500g。

用法：将益母草研为细末，加黄酒适量调成糊状，敷于脐部，以纱布覆盖，胶布固定，并加热敷。每日 2 次，每次 30 分钟，3～5 日为一疗程。

主治：瘀血证。

(3) 麝蚕膏（经验方）

组成：麝香 0.25g，蚕砂 30g。

用法：取麝香研末备用，再将蚕砂研末，加黄酒调制成膏。用时先将麝香填入脐中，再将药膏敷于脐上，以纱布覆盖，胶布固定，2 日换药一次，直到病愈为止。

主治：瘀血证。

2. 痛经

(1) 理气止痛膏（经验方）

组成：郁金、红花、香附、当归、赤芍、元胡各 15g。

用法：将上药共研细末，每次取药粉 10g，加白酒适量调和均匀，制成糊状，敷于脐部及腹部疼痛处，干后再洒少许白酒，以保持局部湿润，痛止后即停。

主治：瘀血证。

(2) 大黄玄参膏（经验方）

组成：大黄 128g，玄参 64g，生地 64g，白芷 64g，当归 64g，赤芍 64g，肉桂 64g，麻油 1000g。

用法：上药用麻油炸枯去渣，熬至滴水成珠，加黄丹收膏，制膏备用。用时取药膏适量敷于关元穴及疼痛处，以纱布覆盖，胶布固定，每日 1 次，痛止即停。

主治：瘀血证。

（3）益母草膏（经验方）

组成：益母草、茯苓各9g，桂枝、白术、当归、泽泻、香附各6g，川芎、延胡索各4.5g，麻油150g。

用法：将上药用麻油炸枯去渣，熬至滴水成珠，加黄丹收膏，摊于牛皮纸上。用时每次取膏药1帖，敷于脐部及关元穴，每日1次，痛止即停。

主治：瘀血证。

（4）通经止痛散（经验方）

组成：山楂、葛根、乳香、没药、穿山甲、厚朴各10g，白芍15g，桂枝6g，甘草3g，冰片3g。

用法：上药共研细末，加入冰片混合均匀，密贮备用。用时取药粉0.2g，加醋或姜汁调成糊状，于经前3~5日敷于脐部，经停后3日去药。

主治：血瘀证。

（5）二香散（经验方）

组成：木香、香附、乌药各10g，砂仁、甘草各5g。

用法：上药共研细末，加酒调成糊状，敷于脐部，每日1次，痛止即停。

主治：肝郁证。

3．乳痈

（1）清热消痈散（经验方）

组成：生侧柏叶、鲜野菊花、芙蓉叶、野菊花叶各50g。

用法：将上药加红糖适量捣烂，或加凡士林调成软膏敷于患处，每日1次，3~5日为一疗程。

主治：热毒炽盛证。

（2）清痈散（经验方）

组成：蒲公英、金银花、紫花地丁、连翘各50g。

用法：将上药研末，加适量米醋调匀后敷于患处，每日1~2次，3~5日为一疗程。

主治：热毒炽盛证。

（3）三黄膏（经验方）

组成：黄连10g，黄芩、黄柏各30g。

用法：将研末，加适量蜂蜜调制成膏，外敷于患处，每日1次，3~5日为一疗程。

主治：热毒炽盛证。

（三）儿科疾病

1. 感冒

（1）清热祛风膏（经验方）

组成：淡豆豉15g，连翘9g，薄荷1g。

用法：将上药研末过筛，加入葱白适量，捣融如膏，敷贴于风池、大椎、神阙等穴，每日1次，2～3次为一疗程。

主治：风热感冒。

（2）白芥子散（经验方）

组成：白芥子100g。

用法：将白芥子研末过筛，加入鸡蛋清调成糊状，敷贴于大椎、神阙、涌泉等穴，每日1次，2～3次为一疗程。

主治：风寒感冒。

（3）清热散（经验方）

组成：葱白12g，连翘9g。

用法：将上药捣烂如泥，填于脐部，每日换药2次，用至痊愈为止。

主治：外感风热。

（4）祛风散寒散（经验方）

组成：麻黄、杏仁、甘草各3g。

用法：将上药共研细末，加适量葱白一起捣烂和匀，制成直径约5cm大小的药饼，贴于脐部。每日贴1～2次，2～3日为一疗程。

主治：风寒感冒。

2. 夏季热：夏季热是由于小儿不耐暑气的熏蒸，暑蕴肺胃，以长期发热，汗闭，口渴，多尿为主症。其特点为体温常随气温的变化而升降的季节性疾病。

（1）清暑化湿散（经验方）

组成：白蔻、栀子、枣仁、杏仁各3g，面粉5g。

用法：将白蔻、栀子、枣仁、杏仁焙干研末，加入面粉，用鸡蛋清调匀制饼，分别敷于两手劳宫穴，每日1～2次，3～5日为一疗程。

主治：暑湿证。具有清暑化湿退热的功效。

（2）清暑散（经验方）

组成：生栀子30g，生石膏30g，绿豆20g。

用法：将上药共研细末，加鸡蛋清调匀制饼，分别敷于手足心，每日1～2次，3～5日为一疗程。

主治：暑热证。具有清暑退热的功效。

（3）绿豆散（经验方）

组成：绿豆15g。

用法：将上药研为细末，用鸡蛋清调匀敷于脐部，隔日换药1次，一般3次为一疗程。

主治：暑热证。具有清暑益气的功效。

（4）清暑生津散（经验方）

组成：鲜芦根10g，鲜荷叶、鲜生地各9g。

用法：将上药捣烂，敷于脐部，每日2~3次，一般3次为一疗程。

主治：暑热津伤证。具有清暑益气、生津止渴的功效。

3. 厌食

（1）吴茱萸膏（经验方）

组成：吴茱萸、胡椒、白矾各20g。

用法：将上药共研为末，用时取药粉20g，以醋调制成膏状，敷于两侧涌泉穴，每日换药一次，3~5日为1疗程。

主治：脾胃虚寒证。具有温中散寒燥湿的功效。

（2）消食散（经验方）

组成：炙黄芪、炙鸡内金、焦白术、五谷虫各6g，炒山药、茯苓各10g，焦三仙5g。

用法：将上药共研细末备用。用时取药粉适量，以开水调和成糊状，制成药饼，贴于脐部。每2日换药1次，一般5次为一疗程。

主治：食滞脾胃证。具有健脾消食的功效。

（3）健脾丸

组成：枳实、白术、砂仁各30g。

用法：将上药研末备用。用时取药粉适量，以茶水制成丸，填塞于脐部，每日1次，3次为一疗程。

主治：脾虚证。具有健脾理气化湿的功效。

（4）理气健脾散（经验方）

组成：生山楂9g，陈皮6g，白术6g。

用法：上药共研细末，用时加温开水调和成糊状敷于脐中，每日换药1次，连用3~5日。

主治：脾虚证。具有健脾助运的功效。

（5）消食膏（经验方）

组成：大黄、芒硝、桃仁、鸡内金、杏仁各15g。

用法：将上药共研细末，用鸡蛋清将药末调成膏状，敷于脐中。每晚睡敷药，连敷3日，休息4日，3周为一疗程。

主治：食滞证。具有消食导滞的功效。

4．遗尿

（1）温肾散（经验方）

组成：附子、五味子各10g，肉桂6g。

用法：将上药共研细末，加适量米醋制成药饼，贴敷于中极、关元及两侧肾俞穴。每日换药1次，15日为一疗程。

主治：肾虚证。具有温肾收敛的功效。

（2）萸桂散（经验方）

组成：吴茱萸、肉桂各等分。

用法：上药研末备用，用时取药粉适量，加乙醇调成糊状，分别敷于穴位上。以气海、足三里、命门为一组，肾俞、三阴交、关元为一组，每日1次，交替使用。5日为一疗程。

主治：肾虚证。具有温肾止遗的功效。

（3）黑椒散（经验方）

组成：黑胡椒。

用法：将黑胡椒适量研末，于睡前填入脐中，填满为度，以伤湿止痛膏贴盖，24小时后换药。7次为一疗程。

主治：非器质性的小儿遗尿。

（4）丁香散（经验方）

组成：丁香3粒。

用法：将丁香研细末，用米饭适量捣烂制饼，贴于脐部，每日1次，5～7日为一疗程。

主治：肾虚证。具有温肾止遗的功效。

（5）葱黄膏（经验方）

组成：葱白3根，硫黄30g。

用法：上药捣烂如泥，制膏备用。临睡前将药膏敷于脐中，覆以纱布，用胶布固定，8～10小时取下，每日换药1次，5～7日为一疗程。

主治：肾虚证。具有温补命门，通阳化气的功效。

5．汗证

（1）敛汗膏（经验方）

组成：枯矾、五倍子适量。

用法：上药研为细末，加牛乳调制成膏，敷贴于肾俞穴，每日1次，或于睡前敷，一般3～5日为一疗程。

主治：盗汗。

（2）敛汗散（经验方）

组成：郁李仁、生梨汁适量。

用法：将郁李仁适量研末，加生梨汁调和，敷于内关穴。每日1次，3~5日为一疗程。

主治：自汗。

（3）龙牡止汗散（经验方）

组成：龙骨、牡蛎各30g，大麦芽50g。

用法：上药共研细末，用时取药粉5g敷于脐部，包扎固定，每12小时换药1次，3~5日为一疗程。

主治：盗汗及自汗。

（4）双五散（经验方）

组成：五倍子、五味子各等分。

用法：上药共研细末，睡前取药粉适量，用温开水、食醋各半调成糊状，敷于脐部，每日1次，3~5日为一疗程。

主治：自汗。

（5）蛤乌散（经验方）

组成：文蛤、何首乌各3g。

用法：上药共研细末，用食醋调成糊状，敷于脐部，以纱布覆盖，胶布固定，每日1次，3~5日为一疗程。

主治：盗汗。

6. **痄腮**：本病相当于现代医学中的流行性腮腺炎。

（1）清热解毒散（经验方）

组成：吴茱萸9g，虎杖3g，胆南星3g。

用法：上药共研细末，和匀备用。用时取药粉6~12g，以食醋调成糊状，敷于两侧涌泉穴，每日1次，3~5日为一疗程。具有清热解毒消肿的功效。

（2）仙人掌敷剂（经验方）

组成：仙人掌适量。

用法：将仙人掌捣烂，加入95%酒精调匀，敷于患处，每日2次，3~5日为一疗程。具有消肿止痛的功效。

（3）野菊花敷剂（经验方）

组成：野菊花60g。

用法：将野菊花捣烂，加入鸡蛋清调匀，外敷于患处，每日2~3次，3~5日为一疗程。具有清热消肿的功效。

（4）大青叶敷剂（经验方）

组成：新鲜大青叶50～100g。

用法：将新鲜大青叶捣烂如泥，敷于患处，每日1～2次，3～5日为一疗程。具有清热解毒，散结消肿的功效。

（5）清热解毒敷剂（经验方）

组成：鲜蒲公英、鲜鱼腥草各等分。

用法：将上药捣烂如泥，敷于患处，每日1～2次，3～5日为一疗程。具有清热解毒，消肿止痛的功效。

（四）外科疾病

1．疖：本病相当于西医学中的疖、疖病、皮肤脓肿、头皮穿凿性脓肿。

（1）金黄散（《医宗金鉴》）

组成：大黄、黄柏、姜黄、白芷各2500g，南星、陈皮、苍术、厚朴、甘草各1000g，天花粉5000g。

用法：上药共研细末，使用时取适量药粉用冷开水或醋、麻油等调敷于患处，每日1次，3～5日为一疗程。

主治：一切痈疽疖肿。具有清热解毒、活血消肿、化痰散结的功效。

（2）玉露散（经验方）

组成：芙蓉叶。

用法：取芙蓉叶（不拘多少），去梗茎，研为极细末，用麻油、菊花露、银花露或凡士林调敷于患处，每日换药1次，3～5日为一疗程。

主治：一切痈疽疖肿。

（3）消疖散（经验方）

组成：鲜马齿苋50g，冰片10g。

用法：将马齿苋50g洗净捣烂，加入冰片研匀，用时外敷于患处，厚度约1cm左右，用纱布包扎。1～2小时换药1次，至消肿为止。

主治：一切疖肿。

（4）神异膏（经验方）

组成：玄参15g，乳香、没药各20g，露蜂房30g。

用法：将上药加麻油500g煎熬去渣，直接加入黄丹调匀收膏，制成神异膏。使用时将药膏摊于油纸上，直径3～5cm大小，对折备用。用时将膏药加热烘烤，剪圆，外贴于患处。未溃者每日换药1次，破溃者每日换药2～3次，3日为一疗程。

主治：暑疖。

2．有头疽：本病相当于现代医学中的痈。

（1）金黄散（《外科正宗》）

组成及用法见前文。

（2）生肌玉红膏（《外科正宗》）

组成：当归60g，白芷15g，白蜡60g，轻粉12，甘草36g，紫草6g，血竭12g，麻油500g。

用法：将当归、白芷、紫草、甘草入麻油内浸3日，大勺内慢火熬至微枯，过滤。再将油复入勺内煎滚，下血竭化尽，再下白蜡，至泡沫退尽，倾于罐内，置于水中，待将凝固之际，加入研细的轻粉，搅匀，置泥土地上一宿以去火毒。使用时取生肌玉红膏敷于患处，每日换药1次，3~5日为一疗程。

主治：溃后脓腐将尽，收口缓慢者。具有活血祛腐、解毒镇痛、润肤生肌的功效。

（3）生肌白玉膏（经验方）

组成：熟石膏90g，制炉石粉10g。

用法：将熟石膏研粉，加入制炉石粉和匀，以麻油少许调和成膏，再加凡士林制成70%的生肌白玉膏。用时将药膏少许涂于纱布上外敷，每日1次，3~5日为一疗程。

主治：腐肉难脱者。具有润肤生肌的功效。

3．痈：本病相当于现代医学中的蜂窝组织炎和急性化脓性淋巴结炎。

（1）清热祛痈散（经验方）

组成：新鲜垂盆草50g。

用法：上药捣烂外敷于患处，每日敷3~4次，3~5日为一疗程。

主治：一切外科阳证疮疡未溃之时。具有清热解毒、消肿排脓的功效。

（2）生肌玉红膏（《外科正宗》）

组成及用法见前文。

（3）生肌白玉膏（经验方）

组成及用法见前文。

（4）松香贴剂（经验方）

组成：松香3g。

用法：将松香研末，加适量白酒调拌成糊状，敷贴于阿是穴，每日敷2~3次，3~5日为一疗程。

（5）清痈散（经验方）

组成：芙蓉叶60g，金银花30g。

用法：将芙蓉叶研成极细末，金银花水煎取汁，调拌成糊状，敷贴于阿是穴，每日敷2~3次，3~5日为一疗程。

4. **附骨疽**：本病相当于现代医医学中的急、慢性化脓性骨髓炎。

(1) 五黄散（经验方）

组成：大黄90g，雄黄30g，蒲黄150g，黄连50g，黄柏100g。

用法：上药共研细末，混合均匀，制散备用。用时取药粉加白酒调敷于局部，1日敷3~4次，5日为一疗程。

主治：附骨疽初起，局部肿痛较甚，寒战高热者。具有活血解毒、消肿止痛的功效。

(2) 乳没敷方（经验方）

组成：乳香、没药、白鲜皮、穿山甲、全蝎各20g，蜈蚣5条。

用法：上药共研细末，放入香油500g中文火煎熬，然后将铅丹250g倒入锅内，调匀后备用。使用时依疮面大小，取适量的膏药涂于牛皮纸上或布上，铺平后贴于创面即可。每日1次，5~7日为一疗程。

(3) 陀冰散（经验方）

组成：密佗僧30g，冰片0.3g。

用法：将密佗僧研成极细末，加入冰片，研末后密封备用。用时加适量桐油搅拌成糊状，敷于窦道口及其周围，然后依次覆盖消毒后的白棉布、牛皮纸，用胶布和绷带固定、包扎。脓液多者每日敷1次，脓液少者隔日外敷1次，一般5~7日为一疗程。

(4) 生肌玉红膏（《外科正宗》）

组成及用法见前文。

(5) 黑药膏（经验方）

组成：南瓜藤150g，土楝子30g，芒硝120g，地脚粉500g。

用法：将南瓜藤晒干，煅存性，土楝子煅存性，与芒硝、地脚粉共研为细末，加入饴糖1000g，甘油150g，制成膏剂。使用时外敷于患处，每日1次，7~10日为一疗程。

主治：慢性骨髓炎。具有杀菌拔毒祛腐的功效。

5. **压疮**

(1) 大黄生肌膏（经验方）

组成：大黄100g，轻粉1g，五倍子130g，铜绿1.5g。

用法：将大黄加水300ml煎沸20分钟后过滤，再加水300ml煎沸20分钟后过滤，两次滤液浓缩至100ml，于每100g凡士林中加入浓缩液30ml，再将轻粉、五倍子、铜绿研成细末，掺入膏内，制膏备用。用时将膏药平摊于纱布上，贴于创面上，每日1次，一般3~5日为一疗程。

（2）消疽膏（经验方）

组成：红花、紫草、黄芪、当归、血竭各30g。

用法：上药加水2500ml，煮沸1小时后熬成膏剂备用。用时加入适量麝香，均匀平摊于白布上，外敷于创面，1周更换1次。

（3）压疮膏（经验方）

组成：当归30g，白芷12g，紫草18g，生地12g，象皮9g，轻粉6g，血竭6g，龙骨9g，白蜡30g。

用法：取麻油500g煮沸，加入当归、白芷、紫草、生地、象皮，文火炸枯后捞出，过滤后继续用文火加热，再将轻粉、血竭、龙骨研末过筛后加入，搅拌均匀，加入白蜡，离火待凉，制成压疮膏，敷于患处，每日或隔日换药1次，5～7日为一疗程。

主治：各期压疮。具有活血解毒、提脓祛腐、收敛生肌的功效。

（4）生肌膏（经验方）

组成：生地、龟板各48g，象皮、当归各24g，血竭12g，炉甘石100g，生石膏60g，白蜡140g。

用法：将生地、龟板、象皮、当归浸入麻油1000g中24小时，以文火煎至象皮呈焦黄色，将血竭、炉甘石、生石膏研末后过200目筛，放入油中，再加入白蜡搅拌均匀，冷却后备用。用时直接涂布于创面或制成油膏纱布后外敷，每日1次，5～7日为一疗程。

主治：慢性溃疡，腐肉已脱，新肉难生者。具有养血活血、润肤生肌的功效。

（5）血黄生肌散（经验方）

组成：血余炭10g，黄柏20g，大黄30g，珍珠粉10g。

用法：上药研末制散备用。使用时先对局部皮肤进行消毒，将水疱内渗液抽吸干净，剪去表皮，除去创面的坏死组织，然后用生理盐水消毒，再将鸡蛋清少许加入血黄生肌散药粉中，均匀涂敷于创面。每日换药2～4次，换药前须洗净旧药，7日为一疗程。

主治：Ⅱ、Ⅲ期压疮。

6. 烧烫伤

（1）神效当归膏（经验方）

组成：当归30g，黄蜡30g，麻油100g。

用法：将上药制膏备用。用时摊于消毒纱布或纸帛上，敷贴于患处，每日1次，用至痊愈为止。

主治：烫伤。具有活血止痛、拔毒敛疮、润肤生肌的功效。

(2) 生肌玉红膏(《外科正宗》)

组成及用法见前文。

(3) 紫草膏(经验方)

组成:枯矾10g,冰片5g,鲜马齿苋20g,鲜千里光30g,紫草、大黄各50g。

用法:将枯矾、冰片混合研末,过100目筛取粉备用;将鲜马齿苋、鲜千里光洗净、晒干,再加紫草、大黄共研为末,过100目筛备用。将以上两种粉末混合均匀配成紫草散。用时取凡士林3份,紫草散7份,搅拌均匀,制成软膏备用。使用前先按常规消毒,清除创面污物,有水疱者穿破水疱,保留疱皮,每日用紫草膏换药1次,直至创面愈合。

(4) 加味神应当归膏(经验方)

组成:当归、血竭、儿茶、黄柏、大黄、白芷各100g,松香100g,冰片50g,麻油1200g。

用法:将当归、血竭、儿茶、黄柏、大黄、白芷研为细末,加麻油、松香,置于铁锅内煎熬,油沸后10分钟放入冰片,熔化后离火待冷,制成软膏备用。使用时先按常规消毒、清创,然后将加味神应当归膏涂于纱布上,覆盖于创面上,包扎固定,每日换药1次,直至创面愈合。

7. 冻疮

(1) 马勃膏(经验方)

组成:马勃20g,凡士林20g。

用法:将马勃高压消毒后加凡士林调成油膏,敷贴于患处,每日更换1次,用至痊愈为止。

主治:治疗Ⅰ、Ⅱ、Ⅲ期冻疮。具有解毒敛疮的功效。

(2) 紫丹膏(经验方)

组成:山芋粉50g,猪板油100g,冰片10g。

用法:将山芋粉晒干,加入适量的冰片,再加入猪板油,捣匀成膏。使用时先将患处用硼酸水洗净,取药膏适量涂于疮面,盖以纱布,每日1~2次,3~5日为一疗程。

主治:已经破溃的冻疮。具有收敛生肌的功效。

(3) 云南白药膏(经验方)

组成:云南白药10g,65%乙醇2ml,冰片5g。

用法:将上药混合均匀,调成糊状。使用时将局部用温水洗净,然后将药糊涂于患处,用纱布包扎。早、晚各用药1次,2~3日为一疗程。

主治:已经破溃的冻疮。

8. 脱疽：现代医医学中的血栓闭塞性脉管炎、闭塞性动脉硬化症、糖尿病坏疽等可参照本病治疗。

（1）冲和膏（《外科正宗》）

组成：紫荆皮（炒）150g，独活90g，赤芍60g，白芷30g，石菖蒲45g。

用法：上药研为细末，用葱汁、陈酒等调敷于患处，每日1次，7～10日为一疗程。

主治：阴寒性或血瘀性脱疽。具有疏风、活血、定痛、消肿、活血、软坚的功效。

（2）回阳玉龙膏（《外科正宗》）

组成：草乌（炒）、干姜（煨）各90g，赤芍（炒）、白芷、南星（煨）各30g，肉桂15g。

用法：上药研为细末，用热酒调敷于患处。

主治：脱疽未溃之时。具有温经活血，散寒化痰的作用。

9. 痛证（癌性疼痛）

（1）加减金黄散（经验方）

组成：大黄、姜黄、黄柏、朴硝、芙蓉叶各50g，冰片、生南星、乳香、没药各20g，天花粉100g。

用法：将上药研末和匀，加水调制成厚糊状摊于油纸上，厚约5mm，外敷于疼痛处，3～5日换药1次。

主治：晚期肝癌疼痛。具有箍围解毒，活血化瘀的功效。

（2）消积止痛膏（经验方）

组成：冰片、阿魏、丁香、山柰、蚤休、藤黄各等分。

用法：上药共研为末备用。使用时依据疼痛部位和肿块大小，将药粉分别撒于橡皮膏上，敷贴于患处，用热毛巾在药膏上敷30分钟。每日热敷3次，5～7日换药1次。

主治：各种肿瘤所致疼痛。具有散积止痛的功效。

（3）镇痛膏（经验方）

组成：蟾蜍0.2g，马钱子、生川乌、生南星、姜黄、冰片各5g。

用法：将上药制成硬膏，贴于患处，5～7日换药1次。

主治：晚期癌症疼痛剧烈者。具有行气活血、通络止痛的功效。

（4）普陀膏（经验方）

组成：血竭、地龙、全蝎、白僵蚕、木鳖子、大风子、䗪虫、冰片各等分。

用法：将上药用麻油炼制成硬膏，外敷于患处，5～7日换药1次。

主治：原发性肝癌疼痛。具有软坚散结、活血镇痛的功效。

（5）解毒膏（经验方）

组成：金钱蛇2条，壁虎2条，牛黄1g，羚羊角粉1g，麝香0.2g。

用法：将金线蛇、壁虎加入麻油500g中炸焦去渣，加入黄蜡100g收膏，再加入牛黄、羚羊角粉、麝香搅拌均匀。可直接涂敷于患处，5~7日换药1次。

主治：癌症晚期疼痛剧烈者。具有解毒镇痛的功效。

（6）疏络膏（经验方）

组成：白芥子、元胡各10g，甘遂、细辛各5g，麝香0.3g。

用法：将上药研成药粉备用，使用时用姜汁适量将药粉调成膏状。原发性肝癌可选肝俞、胆俞配足三里及脐周全息穴；肺癌选肺俞、云门配大肠俞；骨转移癌、骨肉瘤及多发性骨髓瘤可根据疼痛部位不同选择相应的穴位；胰状癌选胰俞、中脘配足三里、合谷。使用时将1g药膏放于3cm×3cm的胶布上，贴于选定的穴位上，保留2~4小时，至局部有烧灼感时揭下。

主治：各种癌痛。

10．疮疡

（1）金黄散（《医宗金鉴》）

组成及用法见前文。

（2）阳和解凝膏（《外科正宗》）

组成：鲜牛蒡子根叶茎1500g，鲜白凤仙梗120g，川芎120g，附子、桂枝、大黄、当归、川乌、官桂、肉桂、草乌、地龙、僵蚕、赤芍、白芷、白蔹、白及、乳香、没药各60g，续断、防风、荆芥、五灵脂、木香、香橼、陈皮各30g，苏合油120g，麝香30g，菜油5000g。

用法：将白凤仙熬枯去渣，次日将除乳香、没药、麝香、苏合油外诸药俱入锅煎枯，然后于每500g油内加黄丹210g，熬至滴水成珠，以不粘指为度，撤下锅来，将乳香、没药、麝香、苏合油入膏搅和，半月后即可用。使用时摊贴于患处。

主治：一切疮疡阴证。具有温经通阳、祛风散寒、调气活血、化痰通络的功用。

（3）冲和膏（《外科正宗》）

组成：紫荆皮（炒）150g，独活90g，赤芍60g，白芷30g，石菖蒲45g。

用法：上药研为细末，用葱汁、陈酒等调敷于患处。

主治：疮疡介于阴阳之间证候。具有疏风、活血、定痛、消肿、祛冷、软坚的功效。

（4）回阳玉龙膏（《外科正宗》）

组成及用法见前文。

（5）四黄散（经验方）

组成：黄连、黄柏、黄芩、大黄、乳香、没药各等分。

用法：上药研细末，加水或金银花露调成糊状，敷于患处；或作箍围疗法；或以药粉2份加凡士林8份调制成膏，摊敷于患处。

主治：阳证疮疡。具有清热解毒、活血消肿的功效。

（6）生肌玉红膏（《外科正宗》）

组成及用法见前文。

五、皮肤科疾病

1. 蛇串疮：本病相当于现代医学中的带状疱疹。

（1）王不留行散（经验方）

组成：王不留行适量。

用法：将王不留行以文火焙干，研成细末，用鸡蛋清调成糊状，涂抹于患处，每日3次，3日为一疗程。

（2）三黄膏（经验方）

组成：黄芩、黄连、黄柏各等分。

用法：上药研末，用香油调成糊状，用时涂抹于患处，轻者每日2~3次，重者每日4~6次，至疼痛消失为止。

（3）菟黄散（经验方）

组成：大黄、菟丝子各等分。

用法：将上药研末，过120目筛后密封。使用时取药粉适量，加芝麻油适量调成糊状，敷于患处，每日2次，10日为一疗程。

（4）特效蛇丹膏（经验方）

组成：黄连30g，七叶一枝花50g，明雄黄60g，琥珀90g，明矾90g，蜈蚣20g。

用法：上药共研成末，过100目筛，混合均匀。使用时取药粉适量，用麻油调成糊状，将药糊涂在纱布上，敷贴于患处，每日1次，3~6日为一疗程。

（5）蜈蚣散（经验方）

组成：蜈蚣3条，冰片5g，蛇蜕10g。

用法：将蜈蚣、蛇蜕分别用文火炒存性，研成极细末，再加研好的冰片混匀备用。使用时取适量用香油调成糊状，制成药饼敷于患处。每日换药1次，3~5日为一疗程。

2. 疣目：本病相当于现代医学中的寻常疣。

（1）大蒜贴方（经验方）

组成：大蒜适量。

用法：用胶布将寻常疣根基部皮肤遮盖，消毒后剪破疣的顶部，以见血为宜，然后将大蒜捣成糊状，敷贴于患处，用胶布覆盖，一般治疗2次，4～5日后疣体即可脱落。

（2）水晶膏（经验方）

组成：生石灰30g，粳米50粒。

用法：将上药加饮用水适量置于玻璃瓶中浸泡5日，捣烂制膏备用。使用时用牙签点敷患处。

（3）鸦胆子散（经验方）

组成：鸦胆子30g。

用法：将鸦胆子剥去外壳捣烂备用。使用时先将疣体常规消毒，刺破见血，将鸦胆子泥少许敷于患处，用胶布固定，1周后拆开，疣体即可脱落。

3．黄水疮：本病相当于现代医学中的脓疱疮。

（1）清脓散（经验方）

组成：大黄15g，枯矾5g，冰片1.5g，青黛3g。

用法：将大黄研极细末，加枯矾、冰片、青黛，共研细末，混合均匀备用。流黄水者，用药粉外敷患处；不流黄水者，加麻油调和外敷患处。每日2～3次，3～6日为一疗程。

（2）清滋散（经验方）

组成：松香100g，雄黄100g，明矾50g，枯矾50g。

用法：将上四味分别研细，过120目筛，混合均匀，密封备用。使用时加适量麻油调成糊状，敷于患处，每日2次，用至痊愈为止。

3．湿疮：本病相当于现代医学中的湿疹。

（1）四石散（经验方）

组成：炉甘石、滑石各30g，寒水石、海浮石各30g，冰片2g。

用法：上药研细，混匀备用。使用前先将患处用茶叶水或盐水洗净，再用麻油适量将以上药粉调成糊状，外敷于患处，每日1～2次，3～5日为一疗程。

（2）蜈蚣散（经验方）

组成：蜈蚣3条（焙干）。

用法：将蜈蚣研末，用猪胆汁调敷于患处，每日1次，7～10日为一疗程。

主治：顽固性湿疹。

（3）青黛散（经验方）

组成：青黛6g，黄柏3g，煅石膏12g，滑石12g。

用法：上药共研细末，加麻油适量调匀，敷于患处，每日1～2次，7～10

日为一疗程。

主治：慢性湿疹。

（4）五石膏（《朱康仁临床经验集》）

组成：青黛9g，黄柏末9g，枯矾9g，蛤粉60g，炉甘石60g，煅石膏90g，滑石12g，凡士林370g，麻油150g。

用法：上药共研细末，加凡士林及麻油调和成膏，薄敷于皮损部位，每日1~2次，3~5日为一疗程。

主治：湿疹渗水不多者。具有收湿止痒的功效。

4．粉刺：本病相当于现代医学中的寻常性痤疮。

（1）加味金黄散（《医宗金鉴》）

组成：天花粉500g，大黄、白芷、黄柏、姜黄各250g，陈皮、厚朴、苍术、南星、甘草各100g，雄黄100g，冰片、薄荷冰各50g。

用法：先将前10味药共研细末，过80目筛，制成金黄散，再将雄黄、冰片、薄荷冰加入碾匀，制散备用。使用时取药粉15~20g，以冰茶水调成糊状，均匀敷贴于皮损周围，每晚1次，每次30分钟，3~5次为一疗程。

（2）二黄散（经验方）

组成：大黄15g，硫黄15g，硼砂6g。

用法：上药研为极细末，用茶水调和，敷涂于患处，每日1次，或晚上用药，次晨洗净，3~5日为一疗程。

六、骨伤科疾病

1．骨折

（1）接骨丹（经验方）

组成：天南星、木鳖子各120g，没药、乳香各15g，肉桂30g，生姜500g。

用法：将天南星、木鳖子、没药、乳香、肉桂共研为末，生姜捣烂取汁，加米醋少许，以白面为糊同调，摊于纸上，敷于患处，每日1次，7~10次为一疗程。具有活血散瘀、消肿止痛的功效。

（2）断骨丹（经验方）

组成：荆芥、茜草、三七、自然铜、白及、羌活、土鳖虫各24g，蒲公英18g，续断、苏木、五加皮、香橼各50g，肉桂4.5g，防风6g，乳香炭75g，生大黄9g。

用法：上药共研为末，用适量蜂蜜加蛋清调成糊状，敷于患处，每日1次，7~10次为一疗程。具有活血止痛，消肿定痛，接骨强筋的功效。

（3）消肿止痛膏（经验方）

组成：姜黄、羌活、干姜、栀子、乳香、没药各等分。

用法：将上药共研为末，用凡士林调成60%的软膏敷于患处，每日1次，7～10次为一疗程。

主治：骨折早期。

(4) 止痛散（经验方）

组成：苏木、黄芪、骨碎补、赤芍、儿茶、血余炭、木香、没药、独活、川芎、丹参各15g，何首乌、白及各30g，丁香9g。

用法：上药共研为末，用适量蜂蜜、开水调匀，敷于患处，每日1次，7～10次为一疗程。

主治：骨折中后期瘀肿已消，可轻微着力但仍有痛感，X线检查有脱钙现象者。具有养血通络、接骨续筋的功效。

(5) 化瘀膏（经验方）

组成：侧柏叶30g，紫荆皮10g，大黄20g，薄荷10g，泽兰10g。

用法：上药共研细末，加水、蜂蜜或凡士林调膏外敷，每日1次，7～10次为一疗程。

主治：骨折初中期或局部有红肿疼痛者。具有活血消肿解毒的功效。

2. 软组织损伤

(1) 定痛膏（经验方）

组成：芙蓉叶60g，紫荆皮、天南星、独活、白芷各15g。

用法：上药共研细末，用姜汁、水、酒调敷于患处，或加适量凡士林调制成软膏，外敷患处，每日1次，3～5次为一疗程。具有祛瘀消肿，解痉止痛的功效。

(2) 活血止痛散（经验方）

组成：黄柏30g，延胡索、木通各12g，血竭3g，独活、羌活、白芷、木香各9g。

用法：上药共研为末，加蜂蜜、蛋清或水调成糊状，摊于油纸上，外敷于患处。每日换药1次，3～5次为一疗程。

主治：急性扭伤局部瘀血肿痛，功能障碍者。具有祛风活血、行气止痛的功效。

(3) 消肿止痛散（经验方）

组成：大黄、栀子各30g，桂枝、细辛各5g，芒硝、三七、乳香、没药各10g，冰片3g，地肤子12g。

用法：将上药混合研细，过100目筛备用。使用时视损伤部位大小取适量药粉，加白酒拌湿，摊于纱布上，贴敷于患处。每日1次，每次敷20小时左右，5

次为一疗程。具有活血消肿、止痛的功效。

（4）跌打止痛膏

组成：生山栀、两面针、赤小豆各100g，乳香、没药各10g，侧柏叶、田七、薄荷各50g。

用法：将上药共研为末，调制成膏备用。使用时将适量药膏涂于蜡纸上，敷于患处，每日1贴，3～5次为一疗程。具有活血化瘀、消肿止痛的功效。

（5）骨伤三圣散（经验方）

组成：生大黄300g，虎杖200g，赤小豆100g。

用法：将上药共研为末，过100目筛备用。将蜂蜜400g和食醋100g混合加温后，加入药粉150g调成糊状，按损伤面积大小取适量药糊摊于纱布上，敷于患处，3日换药1次，直至痊愈。具有清热利水消肿的功效。

（6）消肿止痛膏（经验方）

组成：生大黄、制乳香、制没药、红花各100g，生柏子、香附、天花粉各50g，蒲公英30g，地鳖子80g，生甘草20g。

用法：将上药共研为末，过100目筛备用。使用时取药粉6g，与凡士林15g混合搅拌均匀，摊涂于牛皮纸上，敷于伤筋处。每日更换1次，5次为一疗程。具有活血化瘀、消肿止痛的功效。

3. 颈椎病

（1）镇痛膏（经验方）

组成：红花、秦艽、独活、川芎、草乌、川乌、当归、蒲公英、透骨草、伸筋草各30g，羌活10g，威灵仙60g，细辛、白芥子、花椒、穿山甲、沉香各20g，乳香、没药、煅磁石各25g。

用法：先将前12味药研末，加植物油500g于锅内加热炸熬，去渣炼油，加铅丹制成膏；当温度低于100℃时，将后8味药共研为末，加入膏内即制成。用时外敷于患处，3日换药1次，5～7次为一疗程。

主治：风寒内阻，经脉凝滞型颈椎病。具有祛风散寒，活血散瘀的功效。

（2）透骨软坚膏（经验方）

组成：透骨草、生草乌、生川乌、凌霄花各60g，当归、威灵仙、乳香、没药、穿山甲各30g，生马钱子200g，红花12g，赤芍15g，路路通20g，麝香2g，三七12g，血竭15g，冰片6g。

用法：将前13味药放入锅内与麻油1500g熬制膏药，待药油温度降到60℃时，再将后4味研末后加入膏药油内，继续搅拌至完全冷却凝固成膏。使用时敷于患处，3日换药1次，5～7次为一疗程。

主治：颈椎病之骨质增生。具有活血通络，祛风除湿，散结定痛的功效。

（3）五龙威灵膏（经验方）

组成：威灵仙、穿山甲、伸筋草、乳香、没药、独活、羌活各20g，麝香10g。

用法：将前7味药放入植物油内浸泡1周，然后倒入锅内，以文火熬制，待药物呈黄色后除去药渣，再将药油倒入锅内，文火熬至滴水成珠之时，再下黄丹，待油温冷却到60℃时，放入麝香搅拌，凉后将药油摊于牛皮纸上备用。使用时将牛皮纸加热，敷于患处，每帖敷10日，3帖为一疗程。

主治：寒凝经脉型颈椎病。具有舒筋活血、散寒止痛的功效。

4．肩周炎

（1）活血化凝膏（经验方）

组成：当归、川芎、红花、天麻、续断、牛膝、秦艽、独活各30g，桑白皮100g，生南星、生半夏、生草乌、生川乌各240g。

用法：将上药共研细末，加桐油2500ml、黄丹1000g炼制成膏。用时取适量膏药敷于患处，2日1次，10次为一疗程。

主治：各型肩周炎。具有舒筋活血、散寒止痛的功效。

（2）二乌散（经验方）

组成：生川乌、生草乌、樟脑各90g。

用法：将上药研为细末备用。根据疼痛部位取药粉适量，加老陈醋调成糊状，均匀敷于压痛位置，每日1次，10次为一疗程。

主治：各型肩周炎。具有温经散寒、祛风通络的作用。

（3）活血定痛膏（经验方）

组成：将生半夏、生南星、花椒、细辛、荜茇各30g，生川乌、生草乌、山柰、八角、威灵仙、甘松、小茴、独活、大黄各35g，干蟾1个，黄丹1000g，松香250g，樟脑35g，青黛、肉桂各30g，丁香、雄黄各25g，轻粉20g，血竭、乳香、没药、儿茶、滑石各18g。

用法：先将前15味加麻油2000g于锅内熬炸，滤渣再熬，熬至滴水成珠，下黄丹收膏，加松香于膏内，搅匀，再将樟脑、青黛、肉桂、丁香、雄黄、轻粉、血竭、乳香、没药、儿茶、滑石诸药放入膏内，搅匀备用。用时厚摊敷贴于患处，每日1次，10～15次为一疗程。

主治：各型肩周炎。具有祛风散寒、活血化瘀、温经通络、消肿止痛的功效。

第四章 药浴疗法

药浴疗法，是中医外治法的重要方法之一，是在中医理论指导下，选配一定的中草药经煎汤、浸泡、洗浴全身或局部，以达到治疗疾病和保健、养生、美容目的的常用疗法。具有操作简单，疗效显著，毒副作用少，适用范围广，无痛苦，费用低等特点。可分为沐浴、浸洗浴、蒸汽浴、坐浴等多种方式。它是劳动人民长期同疾病作斗争的经验总结，并不断得到丰富和发展，深受广大人民群众的欢迎。

第一节 药浴疗法的基本原理

药浴的治疗作用是多方面的，首先是水本身的直接作用。水在常温下为液体，可与身体各部位密切接触，既是传递刺激的最佳介质，又是良好溶剂，可以溶解绝大部分具有医疗作用的物质，因而可以加入各种药物。水具有很大的热容量，能够持续地对人体释放热量或吸收热量，是空气导热力的33倍，故利用“热量”来治病时，多以水为媒介。水具有对流、浮力、压力、射流的冲击力等特点，可有效地用于治疗过程中。运用药浴疗法防治疾病，增强人们体质，历来受到重视。

一、刺激作用

刺激作用是指洗浴时浴水首先对体表和穴位所施加的温热或冷刺激、化学刺激和机械物理刺激等。它首先表现在浴水对局部所产生的一定刺激，通过经络、腧穴将刺激信息传入内脏或直达病所，发挥调节或治疗效应。其次是加速血液循环，促进药物的渗透、吸收和布散，以增强药物的治疗作用。现代研究认为，药浴对体表某一部位的刺激，可通过反馈原理将刺激信息传入体内相应的部位，而起到防病或治疗作用。

二、药效作用

药物透过皮肤、孔窍、腧穴等部位直接吸收，进入经脉血络，输布全身，发挥其药理作用。根据不同病证选择相应的药物配伍组方，因而产生不同的治疗作用。药效作用主要有以下几方面：

1. **抗感染作用：**药浴疗法治疗皮肤感染性疾病，如痈、疽、疔、疮、疖等，多选用清热解毒、消痈散结的药物，如黄连、黄柏、黄芩、金银花、连翘等。现代药理实验证实，这些药物均有抗炎、抗病毒的化学成分，因而对局部有良好的抗感染作用。又如蛇床子、苦参、百部、土槿皮等药物对皮肤真菌有不同程度的抑制或杀灭作用，常常被运用于癣、真菌性阴道炎等疾病的治疗。

2. **祛腐生肌作用：**现代研究证明，祛腐生肌类药物的作用主要是促进细胞的增生分化与肉芽组织的增长；促进巨噬细胞吞噬细菌、异物和坏死组织碎片，提高局部抗感染的能力；改善创面血液循环，加快创面的新陈代谢，从而促进创面愈合。

3. **增强循环系统功能：**药浴疗法的主要功用之一是疏通经络，流畅气血，治疗上常选用活血化瘀的药物，如当归、桃仁、丹参、川芎等。这类药物能够扩张末梢血管，对血液成分起到调节作用，促进血液循环，起到活血、散瘀、通经、利痹、消肿及定痛等。

4. **发汗解热作用：**药浴疗法所使用的方中不少药物的性味为辛味，具有发汗解热、镇痛、杀菌等作用。现代药理实验研究证明，辛味药大多数含有挥发油，有局部刺激、兴奋神经中枢、扩张周围血管和提高人体抗病能力的作用。如麻黄挥发油有发汗和抗病毒的作用；紫苏挥发油有发汗、解热、杀菌、健胃作用。因此，辛味药物多用于外感疾病及风湿痹痛等。

三、美容作用

药浴可以用于美容保健，具有疏通腠理，流畅气血，美颜悦色，抗皱美容的功效。

中医理论认为，人体是一个有机的整体，构成人体的各个组成部分之间，在结构上不可分割，在功能上相互协调，在病理上相互影响。因此，人的肌肤润泽、毛发柔顺等与体内的脏腑功能、气血盛衰有着密切的关系。脏腑功能正常，气血旺盛，阴阳平衡，才能容颜健美。当然，皮肤毛发的健美与不良的生活习惯、过度操劳、长期室外活动等也有非常重要的关系。因此，无论是机体脏腑阴阳气血失调等内在原因，还是过度劳乏等外在因素，都会导致颜面、毛发损伤而发病或致早衰。药浴疗法借助洗浴时药液的热力和药力以及局部摩擦、洗浴等刺激作用于体表经络腧穴，调节阴阳的偏盛偏衰，疏通气血经络，达到防病治病、美容美发的目的。虽然药浴时药物和刺激作用只限于头面等体表局部，但通过气血、经络影响到内脏及其他部位，使人体气血充盈调畅，达到补益气血，润养肌肤毛发的目的。

现代研究认为，面部皮肤老化的主要原因是角朊细胞、真皮、皮下组织缺水，特别是角朊细胞的角质层角质蛋白缺水，从而出现角化、脱皮、皱纹。药浴疗法常选用人参、灵芝、菊花、金银花、当归、桃花、白芷等含有丰富的蛋白质、氨基酸、微量元素和多种维生素的中药，用于补充人体，特别是补充皮肤滋养必需的营养物质。在洗浴过程中，既可治疗面部皮肤病，同时又可补充皮肤的水分，营养肌肤，清除已坏死的表皮细胞，利于汗腺和皮脂腺的分泌，改善头面部血液循环，增强皮肤弹性，防止皮肤过早松弛和产生皱纹。长期坚持使用，可使皮肤明显细润，减少皱纹，祛斑悦容。

第二节　药浴疗法的常用剂型与设备

药浴中起根本治疗作用的是药物本身。药浴选药与内服用药一样要遵守中药配伍的基本原则，即理、法、方、药和君、臣、佐、使，但是有独特之处。如中药黄连是口服、外用、洗浴皆良的典型药物；炉甘石、煅石膏为外洗常用药，却不宜内服；生石膏内服清热解毒，外用几乎丧失功效。因此，药浴常用一些水溶性好，挥发成分高的药物。药物不溶或难溶于水，刺激性强，过于黏腻，色深污秽者等不宜选用。同时药物需要一定的加工制作，才能进行浴疗。

“工欲善其事，必先利其器”。用于医疗、养生、美容的药浴，不是一般的“洗澡”，因而从器具、水、添加物质等各方面均有特殊要求。掌握浴疗用具、洗浴用水、浴室等方面的制作准备方法，是进行正确药浴的基本条件。

一、加工药物

洗浴用药一般需经过一定加工后方可应用，药物种类、药性不同，加工方法及制剂各异。

1．清洁处理：翻抖药物，除去灰尘泥土；挑出异物、树枝和杂草；用冷水迅速冲洗一遍。冲洗后不能久放，应立即煎煮或进行其他加工。

2．粉碎药物：粉碎药物的目的是利于充分发挥药力。植物根茎、天然矿物等不易粉碎者，可用粉碎机。云苓、山药、半夏等含淀粉或易于粉碎的药品可在家中用蒜臼等工具打碎。叶类药品可用手搓碎。一些鲜品植物茎叶及柔软药品如熟地、瓜蒌等，可用刀、剪类工具弄碎。

3. 药物研末：冰片等药物需研末入药，可用研钵。在家中亦可用擀面杖在硬质木板上擀压。

4. 药物榨汁：水果类及新鲜块茎、叶类可榨汁入药。水果、蔬菜等，使用家用榨汁器、粉碎器等最为方便；或用刀将水果蔬菜切碎后用白布包裹挤压出汁，如无禁忌，少加食盐以便于汁液渗出。榨汁后应立即使用。

二、配制药浴液

根据不同药物的特性，采用不同的方法配制药浴液，常用的有：

1. 水煎法：常用制取浴液方法之一。选用砂锅或其他非金属器皿，按煎内服药方法进行煎制。一般加水没过药物 3cm 左右，煎煮 10～30 分钟。疏风解表类、花草类和新鲜植物类煎煮时间要适当缩短。块根类、矿物类、补益类煎煮时间要适当延长，并可煎煮多次。有毒药物应先煎 30～60 分钟。

2. 水浸法：一些花、叶类药和加热可能破坏有效成分的药物不宜水煎时则用水浸法。一般将药物研碎成粗末，以冷水或温水浸泡。夏季浸泡 4～8 小时，冬季可浸泡 24 小时。

3. 酒浸法：某些药物成分易溶于酒精，适用酒浸法。时间一般在 1 周以上或更久。根据需要随时添加新酒和药物。黄酒浸泡液，药液可保留半年至 1 年。用 60%～70% 酒精浸泡，可保留 2 年以上。药物与酒液比例，一般为 30～60g 药，用 1000ml 酒液。浸好的药液可直接用于擦浴、局部浴，也能加入其他水煎浴液中混合使用，在药物介绍时称为“酒浸冲调”或“冲对”。

4. 冲对：含义有二，一是酒浸或榨汁后将药液对入浴液。二是一些不宜煎汁、酒浸的药物在洗浴前直接用水冲泡，如鲜花类、新鲜果蔬类。

三、药浴疗法的器具

（一）浴器

1. 全身浸浴用具：最常用的是家用澡盆、浴缸等。要求器皿清洁，内表面光滑无尖刺。质地通常有搪瓷、瓷砖、铝、铁、木等。其中以木质者最佳，其次为陶瓷、搪瓷等。避免使用金属器皿。深度以能半躺、坐、蹲为宜。自制（砌）时，长度一般为身高的五分之四至一个身高之间，上口距地面尽量底一些，一般不超过 60～70cm，过高易给老人、行动不方便者带来危险。容器外的地面要进行防滑处理，预防发生跌滑事故。容器内为防滑可铺上浴巾、橡胶垫等物。

容器安置要牢靠。自砌者不必说，如为大盆、桶等物要有固定装置，否则药浴者扶按盆沿时很易发生倾倒。在容器旁的墙上或上方最好安装拉手、吊环等物，方便变换体位及起坐、出入容器。

器皿清洁处理，可以1∶1000新洁尔灭液，或1∶1000高锰酸钾溶液等消毒液冲洗、浸泡。用手指遍抚内表面及边缘一遍，如有毛刺、尖突，用砂纸仔细磨平，以防划伤皮肤。

2. 局部浸浴用具：常用家庭中的盆、缸、罐等物。最好选铜质器皿，既可煎药，又能洗浴。铝质次之，最好不用铁质。搪瓷不耐加热，可先用砂锅、陶器煎煮好后再配成浴液，倒入搪瓷盆中使用。连续应用浴液时，应使用有盖的容器。

3. 淋浴用具：一般洗澡直接使用水管或安装一喷头即可，浴疗时多需使用药液或矿泉水等特殊的"水"，因此，一般家庭用淋浴装置显然达不到此目的。有条件者可自制，安装一水箱，将符合要求的浴液装入水箱中，亦可采用如下办法：

（1）将药液装入一小型容器中，固定在淋浴水管上方或附近的墙上，容器底部通一细塑料管，与淋浴水管并在一起，不使用喷头。水由原淋浴水管开关控制，药液由安在塑料管上的卡子（可用医用输液管、氧气管上的卡子）控制，洗浴时药液与水一同冲下。

（2）亦可使用市售简便淋浴器，二根水管，主管连于水管，另一根插入盛着药液的容器中，加热后的药液被自来水带着流出喷头时稀释成理想的浓度和温度。

（3）局部冲淋时，可用一较小容器连接长度适宜的塑料管，管端连接尖嘴玻璃管、铜管等。冲洗力量大小靠容器高度来调节，可以使用废弃的落地灯等作支架，或调节好高度后于墙壁、屋顶、水管等处置一钩子，悬吊容器。

4. 棉织品：各种洗浴离不开浴巾，选择时首要原则是成分天然，质地柔软，吸水性好，选择纯棉棉织品最佳，化纤品不可选用。大浴巾可用于盆浴时铺于身下防滑，出浴时披盖全身；手巾用于擦、搓全身。浴巾专人专用，专病专用，每次用后以清水洗净，晒干。治疗皮肤病、性病等使用的浴巾，最好一次或一日一换，避免交叉感染。棉织品应定期消毒，方法有暴晒1小时以上，家庭蒸锅蒸30分钟，或以碱水煮20分钟，或用新洁尔灭等浸泡消毒。

洗浴有溃损的伤口或阴部、肛门等黏膜处时，应选医用脱脂棉，可整卷购回，用锅蒸30分钟以上后，随用随取，用后即弃之。

（二）药浴用水

药浴不同于一般的洗澡，药浴用水是药物的媒体，水质的优劣直接关系到浴疗效果，优质水还可减少副作用的发生。

1．水质： 主要包括水的清洁度、含氧量、软硬度和酸碱度。洗浴用水对含氧量要求不高，但要清洁，不含各类微生物和有害杂质，一般 pH 值在 6 ~ 7 之间较为适宜。

（1）自来水：城市与大多数乡镇均有现成的自来水，水质可靠，可直接用于药浴。但有时水中消毒物质过浓，可嗅到一股氯气味，不适宜直接药浴。自来水烧开晾凉后，更适合用于药浴。

（2）井水、泉水、地下水：水质相差很大，可以根据当地居民水壶中水垢的颜色及性质进行判断：如果水垢色白、细腻，则水质好；水垢色黄、粗糙则水质差。有些水含有特殊矿物成分，需经有关部门化验后确定。水质不好时，可以烧开后使用，或加入明矾净化后使用。

（3）江、河、池塘水：此类水杂质较多，直观感觉混浊，不适用于药浴。

（4）矿泉水：天然矿泉水，本身即是“良药”，应先了解矿泉成分后有针对性地洗浴。

（5）雨水：缺水地区可收集雨水洗浴。一般只需经过泥沙沉淀即可使用。

（6）雪水：雪融化后是良好的洗浴用水。中医认为雪水性寒，用于实证、热证效果较好，如用于寒证等时，应加热后去其寒性再用。

（7）蒸馏水：为最佳药浴用水，可配制任何药物使用，但成本高，不适于一般家庭使用。

（8）其他：古人有收集露水配药的讲究，现在人们时间、精力不允许，但露水可用于擦浴。童尿有特殊医用价值，可在某些疾病中使用，一般选 10 岁以下无病儿童素食后之尿，古称“龙虎水”，配入药中应用。海水，可直接进行海水浴，浴后注意用淡水冲洗。

2．水温： 根据不同洗浴要求，水温也有差异，按水温不同可将浴疗分为冷浴、温浴、热浴等。药液加热方法有炉火、电热器、太阳能等，根据不同情况选用。

（三）浴室

除局部浴外，全身浴要求在特定浴室内进行。浴室首要的要求是室内通风良好，应在洗浴时（蒸汽浴除外）亦有非直接对流的通风，而平时又能有直接畅快的通风，以利室内干燥、防霉、防虫。最好有开向室外的窗子，窗子安装排气扇或风斗，洗浴时通过风扇或风斗排气，平时打开窗子通风。长期作浴室的处所多较潮湿，屋顶、墙角等处极易有真菌生长，因此除了通风、干燥良好外，最好墙壁铺瓷砖，定期冲洗、消毒。浴室与厕所合二为一时，尚易有蟑螂等昆虫生长，应注意不放其他杂物，定期消毒。厕所异味在热浴时会相当浓烈，应采取除臭药、茅坑加盖等方法予以避免。

上述问题似是“小事一桩”，但处理不好会引起哮喘、皮肤过敏、真菌感染等可能，万不可掉以轻心。

浴室地面应进行防滑处理，墙壁安置一些挂衣物、浴巾的钩子及老人用的扶手，照明应明亮而光线柔和。档次较高者，可在浴室中安上音响装置，不但是一种“享受”，还可利用“音乐疗法”来加强药浴的疗效。

（四）其他

药浴也常常使用一些辅助用品，简介如下：

1. 竹（木）夹： 局部熏洗浴时，如需较热药液，则以竹（木）夹捞起浸透的浴巾，两手分别持两把夹子，将巾绞干。此类夹子长度应在20cm以上，用前打磨光滑，用后阴干。金属夹常因生锈或与药物起反应而不宜使用。

2. 清洁剂

（1）皂类：药浴前需洗净身体，常用皂类。选择时以碱性小，香味清淡为原则。用后一定要冲洗干净。

（2）洗浴液：洗浴液一般以表面活性剂为主要成分，亦应选香味不浓，色淡者。用后冲洗干净。

3. 消毒剂： 用于浴巾、器皿的消毒，常用的有高锰酸钾、新洁尔灭、84消毒液、75%酒精、来苏儿液等，一般购买时在包装上均有使用说明。使用后均应仔细、充分冲洗干净。

4. 搓擦用品： 除毛巾外，民间常用一些粗糙物品“搓澡”，药浴时亦可适当利用。

（1）丝瓜络：本身即为中药。药浴时以之搓擦全身，有助于药物向皮肤渗透，增强疗效。选丝瓜络时，以网络细密，柔软者为佳。初次使用前，应用热水浸透洗净，或用热碱水搓后洗净使用。

（2）布袋：以手伸入袋中，隔袋搓全身。在市场购买者，注意勿选化纤织物。自制者，可选厚些的棉布、毛巾，缝成约10cm×15cm大小之口袋状即可。注意用后用清水洗净。

（3）棉纱团：以纯棉棉布团外裹棉布等天然纤维织物制成。用时以之揉按、搓擦、拍击身体各部，兼有按摩作用，十分舒服。

（4）刮板：以竹、木、牛角、玉石等天然物品制成2～3cm宽的板状物。洗浴时刮推身体相应部位，助行气血，帮助药物渗透，亦可起缓解疲劳，祛除病变疾患等作用。

（5）趾梳：用于足部局部浸泡时，分开脚趾，以利药物发挥作用。其状如梳，四齿，齿粗如铅笔，竹木者为佳。用时插入脚趾间，十分方便，用后晒干。

5．加热器

（1）热浴：热浴使用的加热器最好是电热水器或煤气热水器，把水加热至比使用时稍高的温度后，再调入药液。

（2）汽浴：熏蒸等需要恒温加热时，最好使用电热器，温度恒定、可调，没有煤气中毒的危险。但选用产品时，应选质量可靠者，以免发生漏电的危险。安装时，注意接好地线。若使用煤气加热，或加热器设在浴室内，浴室应宽大、通风。近年来大城市中常有洗浴时因煤气中毒而死亡的报道，应引起警惕。太阳能热水器也很理想，但冬天及阴天时则要中断，对于需连续治疗者则不便。

6．特殊喷头：现代的浴疗常常使用一些特殊装置，产生特殊水流来洗浴，如使浴盆中的水产生漩涡、波浪、气泡等，或使水柱成扇形、雨状、喷射状等。

第三节　药浴疗法的操作规程

药浴疗法应用范围比较广泛，治疗不同的疾病，在操作上也存在着差异，而每一种操作又有具体的要求、规则和程序，只有按照一定的操作规程，才能达到满意的疗效。

一、药浴方式

（一）沐浴

沐浴法即是用药物煎汤来沐浴，以治疗疾病的方法。本法与一般疗法的区别在于洗浴范围大、浸浴时间长。

本法是治疗疾病的重要外治法之一，是借沐浴时浴水的温热之力及药物本身的功效，使周身腠理疏通，毛窍开放，起到发汗退热、祛风除湿、温经散寒、疏通经络、调和气血、消肿止痛、祛腐生肌等作用。沐浴法有全身沐浴法和局部沐浴法之分。全身沐浴法适用于治疗伤风感冒、痹证（风湿性关节炎、类风湿性关节炎）、泄泻、腰腿关节疼痛、扭伤、咳喘、小儿麻疹等。局部沐浴法适用于治疗丹毒、痔、疮、肿毒、疥、癣、瘙痒、湿疹等。

使用本法时，辨病辨证选取适当的方药，将所选药物制成煎剂，然后将药液加入沐浴用的热水中，趁热洗遍全身或局部；也可将药物装入纱包，放入热水中进行沐浴。一般每日洗 1～2 次。

注意事项：沐浴时浴液温度以能耐受为度，不可过热，以免烫伤；也不可太凉，否则会降低疗效。沐浴房间应保暖，洗浴后揩干，盖被保暖，注意避风。高热大汗、高血压、主动脉瘤、心功能不全及有出血倾向等患者禁用。

（二）浸洗浴

浸洗法是用药物煎成汤汁，浸洗身体某一局部，以达治疗目的的方法。

本法可使药液较长时间地作用于病变局部，借助药液的荡涤之力，发挥药物的直接作用，如清热解毒、祛风除湿、杀虫止痒、祛腐生肌等；也可通过浸洗局部，药物经皮毛腧穴由表入里，循行于经络血脉，内达脏腑，以调理机体脏腑功能，通调血脉，扶正祛邪。适用于痈、疮、肿毒、癣、痔、烫伤、烧伤等外科、伤科局部病证，以及发热、中风、痹证、泄泻、脚气等疾患的治疗。使用本法时，亦要根据不同病证，选取适当的方药。具体方法是将所选药物煎煮，去渣取液，用以浸洗患处或身体局部。每日浸洗1～2次，每次浸洗30～60分钟，同时可根据病证的寒热，采用冷浸或热浸。皮肤病可将药物浸泡于酒或醋液中，制成酒制剂或醋制剂，以提高疗效。

（三）蒸汽浴

蒸汽浴（即中药蒸汽浴）是利用药液沸腾时产生的蒸汽作用于全身或局部以治疗疾病的方法。借药液轻清氤氲之气，直透腠理，发挥散寒除湿、发汗祛风、温通经络、除痛止痒的作用。本法适用于伤风感冒、中风、脱肛、瘙痒症、运动系统疾病、慢性风湿性疾病、周围血液循环障碍、肥胖症、角膜炎等。

蒸汽浴分全身蒸汽浴和局部蒸汽浴两种。

1. 全身蒸汽浴

（1）在一密闭小室中，将所选用药物加热煮沸，蒸发气体，病人裸露（只穿短裤）坐或卧于室中，治疗室内气温从30℃～35℃开始，渐增至40℃～45℃，一般熏蒸15～30分钟。熏蒸后病人要安静卧床休息，不要求冲洗。治疗可每日或隔日1次，5～10次为一疗程。

（2）简易蒸熏浴：用较大容器将加热煮沸的中药煎剂倾入容器中，容器上置木板，病人裸坐其上，用被单围住全身，仅露头面，使药气徐徐熏蒸。

2. 局部熏蒸浴：将加热煮沸的中药煎剂，倾入适当大小的容器中，使药液占容器体积的1/2～2/3，让病人将患部置于容器中，与药液保持适当距离，以感觉皮肤温热舒适为度，进行熏蒸，并可用塑料薄膜或浴巾围住熏蒸部与容器，使其呈筒状，以延长熏蒸时间，避免蒸汽的散失。

注意事项：蒸汽浴室应设有观察窗口，治疗时应有专人随时注意病人情况，以便作相应处理。用简易蒸熏法治疗时，应注意避风保暖，防止受寒。治疗后揩干皮肤，盖被避风保暖。恶性肿瘤、癫痫、急性炎症、心肺功能不全者禁用本法。

（四）坐浴

坐浴法是用药物煮汤置盆中，让病人坐浴，使药液直接浸及肛门或阴道，以治疗某些疾病的方法。本法可使药液较长时间地直接作用于病变部位，并借助热力，促使皮肤黏膜吸收，从而发挥清热除湿、活血行气、收涩固脱等功效。适用于脱肛、痔疮（内痔初期、外痔）、阴痒、阴蚀、阴挺等。使用本法时，应根据具体病情，选择适当的药物，煎汤后置盆中，让病人趁热坐浴，每日1~2次，病情严重者可增加1~2次。

注意事项：坐浴时药液温度略高些（通常40℃为宜）效果好，但不能过热，防止烫伤皮肤及黏膜。

（五）溻渍浴

溻渍法是将温热的药液以布巾蘸取，敷溻病变局部，以治疗疾病的方法。本法借助药物及药液温热之力，促进局部患处腠理疏通，气血流畅，具有消肿止痛、祛腐生肌、杀虫止痒、祛风除湿、清热解毒之功。适用于痈疽疮疡，初起肿痛，溃后脓水淋漓，或腐肉不脱，皮肤瘙痒，滋水浸淫，脱屑等。使用本法时应根据病证选择药物，将药物煎汤，乘热溻渍患部，溻渍时间与次数可视病情而定。

注意事项：使用本法要注意药液温度应适中，以皮肤能耐受为度，以免烫伤皮肤；药液冷后，可加热后再溻渍。治疗时要注意保暖，避风寒。

（六）淋射浴

淋射浴是将药物煎成的汤汁不断喷洒患处的一种治法。本法可利用喷洒药液的刺激和冲洗作用，促使局部经络疏通，气血流畅。具有解毒消肿、散瘀止痛、清洁创口等作用。适用于痈疽疮疖、跌打损伤所致的局部肿痛等。

具体方法是将所选药物煎汤去渣，趁热把药水装入小喷壶内，不断淋射患处。喷淋时患处下面放置容器，用以接药水。若药水已凉，可加热后倒入小喷壶里继续喷淋。每日淋射2~4次，每次15分钟，每剂药可连用2天。

注意事项：使用本法时，根据具体病情决定药液量的大小和淋射时间的长短。用于疮痈溃疡，药水不能反复使用。此外，应注意保暖，药液不宜放置时间过长。

（七）擦洗浴

擦洗法是用药物煎汁，擦洗患处的一种治疗方法。借助药力和摩擦之力作用于患处，起到清热解毒、活血化瘀、散结通络等作用。适用于各种疣（如扁平疣等）、头痛、风湿性关节炎、脱发等。

使用本法时应辨病辨证选药，将所选药物加水浓煎，去渣，待药汁温热时擦洗患处。如用于治疗各种疣，最好擦破表皮，以微微觉痛为度。每日2～3次，每次擦洗10分钟左右。注意不可用力过猛。

此外，药浴还可以根据部位分为全身浴、头浴、颜面浴、手浴、足浴等。

二、药浴温度

1. **热浴**：洗浴温度通常在50℃左右，适合于各类病人及正常人。一般来说，体质好，可温度高些，体质弱则温度低些。热浴不但有药物作用的疗效，还有温热的物理治疗作用。热浴对体力有一定消耗，洗后应休息并补充水分及适量食物，或于睡前洗浴。

2. **温浴**：洗浴温度在20℃～40℃，适合于老年体弱、各类慢性病及皮肤美容等。一般水温与人体接近，容易接受。开始进行浴疗时可使用温浴，待适应后逐渐升温或降温。

3. **冷浴**：洗浴温度在20℃以下，一般不低于5℃，冷浴适合于年轻体壮者。

4. **冷热交替浴**：调节水温，使冷热变化，先热后冷，或先冷后热，或冷热交替，此法又称“血管操”，适合于体质强者。开始时最好每次只进行一次冷热交换，先冷后热或先热后冷应随个人爱好、洗浴目的不同而定，适应后可在一次洗浴时进行多次交换。

三、浴疗用药

1. **植物类药物**：以中草药中的根、叶、花为主，可单味入浴，也可复方入浴。

2. **矿物类药物**：以中草药中的某些水溶性矿产品（如麦饭石），配制成浴液。

3. **化学药物**：以化学合成的药物等配制药液，作用迅速、直接，但易产生一些副作用，慎重选用。

4. **动物类药物**：中药中的某些动物类药，具有较好的通经止痛作用，配制浴液有较好疗效，但气味多腥且易变质，故多不单用，而是入于复方中使用。

5. **食品**：植物类食品中的瓜、果、蔬菜等多可入浴；动物类食品中的牛奶、蜂蜜更是美容洗浴佳品。日常食品价廉，容易寻找，使用方便，可在浴疗中广泛应用。

6．**其他**：一些具有特殊作用的物质也可入浴，如卤水、酒、香料、油脂等，往往具有特殊疗效。

附：药浴美容

（一）蒸面法

蒸面法是较常使用的简捷美容方法。是选用具有营养肌肤、芳香美颜的药物，将药物煎汤去渣，或将药物的浸泡液（以及有效成分提取液）加入适量的水，加热使之蒸腾，借助其产生的热效应，使面部毛细血管扩张，改善局部血液循环，促进药物的吸收，补充皮肤的水分，改善皮肤的营养状况，以达到治病美容的目的。本法适用于祛斑减皱，润肤美颜。

使用本法可以选用市场上销售的电热式蒸面器等各种蒸面仪器，也可将药液倒入脸盆，放在火炉或电炉上使之持续蒸发，使蒸汽温度保持在45℃～50℃之间，直接熏蒸面部。一般每周2～3次，每次5～8分钟即可。

注意事项

1．蒸面前要先清洁面部。蒸面时颜面与盛药液的容器保持适当的距离，使蒸汽的温度不致过高而灼伤面部肌肤。油性皮肤者可使温度稍高些，以面部肌肤稍觉烫感即可。干性皮肤者温度不宜太高，以感到面部皮肤发热即可，以免使皮肤干燥加重。

2．若面部患有细菌性、真菌性、病毒性疾患、湿疹、脂溢性皮炎、酒渣鼻、毛细血管扩张或血管瘤等疾病时，不可使用本法，以免加重病情。

3．治疗后可用稍凉些的湿毛巾揩干面部，使张开的毛孔收缩，并可以适当用些护肤品。

（二）洗法

洗法也是常用的美容美发方法之一。是将药物煎汤，直接洗浴面部或毛发的一种疗法。本法具有活血祛斑、消炎除痤、解毒平疣、润肤美容以及去头屑、护发美发等作用。适用于损容性皮肤病的治疗，如色素沉着性皮肤病、痤疮、面部疣、脂溢性皮炎、脱发、须发早白等，以及颜面毛发的保健。

洗法有热洗法与冷洗法之分。热洗法多与熏蒸法配合使用，采用先熏后洗的方法，具有通调血脉、疏通腠理、清洁肌肤、润肌悦颜、抗皱防衰的作用，适用于色素沉着性皮肤病的治疗及皮肤的保健。冷洗法具有清热解毒、杀虫收敛之功效，适用于痤疮等炎性皮肤病的治疗。

第四节　药浴疗法的适应证和禁忌证

药浴疗法应用范围相当广泛，不仅适用于内、外、妇、儿、骨伤、皮肤、五官、肛肠等科疾病，对于美肤美容美发和防病保健都具有很好的效果。

一、适应证

1. **内科疾病**：便秘、不寐、痹证、脱肛等。
2. **外科疾病**：脚气、接触性皮炎、湿疹、粉刺、痔、疖、痈、脱疽等。
3. **骨科疾病**：骨折损伤后期、肩关节周围炎等。
4. **妇科疾病**：阴挺、阴痒、阴蚀等。
5. **儿科疾病**：厌食、疳证等。
6. **眼科疾病**：急性结膜炎、病毒性角膜炎等。
7. **美容美发**：痤疮、雀斑、脂溢性脱发等。

二、禁忌证

1. 患有严重心脑血管疾病者。
2. 哮喘病人。
3. 皮肤有伤口、破溃的病人。
4. 骨折未愈的病人。
5. 对药物过敏的病人。

另外，妇女月经期慎用。年老体弱者须加强防护措施，最好由家人陪伴。

第五节　药浴疗法的优点

药浴疗法与中医内治法一样，均以中医理论为指导，根据具体的病证按照辨证论治的原则选择方药和施浴方法，并与中药的整体调节作用相结合，借助药浴的刺激作用和药力，使腠理疏通，气血调和，脏腑阴阳平衡，从而达到治病强身的目的。药浴具有以下特点：

一、直接吸收，疗效显著

药浴疗法是将药物直接作用于皮肤、孔窍、腧穴等，使药物直达病所，故能充分发挥药物的作用，迅速取得良好的治疗效果。皮肤具有吸收与其接触的化学物质的作用，水溶、脂溶及其他溶媒溶解后的药物均可由皮肤吸收，当然仍以水溶者为主要。经由皮肤吸收的药物虽不如口服及静脉直接、迅速和可以大量给药，但具有持续、和缓、副作用小、不引起胃肠道反应等优点，因此特别适用于慢性病。另外，皮肤、外科某些疾病，药物直接渗入局部，或直接与致病因素相作用，更具有其他给药途径不可代替的优点。如治疗妇女各种原因所致阴痒，以口服药治疗很难取得满意效果，用熏洗法、坐浴法等治疗，则药专力宏，奏效迅捷。取效迅捷是药浴疗法的主要特点。

二、提高药效，毒副作用少

药浴疗法借助水的特性可使原有药效提高。如扩张血管药，采用温热法，使物理效应与药理作用相结合。某些细菌、病毒感染，药液一方面不断持续给药，一方面清除局部病原体与代谢产物，要比单纯局部外用药疗效好。一些药物采用酒（醇）溶，目的都是为了提高疗效。药浴疗法在患部及体表施治，因而药物在血中的浓度很低，而在局部形成较高的药物浓度，避免药物直接进入体循环而对肝脏、肾脏等器官的毒害作用。

三、适用范围广

药浴疗法历史悠久，随着人们对药浴的认识和实践的不断深入，药浴疗法的种类日渐增多，在临床各科的应用范围不断扩大，适应证更为广泛，药浴疗法可治疗内、外、妇、儿、眼科等多种疾病。而且药浴还可用于强身健体、美容护肤养发，具有较高的保健美容价值。

四、简便易行

药浴疗法无需特殊或昂贵的仪器和设备，使用方便，随时随地都可采用，不受环境条件的限制。很多药浴药物药源丰富，可就地取材，减少开支，利于普及和推广，既简便易行，又经济实惠。

五、精神、心理因素的影响

通过日常生活中最普通不过的“洗澡”形式给药，患者有一种放松愉快的感受，不论是淋洗浴还是浸洗浴，都没有被医生“要求”或“强迫”用药的感觉，更不会有诸如注射及静脉给药时的紧张感和恐惧感，因此患者身心放松，特别适用于一些身心病及儿童。另外鲜花浴及某些具有香气的药物所散发的气味，可以直接影响患者的情绪，通过调整不同“香型”来达到振奋、安定、松弛、止痛、愉悦等作用。

第六节　药浴疗法的临床应用

药浴疗法广泛应用于临床各科疾病及美容美发减肥。在针对具体疾病运用时，要根据中医理论辨证施治，结合病人、病程、气候、环境、精神等因素，选择恰当的方法。

一、内科疾病

（一）便秘

处方1（《中国民间疗法》）

组成：芒硝、大黄、甘遂、牵牛子各等量。

功效：泻热解毒，通便。用于实热便秘。

用法：上药加水煎汤，量依据浴盆而定，待药液40℃时，沐浴全身。亦可煎取药液500ml，沐浴前，把药液对入温水中沐浴。每日2次。

处方2（《中国民间疗法》）

组成：竹叶1把，绿矾1把，萝卜叶或青菜叶适量。

功效：泻热解毒，通便。用于实热便秘。

用法：竹叶洗净，放锅内，加水3000～5000ml，急火把水煮开20～30分钟，趁热连汤带竹叶一起倒入桶内，撒绿矾一把，坐熏。或用萝卜叶，或用青菜叶，如上法坐熏。每日1次。

处方3（《中医外治法类编》）

组成：大黄、芒硝、皂角各15g。

功效：泻热通便。用于实热便秘。

用法：上药加水煎取200ml，用纱布或棉球蘸药液，涂擦脐腹部，每日1～2次。

处方4（经验方）

组成：生姜50g，艾叶50g，食盐30g。

功效：宣通脏腑。用于习惯性便秘。

用法：生姜、艾叶加水煎煮10分钟，取药液1000ml，然后将食盐加入药中，待水温擦洗小腹部，以皮肤擦红为佳。每次20分钟，每日2次。

（二）汗证

处方1（民间验方）

组成：郁金20g。

功效：收敛止汗。用于各型自汗和盗汗。

用法：将郁金煎汤取汁，擦洗两乳头。每次20分钟，每日可数次。

处方2（民间验方）

组成：黄芪150g，麻黄根120g，白术100g，防风100g，白芷100g，艾叶100g。

功效：益气固表止汗。用于气虚自汗。

用法：将上述药物用纱布包裹，放入热水浴池半小时，然后进入浴池泡澡20分钟，每日2次。

处方3（《实用中医内科学》）

组成：白矾20g，葛根20g。

功效：收敛止汗。用于各种原因所致的手足汗多症。

用法：将上药煎水取汁，浸洗手足，1日数次。

处方4（民间验方）

组成：麦冬30g，五味子50g，黄柏40g，艾叶30g。

功效：护阴止汗。用于各型盗汗。

用法：将上药煎水1桶，在避风保暖处沐浴全身，有条件者可浸泡于浴池，3～4日1次。

处方5（民间验方）

组成：生黄芪30g，知母10g，生牡蛎30g，麻黄根15g，生地30g，茯苓20g，黄芩10g。

功效：益气养阴，固表止汗。用于阴虚盗汗。

用法：将上述药物盛入脸盆，加适量洁净水煎煮，煎至3000ml，去渣取汁，趁热熏蒸涌泉、神阙两穴。待药液温度适中后用纱布蘸药液擦洗肺俞、心俞及神阙穴。每次擦洗10分钟，每日1次。

（三）不寐

处方1（《中国民间疗法》）

组成：热水1盆。

功效：活血通络，安神。适用于各型不寐。

用法：令患者睡前热水洗足10分钟，每日1次。

处方2（民间验方）

组成：磁石20g，茯神15g，五味子10g，刺五加20g。

功效：重镇安神。用于肝阳上亢型不寐。

用法：先煎煮磁石30分钟，然后加入其余药物再煎30分钟，去渣取汁，用药液擦洗前额及太阳穴，每晚1次，每次20分钟。

处方3（民间验方）

组成：吴茱萸20g，米醋适量。

功效：养心益肾。用于心肾不交型不寐。

用法：将吴茱萸煎汤取汁，放入盆中，再将米醋对入其中，浸泡双足。每次30分钟，每日1次。

（四）痹证

处方1（民间验方）

组成：艾叶200g。

功效：芳香化浊，通络止痛。适用于各种类型的痹证。

用法：将上药水煎取汁，放入浴盆中洗浴全身，每日洗1次。

处方2（民间验方）

组成：海桐皮、桂枝、海风藤、路路通、宽筋藤、两面针各30g。

功效：疏风散寒，宣痹止痛。用于风寒湿痹。

用法：将上药水煎，趁热熏洗疼痛关节处，每日1～2次，每次20～30分钟，坚持1月以上。

处方3（《中医简易外治法》）

组成：苍术120g，艾叶400g。

功效：芳香化浊，除湿止痛。适用于各种类型痹证。

用法：将以上二味药，装纱布内包裹，放进有热水的单人浴池里，半小时后，调整浴池水温，然后个人进去洗浴。最好先在温水池内洗完后，再进入药池洗浴20分钟，每日1次，10日为一疗程。

处方4（《中国民间疗法》）

组成：桑枝500g，海桐皮60g，豨莶草100g，海风藤200g，络石藤200g，忍冬藤60g，鸡血藤60g。

功效：清热除湿，宣痹止痛。用于热痹证。

用法：诸药共研粗末，纱布包扎好，加水煎煮，过滤去渣，趁热洗浴患肢。

每日1次，每次约1小时，7~10日为一疗程。

（五）脱肛

处方1（民间验方）

组成：石榴皮30g，明矾15g。

功效：收敛止脱。用于各型脱肛。

用法：将上药水煎，温洗患处，每日3次。

处方2（民间验方）

组成：葱头适量。

功效：温阳举陷。用于气虚脱肛。

用法：将适量葱头煎汤熏洗，每日可数次，直至病愈为止。

处方3（民间验方）

组成：黄芩、黄连、黄柏、栀子各10g。

功效：清热解毒。用于实热脱肛。

用法：将上药水煎，待药汁温热后坐浴。每日2次。

二、外科疾病

（一）脚气

处方1（《中医外科学》）

组成：半支莲60g。

功效：清热解毒，生肌敛疮。用于糜烂型脚气。

用法：将上药煎汤待温，浸泡患足15分钟，然后以皮脂膏或雄黄膏外涂，每日2次。

处方2（《医宗金鉴》）

组成：漏芦、甘草、槐白皮、五加皮、白蔹各50g，白蒺藜200g。

功效：解毒敛汗。用于水疱型脚气。

用法：将上药共研细末，用250ml水煎，取汁外洗患处。

处方3（《中医外治方药手册》）

组成：白凤仙花30g，皂角30g，花椒15g。

功效：解毒润肤。用于脱屑皲裂型脚气。

用法：放入2500ml醋内泡24小时后浸泡患处，每晚睡前泡20分钟，7天一个疗程。

（二）接触性皮炎

处方1（《中医外科学》）

组成：蒲公英、野菊花各30g。

功效：清热解毒，除湿止痒。用于接触性皮炎红肿糜烂、滋水淋漓者。

用法：将上药煎煮15分钟，取汁，擦洗患处，每次20分钟，每日3次。

处方2（《百病良方》）

组成：麻黄20g，紫花地丁20g，甘草20g。

功效：清热解毒，疏风止痒。用于接触性皮炎（漆性皮炎）。

用法：将上药水煎，擦洗患处，每日数次。

（三）湿疮

处方1（《中医外科学》）

组成：蒲公英30g，野菊花15g。

功效：清热解毒。用于急性湿疮滋水淋漓者。

用法：上药煎汤取汁，溻洗患处，每次20分钟，每日3次。

处方2（民间验方）

组成：苦参60g，蛇床子30g，白芷15g，金银花30g，菊花60g，黄柏15g，地肤子15g，大菖蒲9g。

功效：清热解毒，除湿止痒。用于慢性湿疮。

用法：将上药用纱布包裹，放入单人浴盆内浸泡30分钟，然后进浴盆内泡澡20分钟，每日1次。

（四）粉刺

处方1（《外科正宗》）

组成：苦参200g，菖蒲100g。

功效：清热除湿，解毒去痘。

用法：上药煎汤去渣，加胆汁30ml个，洗擦患处。

处方2（《实用皮肤科学》）

组成：野菊花240g，朴硝480g，花椒120g，枯矾120g。

功效：清热解毒，收敛去脂。

用法：上药分作7份，每次1份，加适量水煮沸后倾入容器内，趁热将病损部位放于盛药容器之上，使蒸气直达患处，周围的空隙以布单包绕严密。待水变温时（接近体温），即以药水浸洗患处，每日1～2次，每次20分钟，7日为一疗程。

处方3（《中医皮肤病诊疗》）

组成：新鲜芦荟60g。

功效：清热解毒，补水润肤。

用法：把芦荟捣烂取汁，擦洗患处，每日2~3次，10日为一疗程。

（五）痔

处方1（民间验方）

组成：苦参60g，蛇床子30g，白芷15g，金银花30g，菊花60g，黄柏15g，地肤子15g，大菖蒲9g。

功效：清热解毒，除湿止痛。用于各型痔疮。

用法：上药煎汤取汁，先趁热熏洗肛门，待药水温热后洗肛门处，每日2次。

处方2（《集验良方》）

组成：马齿苋适量（不拘鲜干）。

功效：清热解毒。用于痔疮初起。

用法：用马齿苋煎汤熏洗，每次15分钟，每日3次。

处方3（民间验方）

组成：鱼腥草、苦楝根皮、朴硝、马齿苋各30g，九里光40g。

功效：清热解毒，收敛止痛。用于痔疮肿痛者。

用法：将上药加水2000ml，煎至1600ml，趁热先熏，然后温洗患处10~15分钟。每日1~2次，连用7天。

三、妇科疾病

（一）阴挺

处方1（《医方发挥》）

组成：金银花、蒲公英、紫花地丁、蛇床子各30g，黄连6g，苦参15g，黄柏、枯矾各10g。

功效：清热除湿，收敛升提。用于子宫脱垂伴有黄水淋漓，属湿热下注者。

用法：上药煎煮去渣，趁热熏洗坐浴。

处方2（《中西医结合治疗常见妇科疾病》）

组成：升麻、枳壳、当归、蛇床子、乳香、没药、赤芍、赤小豆各40g，五倍子15g。

功效：清热除湿，行气止痛。

用法：上药煎汤，趁热熏洗外阴部，每日2次。

处方3（《常用处方手册》）

组成：芒硝35g，枯矾35g，黄柏10g，黄芩10g。

功效：清热解毒，收敛止痛。

用法：以上药物，放入砂锅内，加入清水2000ml，煮沸30～40分钟，捞去药渣，将药汁倒入盆中，趁热熏洗患处，每日2次。

（二）阴痒

处方1（《集验良方》）

组成：蛇床子50g，艾叶25g，五倍子25g，明矾25g，杏仁25g，川连15g。

功效：清热除湿，杀虫止痒。

用法：上药加水煎煮，趁热熏洗外阴部，每日3次，每次20分钟。

处方2（《奇难杂症古方选》）

组成：蛇床子、白鲜皮、黄柏各50g，荆芥、防风、苦参、龙胆草各15g，薄荷10g。

功效：清热除湿解毒。

用法：上药用布包裹煎水，待药水稍温后坐盆浸洗，每日1次。

处方3（《奇难杂症古方选》）

组成：野菊花、蛇床子各15g，苦参、白芷各9g。

功效：除湿杀虫止痒。用于外阴瘙痒肿痛者。

用法：上药浓煎取汁，冲洗外阴部，每日数次。

处方4（《中国民间草药方》）

组成：苍耳草60g，狼毒草20g，苦楝皮30g，蒲公英60g。

功效：杀虫止痒。用于滴虫性阴道炎。

用法：上药煎汤，先熏后洗外阴部，每日2次，10日为一疗程。

（三）阴蚀

处方1（《哈荔田妇科医案医话集》）

组成：蛇床子9g，黄柏6g，淡吴萸3g。

功效：清热解毒。用于毒热型阴蚀。

用法：诸药布包，温水浸泡15分钟后煎数沸，倾入盆中，趁热熏洗、坐浴，早晚各1次，每次5～10分钟。

处方2（《妇科病中医治疗法》）

组成：鹤虱 30g，苦参 15g，狼毒 15g，蛇床子 15g，归尾 15g，威灵仙 15g。

功效：祛腐生新。

用法：上药水煎，滤渣，熏洗外阴部，每日 3 次。

处方 3（《济阴纲目》）

组成：当归、川芎、芍药、甘草各 100g，地榆 150g。

功效：养血解毒。用于寒凝阴蚀。

用法：上药共为粗末，水煎煮数沸后，去渣，熏洗患处，每日白天 3 次，夜晚 2 次。

四、儿科疾病

（一）厌食

处方 1（民间验方）

组成：连翘、橘皮各 30g，土茯苓 20g。

功效：健脾除湿。

用法：将上药用纱布包扎，放入适量水中浸泡 30 分钟，再将药和水一起煎煮，煎好后去药留汤，把药汤倒入浴盆内，待药液不烫时再洗浴患儿，每日 1 次。注意洗浴时要保暖，以防患儿感冒。

处方 2（民间验方）

组成：槟榔 2 份，良姜 1 份。

功效：温胃消食。

用法：上药煎汤取汁，待药液温热后洗浴患儿腹部，每日 1 次。

处方 3（民间验方）

组成：藿香、吴茱萸、山药、车前子各 10g，木香、丁香各 5g。

功效：益气健脾，行气消食。

用法：上药煎汤，洗浴患儿腹部，每次 15 分钟，每日 2 次。

（二）疳证

处方 1（民间验方）

组成：白矾、陈醋各适量。

功效：消食除疳。用于虚寒型的疳证。

用法：上药煎汤洗浴双足，每次 20 分钟，每日 2 次。

处方 2（民间验方）

组成：桃仁、杏仁、生山栀各等分。

功效：行气健脾消痞。用于痞证初、中期。

用法：上药煎汤取汁，擦浴病人双侧内关穴及涌泉穴，每次20分钟，每日2次。

五、美发美容

（一）雀斑

处方1（《中医药信息报》）

组成：白术、香醋各适量。

功效：美白嫩肤。

用法：将适量白术放在香醋中浸泡数日，于每天洗脸后，取醋渍白术擦拭面部。

处方2（《美容护肤中医八法》）

组成：鲜柿树叶30g，浮萍（紫背者佳）15g，苏木10g。

功效：清热凉血，止痒润肤。

用法：上药水煎，先熏后洗，每日午、晚各1次。

处方3（《医宗金鉴》）

组成：皂角、浮萍、乌梅肉、甜樱桃枝各50g。

功效：美白润肤。

用法：上药水煎去渣，早、晚各洗面1次。

（二）脂溢性脱发

处方1（《赵炳南临床经验集》）

组成：透骨草200g，侧柏叶200g，皂角100g，白矾15g。

功效：清热解毒，去屑止痒。

用法：上药用水适量煎煮后，待温热时洗头。

处方2（《美容护肤中医八法》）

组成：透骨草120g，皂角60g，王不留行60g。

功效：解毒祛秽。用于脂溢性脱发，证见湿热偏重，头发油腻者。

用法：上药加水适量，浓煎两次，对在一起，洗浴头发。3～5天1次。

处方3（《美容护肤中医八法》）

组成：桑白皮30g，五倍子15g，青葙子60g。

功效：清热祛风，濡润毛发。用于脂溢性脱发，证见血热风燥，头发干焦者。

用法：上药加水适量，浓煎两次，对在一起，洗浴头发。3～5天1次。

第五章　穴位埋线疗法

穴位埋线疗法是在中医理论指导下，将特制的羊肠线植入人体特定部位或穴位，利用羊肠线对人体的持续刺激作用，以激发经络气血，协调机体功能，起到防治疾病目的的一种中医外治方法。本疗法是通过局部的刺激，以改变局部或所支配区域的内在、外在环境，重新使机体的生理病理状态达到平衡，起到防治疾病的目的。

本疗法古书中并无记载，是近几十年来人们在长期临床实践中按照经络原理发展起来的一种现代外治疗法。

穴位埋线疗法是在传统针具和针法基础上建立和发展起来的。传统的针刺疗法是医生运用各种针具以不同的方法对穴位进行刺激，达到疏通经络、调节脏腑、理气和血、调和阴阳的作用，从而扶正祛邪，在医疗实践中达到治疗疾病目的的治疗方法。由于单纯采用针刺的方法来治疗一些慢性顽固性疾病，效果往往不佳，或者虽有疗效但不能巩固和持久，于是，又产生了用“留针”的方法来巩固疗效，而留针正是穴位埋线疗法诞生的重要基础。留针是为了得气或诱发循经感传，延长针效时间。留针时间的长短，视病情轻重而定。一般病证，只要针下得气，留置15~20分钟即可，而对于一些慢性、顽固性、疼痛性、痉挛性病证，可适当增加留针时间，或在留针过程中做间歇运针。有些病证，如急性腹痛、破伤风角弓反张、三叉神经痛、痛经等，可留针数小时或一天至数天。在留针基础上后来又演变为埋针，用来进一步加强针刺效应，延长刺激的时间。埋线疗法正是在留针和埋针的基础上形成与发展的。该疗法自20世纪60年代出现后，其应用范围已从当时的单一病种小儿脊髓灰质炎不断扩大，涉及到哮喘、胃炎、十二指肠溃疡、慢性肠炎、癫痫、中风偏瘫等慢性、顽固性疾病，效果都很显著。目前，穴位埋线疗法在临床上除用于治疗慢性病和虚证外，还扩大到治疗急症、实证等各种疾病，其治疗病种已达二百余种，涉及内、外、妇、儿、皮肤、五官等各科。由于现代人生活节奏的加快，很多患者由于各种客观条件的制约，不能坚持每日针灸治疗，所以，越来越多的医生使用穴位埋线的方法治疗某些慢性病，穴位埋线疗法的治疗范围也得到扩大和发展，各种新型的埋线器具和方法不断出现，近几年来，在各级刊物上报道的治疗病种有50种之多，病例已达万例。而埋线方法也由穿线法、切埋法、扎埋法、割埋法发展到注线法及植线法。

此方法具有的突出特点是：选穴精而少，创口小，安全，操作简便，痛苦小，治疗次数少，而持续时间长。对于工作、学习紧张而不能按时每天进行治疗的患者，及一些疗程长，缠绵难愈的顽固性疾病非常适合。

第一节　穴位埋线疗法的基本原理

穴位埋线疗法使用的针具较为特殊，比常规针刺针粗，刺激量较大，故本疗法寓粗针透穴、放血、穴位注射、阻滞疗法于一身，具有“以线代针”的治疗效果，可持续刺激穴位，提高穴位的兴奋性、传导性，具有止痛、解痉、调和气血、疏通经络、扶正祛邪、平衡阴阳之功。穴位埋线疗法又是经络理论与现代医学相结合的产物，通过羊肠线在穴位处的物理作用及生物化学变化，产生刺激信息，由经络传入人体，是多种疗法（局麻、针刺、放血、割治、埋针）、多种效应（穴位封闭、刺血、留针、阻滞疗法）的集中和整合。

一、中医治疗机理

穴位埋线是在留针的基础上发展起来的，因此也具备了留针所具有的作用。如在某些情况下，通过留针可以保持针灸的持续作用，加强治疗效果。

而穴位埋线作为一种复合性治疗方法，除了利用腧穴的功能外，还有其本身的优势。首先，埋线方法对人体的刺激强度随着时间而发生变化。初期刺激强，可以克服脏腑阴阳的偏亢部分，后期刺激弱，又可以调整脏腑阴阳之不足。这种刚柔相济的刺激过程，可以从整体上对脏腑进行调节，使之达到“阴平阳秘”的状态。其次，埋线疗法利用其特殊的针具与所埋之羊肠线，产生了较一般针刺方法更为强烈的针刺效应，有“制其神，令其易行”和“通其经脉，调其气血”的作用。从传统中医角度来看，埋线疗法的治疗作用主要体现在协调脏腑、疏通经络、调和气血、补虚泻实几个方面。一方面，针具埋线时可以进行手法补泻，另一方面，羊肠线的粗细也能进行虚实的调节。

二、现代医学的认识

现代医学认为，埋线疗法主要的作用机制有以下几个方面：通过对相应的脊髓节段支配部位的疼痛刺激，抑制了相同节段所支配内脏器官的病理信息传递；

麻醉药物选择性阻断末梢神经及神经干冲动的传导，使患病部位产生的刺激传导受阻，神经系统获得休息和修复机会而逐渐恢复正常机能活动；并且通过穴位刺激使局部血管轻度扩张，促进血液循环及淋巴回流，促进新陈代谢，改善营养状况；羊肠线属于异种组织蛋白，埋入穴位后，这些抗原刺激物对穴位产生的生物化学刺激，使局部组织产生无菌性炎症，甚至出现全身反应，从而提高机体的应激能力和免疫功能，改善血液循环。

综上所述，穴位埋线作为一种对经络穴位的刺激方法，初为机械刺激，后为生物化学刺激，具有速效和续效两种作用，在机体内融合为非特异性的持久而柔和的刺激冲动，一部分经传入神经到相应节段的脊髓后角，内传脏腑，起调节作用，另一部分经脊髓后角上传大脑皮质，加强中枢对病理刺激传入兴奋的干扰、抑制和替代，再通过神经－体液的调节来调整脏器的机能状态，促进新陈代谢，提高机体免疫能力，使疾病达到痊愈目的。另外，穴位埋线后可在大脑皮质建立新的兴奋灶，对病灶产生良性诱导，缓解病灶放电，达到消除疾病的目的。一般说来，由于羊肠线刺激缓和，对大脑皮质中急性疾病较强的病理信息干扰和抑制力量不足，因而不能迅速发挥作用，对急性疾病治疗效果较弱，但对慢性疾病却显示了良好的效果。

第二节　穴位埋线疗法常用的器具材料和基本操作

随着人们对穴位埋线疗法机理认识的不断深入及其应用范围的不断扩大，该疗法的器械材料也不断改变，并且操作方法呈现出多样化的趋势。

一、常用器具与材料

1. **器具**：皮肤缝合针、持针器、血管钳、手术刀、齿镊、注射器、腰椎穿刺针、特制埋线针、橡胶手套等。所有器具和用品均需高压灭菌消毒，或用75%酒精浸泡或煮沸消毒。

2. **常用材料**：包括0～3号不同标号的羊肠线、皮肤缝合丝线、无菌纱布、胶布、创可贴、局麻药物等。

二、埋线操作方法

穴位埋线的方法颇多，常用的代表性方法有以下几种：

1. **穿刺针埋线法**：常规消毒局部皮肤，以2%盐酸利多卡因或0.5%～1%盐酸普鲁卡因做浸润麻醉，镊取一段1～2cm长已消毒的羊肠线，放置在腰椎穿刺针针管的前端，后接针芯，左手拇、食指绷紧或提起进针部位皮肤，右手持针，刺入到所需深度，当出现针感后，边推针芯，边退针管，将羊肠线埋填在穴位处的皮下组织或肌层内，针孔处敷盖消毒纱布。也可用9号注射针针头作套管，28号2寸长的毫针剪去针头作针芯，将羊肠线1～1.5cm放入针头内埋入穴位下，操作方法同前。本方法特点：操作简单，创面小，适用于四肢部和躯干部。（见图5－1）

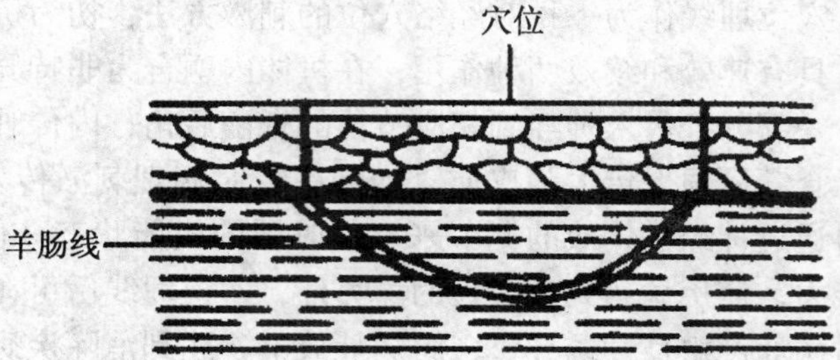

图5－1　穿刺针埋线法

2. **埋线针埋线法**：用特制的埋线针埋线时，局部皮肤消毒后，以2%盐酸利多卡因或0.5%～1%盐酸普鲁卡因做浸润麻醉，剪取羊肠线一段（约1cm长），套在埋线针尖缺口上，两端用血管钳夹住，右手持针，左手持钳，针尖缺口向下以15°～40°角度刺入，待针头完全进入皮下，再进针0.5cm，将血管钳放开，待线完全埋至皮下约0.5cm深，将埋线针退出，用棉球或纱布压迫针孔片刻，再用消毒纱布敷盖保护创口。本方法特点：操作简单，刺激量较大，适用于全身各部位。

3. **三角针埋线法**：在距离穴位两侧1～2cm处，用甲紫做进出针点的标记。皮肤消毒后，在标记处用2%盐酸利多卡因或0.5%～1%盐酸普鲁卡因做皮内麻醉，用持针器夹住带羊肠线的皮肤缝合针，从一侧局麻点刺入，穿过穴位下方的皮下组织或肌层，从对侧局麻点穿出，捏起两针孔之间的表皮紧贴皮肤剪断两端线头，放松皮肤，轻轻揉按局部，使肠线完全埋入皮下组织内，敷盖消毒纱布3～5天。每次可用1～3个穴位，一般20～30天埋线1次。本方法特点：操作较复杂，刺激量中等，两个针孔，适用于穴位位置较表浅处。（见图5－2）

4. **切开埋线法**：在选定的穴位上用2%盐酸利多卡因或0.5%～1%盐酸普鲁卡因做浸润麻醉，用刀尖划开皮肤0.5～1cm，先将血管钳探入穴位深处，经过浅筋膜达肌层探找酸感点，按摩数秒钟，休息1～2分钟，然后用0.5～1cm长的羊肠线4～5根埋于肌层内，羊肠线不能埋在脂肪层或过浅，以防不易吸收或感染，切口处用丝线缝合，盖上消毒纱布，5～7天后拆去丝线。本方法特点：

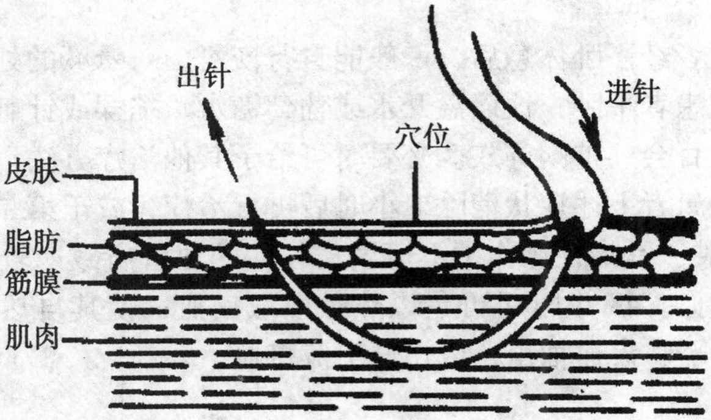

图 5-2　三角针埋线法

操作复杂，创口较大，刺激量大，常用于肌肉丰厚处及神经兴奋性增强的疾病等。

第三节　穴位埋线疗法的不良反应和处理

一般来说，只要严格按照操作规程进行操作，穴位埋线疗法的不良反应鲜见。但下面是几种不良反应的类型及其导致因素，明确这些，可以做到防患于未然。

1. 感染：少数病人因治疗中无菌操作不严或伤口保护不好，造成感染，一般在治疗后 3~4 天出现局部红肿，疼痛加剧，并可伴有发热，应予局部热敷及抗感染处理。

2. 过敏：个别病人对羊肠线过敏，治疗后出现局部红肿、瘙痒、发热等反应，甚至切口处脂肪液化，羊肠线溢出，应适当作抗过敏处理。

3. 神经损伤：如感觉神经损伤，会出现神经分布区皮肤感觉障碍。运动神经损伤，会出现神经支配的肌肉群瘫痪。如损伤坐骨神经、腓神经，会引起足下垂和足大趾不能背屈。发生此种现象，应及时抽出羊肠线，并给予适当处理，可予以理疗、推拿、针刺等方法治疗。

4. 晕针：因埋线疗法刺激性较强，患者可能出现晕针现象，有的在埋线治疗过程中，突感头晕、心慌、恶心、面色苍白、肢冷、冷汗，甚至昏迷不省人事。因精神紧张、体质虚弱、过度疲劳、饥饿，或大汗、大泻、大失血之后，或体位不适，以及施术手法过重，而致埋线过程中发生此症。所以操作前要注意询问患者的一般状况，遵循大病、大汗、久行等勿刺的原则，待患者呼吸平和、精神放松时方可施治。

大多数晕厥者经平卧休息后，一般能自行恢复。对晕厥的处理主要有立即停止埋线治疗，使患者平卧，饮以温开水或葡萄糖水，掐揉或针刺合谷、人中、鱼际等穴，或温灸百会、神阙等穴。必要时可给予其他治疗方法。如本次埋线尚未进行完毕，可待患者上述症状消除1小时后再行治疗，或于第二日再行治疗。

5. **局部血肿：**是指在操作中不慎误伤较大的血管所致，较小的血肿可以采用压迫或冷敷止血，48小时后可予以热敷以散瘀血，使其自然吸收，较大的血肿可以先用注射器将瘀血抽出，或切开引流瘀血。

第四节 穴位埋线疗法的优点与注意事项

一、穴位埋线的优点

1. **应用广泛，疗效显著：**实践证明，穴位埋线疗法对大多数急慢性疾病均有治疗作用，尤其是对于慢性消化系统疾病、内分泌疾病等；该疗法综合了穴位刺激、异体蛋白激发免疫功能等作用，对某些慢性疾病疗效优于传统针刺方法。

2. **操作简单，便于开展：**该疗法需要的器具和材料很少，易于购买，各级别的医疗机构均可以开展，不受条件及场地的限制。

3. **安全，无毒副作用，易被接受：**除了偶尔出现的一些轻微不良反应外，该疗法无其他毒副作用，治疗后其疗效持续时间为15～20天，患者不必每日到医院就诊，适应于现代人紧张快速的生活节奏，容易被接受。

二、注意事项

1. 如选择普鲁卡因进行麻醉，应先做过敏试验后再行局麻；严格无菌操作，防止感染；术后不能污染针孔；线头不能露在皮肤外，否则不易吸收并易感染。

2. 多选用肌肉比较丰满的部位和穴位，如下肢、腰背部及腹部穴最常用，选穴原则与针刺疗法相同，但取穴要精简。每次埋线3～6穴，可间隔2～4周治疗1次。

3. 因穴位埋线相对深度较深，且操作相对毫针来说损伤较大，所以在操作时要严格注意无菌操作，防止感染，三角针埋线时操作要轻、准，防止断针。

4. 埋线一般在皮下组织与肌肉之间，肌肉丰满的地方可埋入肌层，凡在肌腱或肌腹处施术或肌肉痉挛者，可先做穴位按摩再埋线。

5. 应熟悉埋线穴位处不同层次的解剖特点，以免造成功能障碍和疼痛及严重的医源性损伤。根据不同部位，掌握埋线的深度，不要伤及内脏、大血管和神经干；胸部、背部埋线不宜过深，一般多用斜刺法埋植，防止发生气胸。

6. 羊肠线用剩后，可浸泡于75%酒精中，或用新洁尔灭消毒，下次使用前再用生理盐水清洗。

7. 在一个穴位上做多次治疗时，应稍稍偏离前次治疗的部位，防止穴位疲劳及局部瘢痕的产生。

8. 注意术后反应。如在术后1～5天内，局部出现轻微的红、肿、热、痛等无菌性炎症反应，属于埋线后的正常反应，其原因是由于机械刺激、损伤及羊肠线刺激所致。少数病例反应较为严重，伤口处有少量渗出液，亦属正常现象，一般不需要处理，待其自然吸收便可。若渗液较多，突出皮肤表面时，可将乳白色渗液挤出，用75%酒精棉球擦洗后，覆盖消毒纱布。亦有患者在接受治疗后患肢局部温度会升高，可持续3～7天。极少数病人可有全身反应，即埋线后4～24小时内体温上升，一般约在38℃左右，局部无感染现象，持续2～4天后体温恢复正常，可能与这部分患者的超敏体质有关。埋线后还可有白细胞总数及中性粒细胞计数增高的现象，应注意观察。

9. 术后的伤口护理应当格外重视。一般术后2天内局部要保持干燥，嘱患者避免洗澡等，如时值夏日应适当减少活动以避免大量出汗而渗入针孔或伤口中引起感染。埋线一般可10～15天一次，5～10次为一疗程；疗程间隔1～2个月。埋线后要注意休息。

第五节　穴位埋线疗法的取穴原则与操作规程

针灸治疗疾病，就是根据阴阳、脏腑、经络学说，运用四诊所获得的病情资料，进行八纲、脏腑、经络辨证，归纳总结证候，根据治疗原则配穴处方，依方施术，以通其经脉，行其气血，调和脏腑，平衡阴阳。穴位埋线疗法同样也属于穴位刺激疗法的范畴，是传统针灸治疗技术的发展，其取穴方法仍然遵循上述原则。

一、取穴原则

一般包括循经取穴、辨证取穴、经验取穴等。

（一）循经取穴

经络的循行路线是疾病证候的反应部位，经络的循行、腧穴的分布及其主治作用，是针灸处方配穴的理论基础。《灵枢·始终》云：“从腰以上者，手太阴阳明主之；从腰以下者，足太阴阳明主之。”“肚腹三里留，腰背委中求，头项寻列缺，面口合谷收”歌诀，正提示了这一点。根据经络循行，循经取穴有近部取穴、远部取穴和对症取穴之分。

1．**近部取穴**：每个穴位都能治疗其所在部位和邻近部位的病证。近部取穴就是根据这一规律而定的。多用于治疗受病的脏腑、五官、肢体在体表部位明显和较局限的症状，有祛除病邪、疏通经络、消瘀活血止痛的作用。如胃病取上腹部经穴，大小肠病取脐周各穴，眼病在风池埋线，哮喘在肺俞、定喘埋线，膝关节痛取阳陵泉、足三里等。其法是就近取穴调整受病经络、器官的阴阳气血寒热虚实，使之趋于平衡。

2．**远部取穴**：又称远道取穴。即在受病部位较远的地方取穴，是根据腧穴具有远治作用的特点和经脉络脉的循行及标本根结等理论发展起来的取穴方法，如缪刺、巨刺均是病在左者取之右，病在右者取之左。根据“合治内腑”的理论可以病在上者取之下。以这些取穴原则为指导，临床可以灵活取穴。人体许多腧穴，尤其是四肢肘、膝关节以下的经穴，不仅能治疗局部病证，还可以治疗本经循行所及的远隔部位的病证。远部取穴临床应用非常广泛，具体取穴时，有本经取穴和异经取穴之分。本经取穴：即当本经所属脏腑及经脉有病变时，就在该经上取有关穴位治疗。如咳嗽、咳血属肺经疾病，可取本经太渊、列缺；胃病取胃经的足三里；肝病则取太冲。异经取穴：疾病的病理变化复杂多变，而经络与脏腑之间、脏腑与脏腑之间彼此互相关联，互相影响，本经病变可以反映在本经、表里经及相关经脉上。治疗时，则可结合辨证，统筹兼顾。如木火刑金的咳嗽，在取本经太渊、列缺的基础上，可加用行间或太冲清降肝火，肺不受侮则咳嗽可平。

3．**对症取穴**：有些穴位对于某些或某一症状具有特殊治疗作用，如痰湿取丰隆，筋伤取阳陵泉等。对症取穴法就是针对这些状况而选取相应的穴位来治疗，一般属于治标范围。许多全身性疾病，诸如原因不明的发热、失眠、盗汗以及昏迷、惊厥等危重病证，如无法确定其确切病位，可采取对症取穴，如大椎可退热，神门能安神，盗汗取复溜，涌泉治惊厥等。古有“酸痛取阿是”之说，所以痛点选穴也属于对症取穴。当人体由于某些原因致脏腑功能失调时，体表一定部位会出现相应的异常现象，诸如产生压痛、敏感点、肿胀、硬结等，针刺这些部位，不论针感或是疗效都比较显著。

（二）辨证取穴

指针对某些全身症状或疾病的病因病机而选择腧穴，每次选穴多为2～4穴，大多以局部和邻近病所的腧穴作为主穴，即主穴针对原发病因和病位及主症，而配穴则针对继发表现、兼症等，多以经络循行所过之处四肢的腧穴作为配穴。如脾胃虚损之胃脘痛在足三里埋线调理脾胃治本，中脘埋线治疗胃痛之标；肝火犯胃则根据辨证加用清肝火的行间或太冲。临床常使用的辨证取穴方法有俞募配穴法、原络配穴法、补母泻子法等等。

（三）经验取穴

某些穴位在长期临床实践中显示出有主治某些病证的特殊作用，所以经验取穴法也是临床常见的取穴法之一。如养老能治目疾，间使截疟，至阳退黄疸，风市治疗耳疾。埋线时也可根据病情选择经验穴以提高疗效。

另外，选穴时尽量选取肌肉丰厚之处，皮肤薄少处穴位少用，或在针具选择上作调整，如肌肉丰厚处用直接埋线法、专用埋线针埋线法、三角针埋线法，而肌肉浅薄处可用简易埋线法、套管埋线法等。

二、操作程序

包括选择合适的针具、合适的体位、常规消毒、选择合适的埋线方法、埋线后的局部处理等。

1. **针具的选择：**根据不同病情、不同穴位、不同治法应选择不同的针具。

2. **体位的选择：**以卧位为主，嘱患者保持舒适姿势，操作中严禁改变体位。

3. **消毒：**操作过程中，严格执行无菌操作。

4. **埋线方法的选择：**根据病情需要选择适合的埋线方法。

5. **操作要领：**可归纳为稳、快、缓、查，分述如下。

（1）稳：体现在稳定心神，平稳呼吸，稳定体位，持针安稳四个方面。进针前，医生与患者均要稳定心神，调整好心理状态，稳定情绪，调节呼吸节律，并嘱患者以舒适的体位待针，肌肉放松以利于针刺；进针时医生要全神贯注，目无外视，心无内慕，令志在针，意守针尖，“如临深渊，如握虎尾”；同时要密切注意患者的神情变化，以防晕针和不适；嘱患者体会针下的感觉，以得气为佳，“气速至而效速”；医生持针之手要稳，将指力集中在针锋。

（2）快：指进针动作要快。选定穴位后，迅速将针刺入皮下，以减少患者痛感，依靠右拇指、食指、中指轻巧柔韧的协调配合，用中等力度将针插深并做轻微的提插动作，使针下有得气感觉。

（3）缓：包括两个动作，一指缓慢退针，一指用毫针缓缓向内推进。在整个透过皮肤后到达预定部位的过程中，要注意患者的反应，如有刺痛、电击感等异常感觉出现，应适当调整角度，当针刺入预定深度后，一边用毫针将针管内的羊肠线缓缓推出，一边缓缓退针，退至皮肤时，用左手将消毒纱布压住针尖部，同时将针拔出，左手继续轻轻用力按压针孔。如有出血，则按压止血。

（4）查：每一个穴位的埋线操作完成后，均需将压住埋线穴位的纱布轻轻抬起，仔细查看羊肠线线头是否暴露在外，如未露，则用胶布将纱布固定，以保护针孔不受感染。

6．埋线后的局部处理：退出针后，针孔覆盖消毒纱布，用胶布作十字固定即可。

第六节　穴位埋线疗法的适应证与禁忌证

一、适应证

穴位埋线疗法的适应证广泛，一般各种疼痛性疾病、功能紊乱性疾病、慢性疾病皆有疗效。适应证包括：支气管哮喘、支气管炎、胃及十二指肠溃疡、慢性胃炎、胃下垂、慢性肠炎、小儿麻痹后遗症、遗尿、遗精、阳痿、痛经、白内障、屈光不正、视神经萎缩、腰背肌肉劳损、坐骨神经痛、颈椎病、关节炎、神经衰弱、癫痫、面神经麻痹、中风偏瘫、精神分裂症、肛肠疾病、甲状腺疾病、皮肤病、单纯型肥胖等，尤其对慢性、顽固性、免疫低下性疾病疗效显著。

二、禁忌证

一般5岁以下儿童、晕针者、孕妇、妇女月经期、严重心脏病患者、糖尿病、肾功能不全、高热、结核病患者皆慎用或禁用。患有严重血管疾病、具有出血倾向、超敏体质、体质虚弱的患者慎用。皮肤局部有感染或有溃疡时不宜埋线。

第七节　穴位埋线疗法的临床应用

一、哮喘

1．取穴

第一组：膻中、大椎、足三里、肺俞、定喘。

第二组：膈俞、身柱、大椎、风门、列缺、丰隆。

第三组：太冲、膻中、肺俞、三焦俞。

虚寒型、肺脾两虚型、痰湿型选用第一组穴位；痰火型选用第二组穴位；肝火犯肺型选用第三组穴位。临床兼见其他次证时可对证进行加减，每次治疗间隔为20~25天。

2. 器械： 医用埋线针，镊子或血管钳二把。（以埋线针埋线法为例）

3. 药线的制作： 将羊肠线从密封管内取出，剪成1~2cm长若干段，先浸泡在浓度为75%的酒精溶液中消毒，后取出浸泡在无菌生理盐水中，20分钟后取出备用。

4. 操作： 首先选准穴位，用甲紫做好标记，进针点在穴位下方0.8寸处，在进针点局部做常规消毒后以2%盐酸利多卡因或0.5%~1%盐酸普鲁卡因做浸润麻醉，然后镊取羊肠线，套在埋线针缺口上，两端用止血钳夹住，右手持针，左手持钳，将针尖缺口向下以15°~40°角度刺入，当针头缺口进入皮肤后，左手即将血管钳松开，右手将针继续推进，直到羊肠线头完全埋入皮下，再进针0.5cm，随后把针退出，用棉球或消毒纱布压迫针孔片刻，再用纱布敷盖创口。

5. 疗程： 每20天治疗1次，3次为一疗程。

6. 注意事项

（1）治疗期间，嘱患者每天晨起和每晚睡前，坚持两手交替顺时针摩腹5~8分钟。

（2）饮食方面，因为许多食物可以引发哮病，如鱼虾蟹类、蛤类、蚌类和贝类海产品以及辛辣食物、过甜食物等均可引发或加剧病势，应慎食或不食。

（3）忌烟酒，避免生气与过度劳累，远离空气中的致敏原。

（4）防寒保暖，预防感冒，并应加强对身体素质的训练。

二、胃痛

1. 取穴： 上脘透中脘（或下脘），脾俞透胃俞，足三里。

辨证加减：中阳虚损加气海、关元；脾胃气滞加天枢、梁门；肝气犯胃加肝俞、太冲；瘀血阻络加膈俞。

2. 器械： 大号皮针，持针器，蚊式钳，剪刀，7号针头，注射器，羊肠线，0.5%盐酸普鲁卡因，无菌洞巾，无菌纱布，消毒备用。（以三角针埋线法为例）

3. 药线的制作： 将羊肠线从密封管内取出，剪成1~2cm长若干段，先浸泡在浓度为75%的酒精溶液中消毒，后取出浸泡在无菌生理盐水中，20分钟后取出备用。

4. 操作方法： 皮肤常规消毒，铺孔巾，术者戴无菌手套。在穴位处用

0.5%的盐酸普鲁卡因局麻后，左手拇、食指捏起两穴之间的皮肤，右手握持针器，用大号皮肤缝合针带羊肠线，腹部穴位从中脘刺入，上脘穿出，背部从胃俞进入，从脾俞穿出，然后将两端线头贴皮肤处剪断，牵拉皮肤，使线头全部缩入针孔内。足三里埋线操作可选用穿刺针埋线法。外盖无菌敷料。

5. **疗程**：每20天治疗1次，3次为一疗程。

6. **注意事项**：术后一般不需做其他特殊处理。胃痛有"三分治，七分养"之说，说明饮食和生活起居的调养非常重要，嘱其1年内适寒温，调畅情志，避免强力劳作，忌烟、酒、辛、冷、硬及油腻食物。

三、腹泻

1. **取穴**：中脘、关元、天枢、足三里、大肠俞、小肠俞。

辨证加减：脾胃亏虚加脾俞、胃俞、下巨虚；肾阳不足加肾俞、关元俞；肝气乘脾加肝俞、三焦俞；兼见瘀血者加膈俞、三阴交；兼见湿热者加阴陵泉、上巨虚。

2. **器械**：医用埋线针，镊子，血管钳，持针器，剪刀，穿刺针，7号针头，10ml注射器，羊肠线，2%利多卡因，无菌纱布。

3. **药线的制作**：将羊肠线从密封管内取出，剪成1～2cm长若干段，先浸泡在浓度为75%的酒精溶液中消毒，后取出浸泡在无菌生理盐水中，20分钟后取出备用。

4. **操作方法**：选定穴位后用甲紫做上标记。常规消毒局部皮肤，用2%利多卡因行穴位皮下局部麻醉，将羊肠线置入12号穿刺针的针头内，从局麻点刺入皮下1～1.5寸，使局部产生酸、胀、麻感，然后边推针芯边退针，将羊肠线埋入穴位。

5. **疗程**：30天埋线1次，3～4次为一个疗程。

6. **注意事项**：治疗期间，嘱患者每天晨起和每晚睡前坚持两手交替顺时针摩腹5～8分钟。此外要注意饮食有度，起居有常，注意忌酸、辣、甜类食物，忌烟酒，避免生气与劳累。

四、遗尿

1. **取穴**：关元透中极，左肾俞透右肾俞，左膀胱俞透右膀胱俞，三阴交。

2. **器械**：医用缝合弯针，持针器，止血钳，手术剪，10ml注射器，羊肠线。

3. **药线的制作**：将羊肠线从密封管内取出，剪成1～2cm长若干段，先浸泡在浓度为75%的酒精溶液中消毒，后取出浸泡在无菌生理盐水中，20分钟后取出备用。

4. **操作方法**：患者先取仰卧位，在关元至中极处局部常规消毒，铺消毒洞巾。无菌操作下先将羊肠线穿入针孔，对折后截取3~4cm，用持针器在弯针的近针尖处夹紧，以止血钳夹紧肠线断端。局麻后由中极穴下0.5~1cm处进针，用持针器将弯针连带肠线穿过中极、关元二穴，深至肌层，于关元穴上方0.5~1cm处出针，使肠线留于二穴下。提起肠线两端，反复提拉2~3次（此时多数患者可有下腹、或会阴部胀麻感），然后松开止血钳一端，剪断持针器一端，使肠线两端完全置于皮下，局部以消毒纱布覆盖。然后嘱患者取俯卧位，以同样方法，使适当长度的肠线分别横向埋于双肾俞、双膀胱俞下。三阴交可用穿刺针埋线法。

5. **疗程**：30天埋线1次，2~3次为一疗程。

6. **注意事项**：治疗期间嘱患者晚饭及睡前少饮水，并根据证型配服六味地黄丸或金匮肾气丸等药；并应保持心情愉悦，精神放松，避免过度疲劳等。

五、面瘫

1. **取穴**：足三里、合谷（均双侧）。

2. **器械**：持针器，8号针头，注射器，羊肠线，2%利多卡因，无菌纱布。

3. **药线的制作**：将羊肠线从密封管内取出，先浸泡在浓度为75%的酒精溶液中消毒，后取出浸泡在无菌生理盐水中，20分钟后取出备用。

4. **操作方法**：用8号注射针针头作套管，28号2寸长的毫针剪去针尖作针芯，将已消毒的羊肠线1cm放入针头备用。常规消毒局部皮肤，左手拇、食指绷紧进针部位的皮肤，右手持针速刺到所需深度，当出现针感后，边推针芯，边退针管，即可将羊肠线埋在穴位的肌层内，针孔处以无菌纱布覆盖保护。

5. **疗程**：20天埋线1次，2~3次为一个疗程。

6. **注意事项**：治疗期间，注意忌酸、辣、甜类食物，忌烟酒，避免生气与劳累，避免风寒。患者可按医嘱在面部做自我按摩，帮助患侧肌肉恢复功能。

六、癫痫

1. **取穴**：大椎、脊中、至阳、陶道、中脘、关元。

辨证加减：痰气郁结加鸠尾、内关、丰隆；心脾两虚加足三里、三阴交、心俞；风痰气逆加太冲、肝俞、脾俞。

2. **埋线器械**：套管埋线针，羊肠线，小镊子，注射器等。

3. **药线的制作**：将羊肠线从密封管内取出，剪成1~2cm长若干段，先浸泡在浓度为75%的酒精溶液中消毒，后取出浸泡在无菌生理盐水中，20分钟后取出备用。

4. 操作方法：患者取俯卧或仰卧位。督脉穴上埋线时尽量低头充分暴露椎间隙。距穴位旁开1cm处为埋线进针点，常规皮肤消毒，用注射器吸取1%利多卡因数毫升，局部浸润麻醉。继则用套管针放置羊肠线。在进针点处将套管针刺入皮下，向穴位斜刺一定深度（勿刺入脊髓腔及胸膜腔内），待患者局部出现酸、麻、沉、胀感后，边退针边推针芯，压迫针眼以防出血，用创可贴保护针眼。

5. 疗程：一般1个月埋线1次，直至痊愈。轻者一般1~3次即可明显起效，病情较重者需埋线3~5次，最多埋线不超过7次。

6. 注意事项

（1）埋线前患者服用的抗癫痫药不可突然停药，待临床症状控制后逐渐减量或停服。

（2）14岁以下儿童视体质强弱选用0~1号羊肠线，14岁以上可用2号羊肠线，体质强壮者用3号羊肠线。

（3）以上穴位交替使用，每次主穴1~2个，配穴2~3个。

（4）埋线后禁烟酒以及辛辣燥热肥腻之品，避免情绪刺激及劳累过度，注意起居有常，生活规律。

七、慢性腰肌劳损

1. 取穴：相应夹脊穴、殷门、后溪、命门、腰阳关。

辨证加减：阿是穴（主要取压痛点）；肾精不足加太溪、肾俞；肝肾亏虚加肝俞、三阴交；伴湿热者加上髎、次髎。

2. 器械：弯盘，镊子，剪刀，腰椎穿刺针，羊肠线，真空拔罐。

3. 药线的制作：将羊肠线从密封管内取出，剪成1~2cm长若干段，先浸泡在浓度为75%的酒精溶液中消毒，后取出浸泡在无菌生理盐水中，20分钟后取出备用。

4. 操作方法：患者取适当体位，选好穴位，每次选取4~6个主要相关穴位，用棉签一端重压做记号，碘酊、酒精常规消毒，将浸泡好的肠线装入穿刺针头内，迅速刺入穴位皮下，再将针缓慢刺入适当深度，提插得气后，边退针边推针芯，将线留于穴位深部。出针后不要止血，等腰部穴位埋完后，使用大号真空罐将几个针眼罩住，抽气拔紧10分钟，可出血数毫升，起罐后将污血擦净，TDP神灯照射40~60分钟，针眼用消毒纱布及胶布固定2天。

5. 疗程：3次为一疗程，第一疗程每间隔7~10天埋线1次，以后改为2周埋1次。一般初次发病埋线2~3次即愈，陈旧性或多次复发者需治疗2~3个疗程。

6. **注意事项**：埋线后针眼5天内避免浸水，1周内忌食鱼虾等发物。遇针眼肿痛明显者可加艾条悬灸，每穴灸10~20分钟，每日1~2次，灸数次即可肿消痛止。腰腿痛症状重者，埋线后需卧硬板床休息3~5天，轻者可不卧床。在埋线治疗3~5天后可以进行腰部肌肉的功能训练，以恢复腰部肌肉力量平衡，增强腰肌的顺应性。

八、痿证

1. **取穴**

督脉：大椎、陶道、身柱、神道、至阳、筋缩、中枢、悬枢、命门等。

上肢部：臑俞、肩髃、臂臑、曲池、手三里、外关、合谷等。

下肢部：环跳、风市、伏兔、足三里、阳陵泉、阴陵泉、血海、三阴交、解溪等。

2. **器械**：弯盘，镊子，剪刀，腰椎穿刺针，注射器，羊肠线，2%利多卡因，无菌纱布。

3. **药线的制作**：将羊肠线从密封管内取出，先浸泡在浓度为75%的酒精溶液中消毒，后取出浸泡在无菌生理盐水中，20分钟后取出备用。

4. **操作方法**：每次治疗选用8~10个穴位，选定穴位后用甲紫做上标记。常规消毒局部皮肤，用2%利多卡因行穴位皮下局部麻醉，将羊肠线置入穿刺针的针头内，从局麻点刺入皮下，使局部产生酸、胀、麻感，然后边推针芯边退针，将羊肠线埋入穴位，针退出皮肤后以无菌纱布覆盖，胶布固定。

5. **疗程**：每20~30天1次，治疗3次为一个疗程。

6. **注意事项**：预防术后感染；1周内忌食鱼虾等发物；针对本病应加强相应的功能训练，在有步骤、有计划的训练计划指导下进行相应肢体的力量及功能训练，对本病的康复有重要意义。

九、银屑病

1. **取穴**：曲池、合谷、三阴交、血海。

辨证加减：在基本方的基础上，血虚者加肝俞；瘀血者加膈俞；纳差者加足三里；湿热盛加阴陵泉；瘙痒严重影响睡眠者加神门、内关、百会；肝火重而口苦者加阳陵泉、大椎。

2. **器械**：弯盘，镊子，剪刀，腰椎穿刺针，羊肠线，真空拔罐。

3. **药线的制作**：将羊肠线从密封管内取出，剪成1~2cm长，先浸泡在浓度为75%的酒精溶液中消毒，后取出浸泡在无菌生理盐水中，20分钟后取出备用。

4．**操作方法**：在距离穴位两侧1～2cm处，用甲紫做进出针点的标记。常规消毒局部皮肤，用2%利多卡因行穴位皮下局部麻醉，将羊肠线置入穿刺针的针头内，从局麻点刺入皮下，使局部产生酸、胀、麻感，然后边推针芯边退针，将羊肠线埋入穴位，针退出皮肤后以无菌纱布覆盖，胶布固定。

5．**疗程**：埋线15天1次，3次为一疗程。

6．**注意事项**：伤口处保持清洁，预防感染。治疗期间注意调节情绪，避免过度刺激；并禁食鱼虾蟹等发物，戒烟酒，生活规律，起居有时，避免过度劳累。

第六章　针刀疗法

第一节　针刀疗法概述

一、针刀疗法的概念

针刀疗法是根据生物力学原理，将中医的针刺疗法和西医的外科手术疗法有机结合的一种“简、便、廉、验”的新疗法，在骨伤科等医学领域，有着广泛的应用。针刀疗法的发明人是朱汉章教授。针刀疗法使用的工具独特，因形似针灸的针，其尖端又有一个小小的刀刃，既可发挥针刺的作用，又有手术刀切割的功能，故称其为针刀。因其体积较小，损伤较小，又称为“小针刀”、“微针刀”、“小刀针”等。习惯上我们把以采用针刀为主治疗疾病的方式，称为针刀疗法，或小针刀疗法。

二、针刀疗法的特点

针刀疗法是来源于针灸学的理论和方法，又不完全等同于针灸学的理论与方法，针刀更具有现代医学的内涵。针刀疗法的独特工具“针刀”，以解剖学、生理学、病理学、现代生物力学等医学理论为指导，当刺入患者身体时是个“针”，进入并达到相应解剖位置后，就成为“手术刀”，施以切、削、铲、磨、刮、凿和组织剥离等手术方式，达到治疗疾病的目的。针刀具有方向性，其针柄的刀刃在同一个平面内，通过针柄可以判定刀刃在人体内的方向。

三、针刀疗法的优点

针刀疗法具有疗效好、见效快、创伤小、痛苦少、安全可靠、副作用小、费用低廉等优点。针刀治疗过程一般 3~5 分钟，病情轻者只需要做 1~2 次，每次间隔 15 天，重者需要做 3~5 次，即可见效。

四、针刀疗法的作用

针刀是一种独特的医疗手术器械，其治疗作用可包括针刺的作用和刀的切割、剥离作用。

1. 组织间的松解、剥离，组织减压作用：慢性软组织损伤后，软组织之间或肌肉、肌腱与骨骼之间发生粘连，限制了机体的相对运动，出现肢体功能障碍。通过小针刀的治疗，可以把粘连的部位切开，从而恢复软组织间、软组织与骨面之间的动态平衡。受损部位切开后，其内外组织相通，还具有减轻内压，改善血液循环，减少对神经末梢刺激的作用。

2. 降低内在紧张性应力，改变关节间相对位置作用：针刀疗法可以将局部受损而产生的高应力状态的纤维松解，从而解除对骨面及神经、血管的作用。除松解原发的高应力状态的纤维外，常常还要松解关节周围增生固定的组织，使关节恢复正常位置，消除骨与骨之间的应力作用，从而消除对神经、血管的压迫。

3. 对硬化组织起松解作用：软组织损伤后变性硬化，各组织间相互粘连。针刀刺入组织间撬动松解，可松开粘连，使硬化组织软化，恢复活动度。

4. 减轻局部疼痛反应的作用：对疤痕组织、软组织结节、肌肉、韧带在骨面附着点损伤引起的疼痛，针刀治疗时一方面可使变性软组织松解，减少对神经末梢的不良刺激；另一方面可直接把异常敏感的神经感受器破坏掉，阻断疼痛反射弧而达到减轻疼痛的目的。

第二节　针刀的器具与分型

针刀根据其形态、尺寸和应用的不同，常用的有三种类型六种型号（见图6－1）。

（一）Ⅰ型齐平口针刀

根据其尺寸不同分为四种型号，分别记作Ⅰ型1号、Ⅰ型2号、Ⅰ型3号、Ⅰ型4号。

Ⅰ型1号针刀：全长15cm，针柄长2cm，针身长12cm，针头长1cm。针柄为一扁平葫芦形，针身为圆柱形，直径1mm，针头为楔形，末端扁平带刃，刀口线为0.8mm，刀口为齐平口，同时要使刀口线和刀柄在同一平面内，只有在同一平面内才能在刀锋刺入肌肉后，从刀柄的方向辨别刀口线在体内的方向。

Ⅰ型2号针刀：结构形状和Ⅰ型1号同，针身长度比Ⅰ型1号短3cm，即针

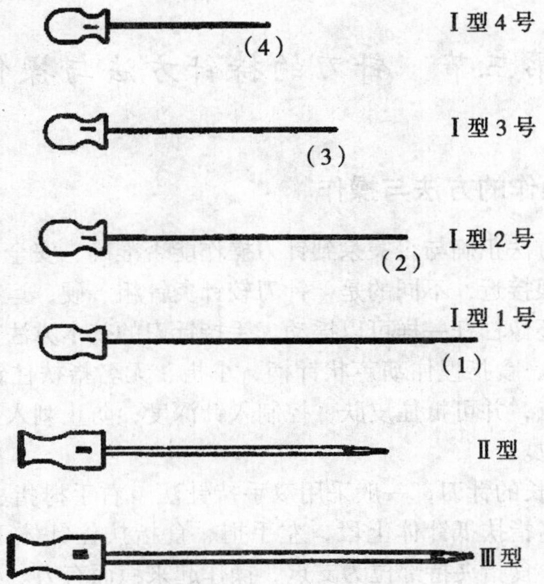

图6-1　小针刀示意图

身长度为9cm。

Ⅰ型3号针刀：结构形状和Ⅰ型1号同，针身长度比Ⅰ型1号短5cm，即针身长度为7cm。

Ⅰ型4号针刀，结构形状和Ⅰ型1号同，针身长度比Ⅰ型1号短8cm，即针身长度为4cm。

Ⅰ型针刀适应于治疗各种软组织损伤和骨关节损伤以及其他杂病。

（二）Ⅱ型截骨针刀（小号）

全长12.5cm，针柄长2.5cm，针身长9cm，针头长1cm。针柄为一梯形葫芦状，针身为圆柱形，直径3mm，针头为楔形，末端扁平带刃，末端刀口线0.8mm，刀口线和刀柄在同一平面内，刀口为齐平口。

Ⅱ型针刀适用于较小骨折畸形愈合凿开骨痂、折骨术、较小关节融合剥开术。

（三）Ⅲ型截骨针刀（大号）

全长15cm，针柄长3cm，针身长11cm，针头长1cm，结构形状和Ⅱ型同。适用于较大骨折畸形愈合凿开骨痂、折骨术和较大关节融合剥开术。

第三节 针刀的持针方法与操作

一、持针操作的方法与操作

手持针刀的方法正确与否关系到针刀操作能否准确、安全、有效。其手法与持针灸针的手法很接近，不同的是，针刀较针灸针粗、硬，运动方式不仅可以提插、切割，而且还像杠杆一样可以摇动。手持针刀的基本方法是：

1. 右手拇指、食指捏住葫芦状针柄，小指、无名指扶住针体。操作时以中指或无名指为支点，并可抵住皮肤，控制入针深度，防止刺入过深或用力不当使针刀滑入危险部位。

2. 对针体较长的针刀，一般采用双手持针法。右手拇指、食指捏住葫芦状针柄，中指、无名指扶抵针体上段，左手拇、食指扶住针体下段或尖部。操作时，以左手拇指、食指夹持部位为支点，操作起来稳而有力。必要时，可用左手拇指、食指用力推动针体使针刃移动，起到铲剥的作用。

二、针刀操作的四步进针规程

1. **定点**：根据患者的主诉、体征，认真检查确定病变部位后，参考局部解剖关系，在体表用紫药水做一个记号。术野消毒，铺上无菌洞巾。

2. **定向**：针刀尖部有一个0.8mm宽的刃，进针时容易造成不必要的损伤，为避免损伤，刀口线的方向应按下述原则确定：

（1）与病变部位肌肉、韧带的纤维方向一致。

（2）若手术部位有较大的神经、血管通过，刀口线要与神经、血管的运行方向一致。

（3）若上述两点相互矛盾，如治疗梨状肌损伤时，肌肉的纤维方向与坐骨神经的特行方向几乎垂直，一般以神经的运行方向为准，确定针刀进针时的刀口线方向。

3. **加压分离**：为避开神经、血管，进针时以左手拇指下压肌肤使之成凹陷，横向拨动一下，再下压使血管、神经被分离在手指两侧，针刀沿拇指甲背方向刺人。若在关节部位或病灶处在骨面，左手拇指用力下压可感到坚硬的阻挡物，说明手指已压至骨面。

4. **刺入**：将针刀刃贴于左手拇指甲壁，稍用力下压即可刺破皮肤。

第四节　针刀疗法的适应证和禁忌证

一、适应证

针刀疗法的适应范围比较广泛，除在骨伤科领域中应用较多外，还可涉及到内、外、妇、儿科及诸多病证。其主要的适应病证有：①各种软组织粘连、挛缩、结疤等引起的顽固性疼痛，部分骨刺或骨质增生而致的关节周围的应力增高，眩晕，滑囊炎，腱鞘炎，肌肉和韧带的劳损性病变。②手术损伤后遗症，病理损伤后遗症，骨折畸形愈合，颈椎病，腰椎间盘突出症，肩周炎而致的局部粘连，小儿肌性斜颈。

二、禁忌证

虽然小针刀疗法对很多疾病有独特的疗效，但它不是万能的，以下几种情况需要特殊注意，是禁止使用的：

1. 严重的内脏疾病的发作期。
2. 施术部位有皮肤感染，肌肉坏死者。
3. 施术部位有红肿、灼热，或在深部有脓肿者。
4. 施术部位有重要神经血管或重要脏器而施术时无法避开者。
5. 患有血友病者或其他出血倾向者。
6. 体质极度虚弱不耐针刀手术者。
7. 血压较高，且情绪紧张者。

在以上七种情况之一，虽有针刀疗法适应指征，也不可施行针刀手术。

第五节　针刀疗法临床应用

一、颈椎病

患者俯卧，令其下颌部和床头边缘齐平，低头，下颌内收，并剃去寰枕关节上下头发，备皮，在枕骨大孔边缘正中选取一点作为针刀进入点，刀口线与人体纵轴平行，针体与进针点骨面垂直（注意严防针刀下滑，伤及脊髓），当刀锋刺达骨面后小心移动刀锋，下移至枕骨大孔下缘，将刀锋调转90°，横行切寰枕筋膜2～3刀，切割时刀锋应始终不离枕骨大孔边缘。

在针刀治疗后，颈围固定，使后枕部不能下沉，保持患者头部中立位1周。

二、颈性眩晕

治疗点选颈椎棘突旁及横突周围压痛点或痛性结节，头夹肌、斜方肌、肩胛提肌起点高应力处和颈椎中下段椎后关节处。治疗时常规消毒皮肤，按四步进针法刺入表皮。刺入后缓慢进入到肌层，待有明显酸胀感伴有针刀收紧感时开始剥离。到骨面遇有硬结先切割、剥离，再纵剥、横剥。如有电击感或灼感时，应及时调整深度及方向，防止损伤神经。如有剧痛不能剥离，多为刺中血管，应改变方向寻找针感。在治疗中应密切观察患者反应，防止晕针。松解要充分，一般感觉有松动感时再出针。每次选点不宜过多，一般2～4点为宜。出针后迅速贴创可贴，行拔伸牵引、旋转提端等按摩手法。

三、腰椎间盘突出症

患者取俯卧位，在治疗床上行骨盆大重量牵引50～100kg，使腰椎关节间隙拉大。牵引10分钟后进行针刀治疗。在病变椎间盘上位椎体患侧横突上进针刀，针体与横突背面垂直，刀口线与人体纵轴平行，当刀锋到达骨面后，向下转移刀锋，当到达横突下侧边缘时针刀沿下侧边缘伸入1～2mm，然后将刀锋沿横突边缘向内侧移动，当遇到骨性阻碍时说明到达横突根部神经孔上外侧，此时将针体向肢体下侧倾斜，将刀锋转动90°使刀口线与神经孔内侧的骨性边缘平行，针刀沿神经孔的内侧边缘转动式前进，随着旋转将针体向人体的上位椎体倾斜，当针体与人体的上位椎体约成30°时，如患者下肢有酸胀感，说明此时刀锋已经到达突出的髓核组织与神经根之间，沿神经根方向切开2～3刀出针。

四、第三腰椎横突综合征

患者俯卧于治疗床上，在病痛的第三腰椎横突的背外侧端，即棘旁旁开2.5～3cm处做一标记，戴无菌手套，以标记为中心常规消毒，铺孔巾，选用0.5%普鲁卡因或1%利多卡因局部封闭。医生右手持针刀，自选定的标记处刺入皮下，调整刀刃与肌纤维走行方向一致后，缓慢向深部刺入，直至腰三横突骨膜。先向外侧铲剥2～3下，再使针刀移至横突最外端，贴附横突上下切割附着于此处的筋膜3～4下，将针刀移至皮下，用手扪及硬结是否消失，或是否变小。若消失或变小即出针，否则可按上法再重复一次。出针后用创可贴保护刀口，卧床休息2天后下地行走，2周后不愈或无明显好转可再做一次，一般两次即可取得满意效果。

五、强直性脊柱炎

包括脊柱周围软组织松解术和髋关节周围软组织松解术。

1. 脊柱周围软组织针刀松解术： 患者俯卧。选取患者第1、2胸椎棘突间隙及棘突间隙旁开1.5cm处各一点为治疗点，先与人体纵轴平行刺入针刀，深度达横突骨面时，转动刀锋，使刀口线和横突平行，在横突上缘或下缘，横行切2～3刀，切开横突间肌和横突间韧带。棘间韧带损伤时其主要病变在棘突下方，因此在做针刀治疗时，对早期患者，垂直进针先纵行剥离，然后横行切开剥离即可。对中、晚期患者，因棘间韧带已骨化，必须切断部分棘间韧带，作切开剥离，其余操作与前一样，直到针下有切开松动感时方可出针。压迫针孔待不出血为止，外贴创可贴。同样的方法再治疗第一胸椎下方2～4个椎体，一次治疗3～5个椎体。

5～7天后，作第二次针刀手术。在第一次治疗的椎体下3～5个椎体的横突间隙及棘突间隙选择进针点，同样方法将横突间肌、横突间韧带、棘突间韧带松解。如此，每隔1周松解一次，由上向下延展治疗，直到所有的胸、腰椎都被松解为止。

最后治疗颈部，先松解第5、6、7颈椎，后松解第2、3、4颈椎，同样是自下而上作松解，方法同前。

2. 髋关节周围软组织针刀松解术： 仰卧或侧卧。选腹股沟韧带下相当于髋关节投影处作进针刀点，避开股神经、动脉及静脉。一般先选1～2个点，侧路进针刀，取健侧卧位，也可选髋关节投影处以及股骨大转子最高点的前后方，每次选2～3个点。前侧或外侧进针刀，松解软组织。①松解髋关节的关节囊，使关节腔内减压；②松解附着于大转子上的软组织，以改善髋关节功能；③针刀刺入骨皮质，使骨内减低，对有骨囊肿者，用Ⅱ型针刀刺入，破坏囊壁，使骨再生，同时促进新生血管长入骨组织，改善骨关节的代谢；④必要时可刺入髋关节腔内，减轻关节腔内压力及粘连，改善髋关节功能。

六、脊柱外伤性驼背

如驼背顶部有棘突骨折横卧于上下两棘突间，可做小手术，先切开皮肤，将横卧于上下两棘突间的棘突骨折骨片摘取出来，待刀口完全愈合后，再行针刀治疗。

患者俯卧位，在治疗床上进行骨盆大重量牵引（100kg），10分钟后，进行针刀治疗。用Ⅰ型针刀，在驼背顶部两棘突之间和两侧间隙各选一点，沿脊柱纵轴进刀，深入棘间韧带，沿棘间韧带横行切开剥离，将棘间韧带之粘连、皱褶疏剥开。在患椎横突上下缘与相邻椎体的横突之间，进行针刀手术，将横突间肌、横突间韧带切开松解。

隔天做第二次针刀手术，在患椎附近骶棘肌处寻找压痛点，或条索状肿物，有几处，就选几个点，沿骶棘肌纵轴进刀，先纵行再横行剥离。

七、肩周炎

用针刀在肱二头肌短头附着点、冈上肌止点、肩峰下、冈下肌和小圆肌的止点，分别做切开剥离或纵行疏通剥离，在肩峰下滑囊做通透剥离。如肩关节周围还有其他明显痛点，可在该痛点上做适当针刀松解术，5～7天治疗1次。

八、肱骨外上髁炎

患者取端坐位，将患侧肘关节屈曲90°，平放于治疗台上，在肱骨外上髁处常规消毒后，医生戴无菌手套，找准压痛点后，使小针刀刀口线与伸腕肌肌纤维方向平行刺入肱骨外上髁处的皮下，使针体与台面垂直。先用纵行疏通剥离法，再用切开剥离法，感觉锐边已刮平后，使针身与台面呈45°左右，用横行铲剥法，使刀口紧贴骨面剥开骨突周围粘连的软组织，再松解伸腕肌、伸指总肌、旋后肌肌腱，出针，压迫针孔片刻，待不出血为止，用无菌敷料或创可贴覆盖，术后休息3天，1周后如症状未完全消失可再治疗一次，一般一次可治愈，最多不超过3次。

九、狭窄性腱鞘炎

首先在患部寻找，确定痛点、硬结及腱鞘肿胀部位。以甲紫做标记，常规消毒后，用2%利多卡因2ml、地塞米松1ml在选定点上0.5cm处局麻，剩余药液快速推入鞘内，然后把针刀从局麻处垂直刺入皮下，调转刀口，用刀背慢慢地向近心端推移，钝性推开腱鞘上方的皮下组织，当推过选定点处后，再将针刀旋转使刀尖垂直刺入鞘内，向远心端慢慢切割，此时可听到切割增厚腱鞘的“喳喳”声。回到原进刀点退出，外用创可贴封贴。术后即可开始功能活动。在实际操作中要注意腕部不要伤及桡神经及桡动脉，指部不要偏离中线。同时要保证切割病变腱鞘的长度不低于1cm。如果肌腱与腱鞘之间有粘连，可用刀背在其间钝性分离。

十、膝关节骨性关节炎

患者仰卧屈膝位，依据X线片，找到明显的压痛点，用甲紫标记后，常规消毒，每个痛点处皮下注射2%利多卡因0.5ml，局部麻醉。然后，用针刀对痛点处进行疏通剥离松解，针刀抵达增生骨面，先纵行剥离，再横行剥离粘连组织，对增生严重处进行横向切割，铲除增生较尖部分。术后对膝关节施以推拿手法以促进关节各方向活动，恢复运动功能。每次治疗 2 ~4 个最痛点，隔 5 ~7 天治疗一次。治疗 3 次为一疗程。

第七章 放血疗法

放血疗法是针灸治疗的一种操作方法，它是以三棱针、梅花针、刀具、粗毫针以及注射器等为器具，根据不同病情，刺破特定部位的浅表血管和深层组织，放出适量的血，以达到治疗疾病的目的。此法在临床急救和实证、热证、惊证、皮肤病的应用中比较广泛，具有醒脑开窍和放血排脓的作用，在其他方面应用相对较少。古代医家对其治疗原则、治疗方法和应用部位论述较多，形成了一套独特的治疗方法，随着现代医学的发展，它的某些理念得到了中西医两方面的认可，使其应用更为广泛。最具典型的例子是脑出血的患者，可通过颅外钻孔，把瘀血从颅内引出，缓解颅内压，既挽救了患者的生命，又免受开颅之苦。

放血疗法始记载于《内经》，《灵枢·九针十二原》论到："凡用针者，虚则实之，满则泄之，菀陈则除之"。《灵枢·官针》提出："络刺者，刺小络之血脉也"；"赞刺者，直入直出，数发针而浅之出血，是为治痈肿也"；"豹文刺者，左右前后针之，中脉为故，以取经络之血者，此心之应也"；"大泻刺者，刺大脓以铍针也"；"毛刺者，刺浮痹皮肤也"。《灵枢·血络论》中谈到刺络的血脉应选择"盛坚横以赤"、"小者如针" 和 "大者如筋"。以上分别谈论了刺血疗法的治疗原则、治疗方法和施术部位，是放血疗法的最早雏形。《素问·调经论》明确指出："气血不和，百病乃变化而生"；"血有余，则泻其盛经出其血"。《素问·针解》谈到："菀陈则除之者，出恶血也"；"视其血络，刺出其血，无令恶血得入于经，以成其疾"。以上分别谈论了刺血疗法的治疗机理和治疗方法。所以，古人对络刺放血疗法非常重视。

我们现在所用的放血疗法，是在继承古人刺络放血疗法的基础上，加入了现代医疗技术和操作技巧，使其操作更具有简便性和应用范围广的特点。中西医理论的相互借鉴，为我们在临床中灵活运用放血疗法提供了科学的基础。例如，利用外科一次性手术刀具和注射器等，使放血疗法的应用更广泛，解决了肌肉、骨和关节深层组织的病变，并且在允许的情况下，延长放血时间，使离经之血尽可能多地清除掉，达到祛瘀通络，康复的目的。

放血疗法具有操作简便、迅速，疗效显著等优点。简便性体现在器具轻便，容易携带和操作，技法容易掌握；迅速性体现在操作过程比较短；疗效显著性体现在此法见效快，疗效确切。例如，在晕厥病人的急救时，可用三棱针点刺十宣穴，达到醒脑开窍，使病人迅速恢复知觉的目的。

放血疗法按操作的器具分类，古代可分为砭石、锋针、铍针和毫针等刺法；现在在临床中可分为三棱针、梅花针、刀具、粗毫针以及注射器等操作。三棱针和梅花针作用部位比较表浅，一般用于外感、皮肤病证和热证、惊证等急性病的治疗；刀具、粗毫针以及注射器可达较深部位，一般用于肌肉、骨和关节等深层组织的病变。按操作方法分类，古代可分为络刺、赞刺、豹文刺、大泻刺和毛刺五种方法；现在在临床中也可分为点刺、散刺、挑刺、叩刺和泻血五种方法。点刺、散刺和叩刺作用部位比较表浅；挑刺和泻血法作用部位比较深透。按放血过程的长短分类，可分为短、中、长期放血三种。短期放血作用部位比较表浅，一般在皮肤表面，放血量比较少；中期放血是指放血时间相对较长，作用部位相对较深，可达肌肉，放血量相对较多；长期放血也叫做放血引流，是指放血时间最长，一般在24~48小时之间，可能更长，作用部位最深，可达骨和关节，放血量也最多。但是，以上各种方法的作用部位的深浅也不是绝对的，在临床中，要根据不同的病情，选择不同的器具和不同的操作方法。同时，对器具的选择，要根据具体情况，灵活加以掌握。例如，在没有三棱针和梅花针的时候，用注射器也可以代替做表浅部位的治疗；相反，在没有注射器的时候，用三棱针也可以代替做深层部位的治疗。

第一节 放血疗法的基本原理

一、中医放血疗法的基本原理

（一）中医放血疗法的基础理论

中医理论认为，经络系统包括十二经脉、十二经别、十五络脉、奇经八脉以及外围所联系的十二经筋和十二皮部等。它运营一身气血，是人体气血运行的通道，具有“行气血而营阴阳，濡筋骨，利关节”和传导感应，调整虚实的作用。十二经脉“内属于腑脏，外络于肢节”，将人体内外联系起来，使之成为一个有机的整体；十二经别是十二经脉在胸、腹及头部的重要分支，具有沟通脏腑，加强表里经脉的作用；十五络脉是十二经脉在四肢部以及躯干前、后、侧三部的重要分支，具有沟通表里和渗灌气血的作用；奇经八脉具有统率、联络以上各经和调节气血盛衰的作用。如果病邪阻滞或正气亏虚以致经络瘀滞不通，气血运行不畅，则使脏腑和组织失去濡养而产生疾病；如果气血过度充盈，则易使血溢经脉，而致瘀滞；如果气血不行常道，经脉逆乱，则易暴发惊厥和脏腑功能失调。

（二）中医放血疗法的作用机理

放血疗法是以中医阴阳学说、五行学说以及经络辨证、脏腑辨证和八纲辨证为理论基础，结合现代医学的理念，具有通经活络、祛瘀消肿、开窍泄热、祛邪解表、调理脏腑、平肝潜阳的作用，对热证、实证有着很好的疗效。

1. **通经活络，祛瘀消肿**：人体依赖气血的濡养，如经络瘀滞不通，气血运行不畅，通过在腧穴和特定部位进行放血，可起到“通其经脉，调其气血”的作用。“菀陈则除之”就是其义。其机理有二：第一，因为外伤、外邪或内伤杂病产生的病理产物阻滞而使经络不通，肢体、关节疼痛，通过放血，可使外伤所形成的瘀血和外邪或内伤所凝聚经脉的寒、湿、痰邪以及瘀血直接排除体外，使经络畅通。例如痛证、积聚、鼓胀和痈疽等病证。第二，因为正气亏虚，血运无力，而使经络不通，通过放血，可暂时使经络畅通，然后配合针灸、药物或其他治疗手段，使正气恢复。不过，放血的量宜少，以不引起人体不良反应为度。例如痹证、皮下或体内出血等。

2. **开窍泄热**：由于邪热亢盛，热极生风，风火相煽，气血并走于上，煎液生痰，致使痰热蒙蔽清窍，或热入于营，热扰神昏，或中风引起的闭证，或邪热重伤津液，致使经脉失去濡养而引起的痉证等，可采用十宣穴、十二井穴、四弯穴和其他部位放血，起到醒脑开窍，泄热凉血的作用。《灵枢·经脉》说：“热者急之”；《灵枢·九针十二原》说：“刺诸热者，如以手探汤”。“急之”和“如以手探汤”是指热病宜浅刺而疾出，而达清热解毒，开窍醒神之效。其机理是通过放血，使邪热外泄，急存阴液，神志还转。同时，宜配合口服或静脉给药等其他治疗方法及时补充丧失的体液，调整内环境。

3. **祛邪解表**：外感邪气，先伤皮毛，次入络脉，再传经脉，最后入侵脏腑。《素问·离合真邪论》指出：“此邪新客，溶溶未有定处也……刺其出血，其病立已。”明确阐述了外邪初伤皮毛，邪气尚浅，浮于络脉，不及于经，且“未有定处”，通过体表放血，可使邪气随血而出于体表，而不至于内传于经。正如张从正所说：“出血之与发汗，名虽异而实同。”提出了放血与发汗在治疗外感表证时，其功用是相同的。

4. **调理脏腑**：经络分别起止于四肢末端，络属于脏腑，具有联系内外、传导感应和调整虚实的作用。脏腑的疾病可反映到特定的腧穴上，反过来，在体表特定部位的经穴上放血，使之产生良性刺激，通过经络的传导，把兴奋输送到所联系的脏腑，进而起到调节脏腑的目的。

5. **平肝潜阳**：肝火有余，上冲于脑，引起头痛、头晕等症状；或肝肾阴虚，不能抑制肝阳，使肝阳上亢，而引起头痛、眩晕、眼花等症状。放血疗法具有协调阴阳，清热降火的作用，使肝火从血而出，从而达到平肝潜阳的目的。

二、西医放血疗法的基本原理

（一）西医放血疗法的基础理论

现代医学认为人体是一个开放的系统，它通过新陈代谢与外界进行物质、能量和信息交换。人体脏腑组织的营养物质通过胃、肠道吸收进入血液，然后经血液或淋巴循环运送到全身，由毛细血管和淋巴管与组织、细胞进行物质交换，把机体产生的废物排出体外。其中，神经由于机体的生理和病理刺激，而产生相应的兴奋性，经过神经中枢处理，可直接对循环系统的循环速度和循环量进行调节；免疫系统由于病变部位的刺激，产生免疫应答，从而提高人体的免疫能力。在人体各种组织分布着丰富的毛细血管、淋巴管和末梢神经，它们相互联系，互相作用，共同维持人体微循环的平衡。如果由于某种原因造成局部血液循环发生障碍，则该部位缺少血液的濡养，组织发生病变而丧失其功能，严重者可导致病变组织的缺血性坏死；如果由于某种原因造成局部淋巴循环发生障碍，则该部位免疫力下降，组织代谢异常；如果神经得不到营养或本身发生病变，则丧失其对循环系统、组织的调节功能，使局部产生病变或加重疾病。

（二）西医放血疗法的作用机理

现代医学研究发现，放血疗法可改善微循环，促进病变组织的排泄和吸收，提高机体的免疫力，增强神经的调节作用。

1. **改善微循环**：由于血管、淋巴管本身病变造成血液或淋巴循环速度减慢和循环量降低，通过放血，第一，可以产生刺激，促进血管、淋巴管的自身修复机制，进行自我修复；第二，可以减少局部的血液、淋巴液及组织液，产生负压，促进邻近组织的血液、淋巴液及组织液的补充，从而改善微循环。

2. **促进病变组织的排泄和吸收**：由于外伤或细菌感染造成局部出血肿胀或化脓，组织损伤、坏死，通过放血，可直接把瘀血或脓液以及坏死的组织排出体外，同时，清除病变组织后，可促进该部的血液和淋巴循环，吸收残存的病变组织，有利于药物达到病变部位，与免疫系统共同作用，控制和杀灭细菌，从而使疾病康复。

3. **提高机体的免疫力**：对于病毒感染和自身免疫力低下者，通过放血刺激，可激活人体全身的免疫机制，产生免疫细胞和免疫介质；通过放血，可加快血液和淋巴循环，使免疫细胞和免疫介质迅速到达患部并发挥作用。

4. **增强神经的调节作用**：对于神经根水肿或损伤，通过放血，可改善微循环，促进神经根水肿的吸收和神经的修复。反过来，神经兴奋性增强，一是可以调节血管壁上的交感神经，使血流速度加快；二是可以使组织活动加强，耗氧量增加，从而促进血液的流通。

第二节　放血疗法的操作规程

一、放血工具

人们在实践中，最早使用砭石，以后应用竹针、骨针、荆棘针等，随着金属器具的使用，逐渐用金属器具代替了砭石，演变为使用锋针、铍针和毫针等进行刺络放血。随着科学技术的发展，目前，我们一般常用三棱针、梅花针、刀具、粗毫针以及注射器等器具，同时，配合使用火罐、抽气式负压罐以及引流器等来增加患部的出血量。

在临床实践中，为了消毒和止血的需要，还常备如下器械和材料：

器械：镊子、止血钳、止血带、剪刀、点火器、操作盘等。

材料：75%的酒精、碘伏、2%碘酒、生理盐水、消毒液、无菌纱布、无菌棉、绷带、胶布、无菌手套、皮肤缝合线等。

二、放血部位

（一）特定穴

1. **五输穴**：《难经·六十八难》说："井主心下满，荥主身热，俞主体重节痛，经主喘咳寒热，合主逆气而泄。"概括了五输穴在临床中的具体应用。所以，临床中我们把五输穴作为放血首选的穴位。

2. **络穴**：络穴不仅主治其络脉的病证，还治疗与其相表里的经脉病证，俗有"一络通二经"之说。况且，络穴位置表浅，放血时比较容易。

3. **郄穴**：郄穴主治本经所行部位和所属脏腑的急性病证。阴经郄穴多治血证，阳经郄穴多治痛证。运用该类穴位进行放血治疗，正体现出放血疗法治疗急性血证、痛证见效快、疗效好的优点。

4. **背俞穴**：背俞穴不仅能治疗与其相对应脏腑的病证，还可以治疗与脏腑有关的五官九窍、皮肉筋骨等病证，又是阳经所行的部位，是放血疗法的最佳部位。

5. 下合穴：下合穴属六腑，归六阳经，是治疗六腑病的主要穴位。例如，临床中用委中放血治疗痹证、痿证和热证等。

（二）经穴

放血疗法所选的经穴以阳经的穴位为主，也选用具有清热开窍、通经止痛阴经的穴位。为了操作方便，一般多选用四肢部的穴位。

（三）经外奇穴

奇穴可用于放血治疗血证、热证、痛证和急症。例如，在太阳穴上，用三棱针点刺放血，可以治疗头痛；在十宣穴上点刺放血可以治疗高热、惊厥等；在八邪穴上点刺放血，可以治疗痉证。

（四）病灶反应点

病灶反应点指的是脏腑病变在体表所呈现的阳性反应点。在此部位上放血，可以治疗脏腑的疾病。

（五）瘀血部位

瘀血部位包括瘀阻的血管和毛细血管，以及瘀血存积和流经的部位。其位置既可以在浅表，也可以位于深层组织。放血的目的，就是要把瘀血直接排出体外。

（六）感染病灶

它包括痈、肿、疖、疮等皮肤疾病的局部，也包括关节和肌肉、筋膜等深层组织。其目的也是在放血的同时，把病理产物排出体外。

三、操作步骤

放血治疗操作规程一般分为器具消毒、患处消毒、点刺放血等。对于静脉放血者，一般需扎紧静脉近心端；对关节和肌肉、筋膜等深层组织者采用刀具切开放血，根据情况放置引流条或引流器，使瘀血和病理产物尽可能地排除干净。

（一）器具消毒

一般采用高压或煮沸、浸泡的消毒方法，有时也可以用熏蒸消毒法。注意在存放时，接触空气的时间不要过长，注射器、吸引器、刀片尽可能采用一次性材料。

（二）患处消毒

采用碘伏或酒精在皮肤表面进行常规消毒。消毒的部位及范围视放血的方式而定，以不引起感染为限；对于有污染较严重的组织一定要冲洗干净，一般要求消毒2~3遍。

（三）放血治疗

包括点刺、散刺、挑刺、叩刺和泻血五种方法。

1. **点刺法**：点刺法选用三棱针或粗毫针。针刺前，在预定针刺部位上下用左手拇、食指向针刺处推按，使血液聚集于针刺部位，针刺时左手拇、食、中三指夹紧被刺部位或穴位，右手持针，用拇、食两指捏住针柄，中指指腹紧靠针身下端，针尖露出1~2mm，对准已消毒的部位或穴位刺入1~2mm深，随即将针立即退出，轻轻挤压针孔周围，使出血少许，然后用消毒棉球按压针孔。（见图7-1）

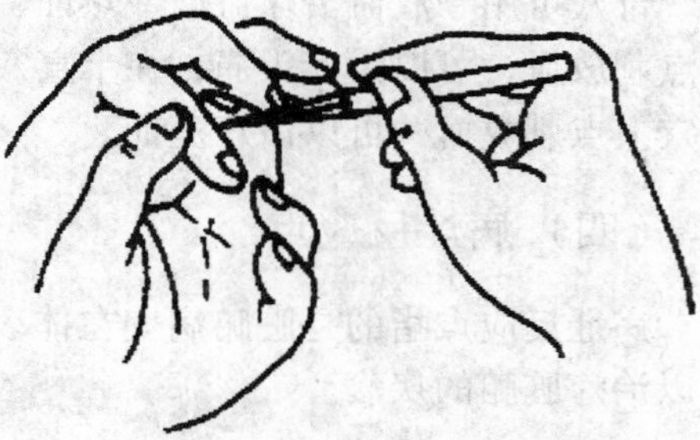

图7-1　点刺法

2. **散刺法**：散刺法选用三棱针或粗毫针。针刺前，在预定针刺部位上下用左手拇、食指向针刺处推按，针刺时，左手拇、食指轻轻撑开被刺部位或穴位的皮肤，从病变外缘环行向中心点刺，以促使瘀滞的瘀血和水肿排除。操作时，根据病变部位肌肉的厚薄，血管的深浅来选择不同的点刺深度；根据病变部位的大小选择不同的点刺次数，点刺时力量要迅速、轻巧、均匀。点刺后，用无菌棉球把所出的血液等擦拭干净，然后用碘伏涂抹消毒。（见图7-2）

3. **挑刺法**：挑刺法操作时，先按点刺法用三棱针或粗毫针在皮肤表面点刺放血，再深入皮肤内，将一部分纤维组织挑断或挑出，最后，用碘伏消毒所施治的部位。挑刺时对组织破坏较大者，用无菌纱布覆盖，用绷带或胶布固定。

4. **叩刺法**：皮肤消毒后，左手拇、食指轻轻撑开叩刺部位或穴位的皮肤，用右手持握皮肤针的针柄，以无名指、小指将针柄末端固定于小鱼际处，以拇、中二指夹持针柄，食指置于针柄中段上面，针尖垂直于皮肤，均匀地叩刺到所施治的部位上。叩刺完毕后，用碘伏涂抹消毒。

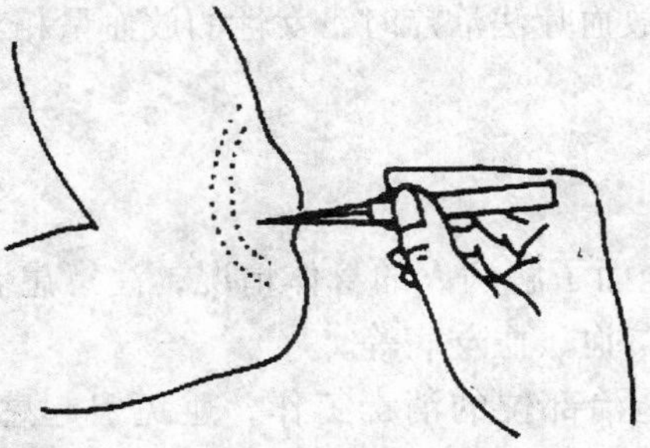
图 7－2　散刺法

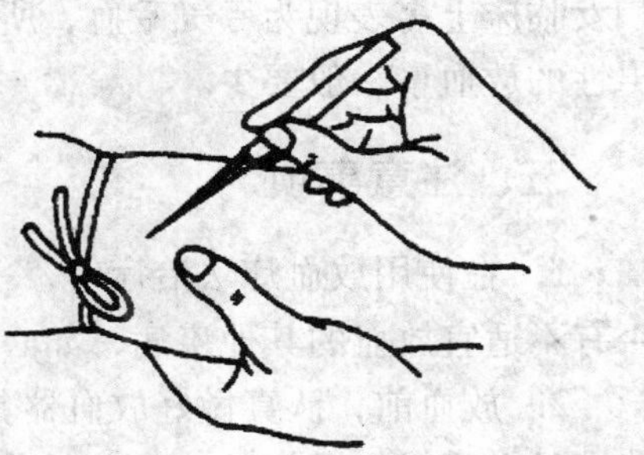
图 7－3　泻血法

5．泻血法：方法一：先用止血带束扎在放血部位的近心端，左手拇指压在放血部位的下端，右手持三棱针对准被放血部位刺入静脉中，然后迅速退出，使其流出少量的血液，出血停止后，用无菌棉球按压针孔。或者，用注射器刺入所要放血的静脉，抽出适量的血液，然后拔出注射器，按压针孔。方法二：用刀具在关节、肌肉或痈、肿、疖、疮切开适当的切口，用生理盐水冲洗，使其里面的瘀血或病理产物尽量排放干净，必要时下引流条和引流器。操作完毕后，用碘伏外擦切口，覆盖无菌纱布，再用绷带或胶布包扎。（见图 7－3）

四、放血量

在放血治疗时，出血量过多，易引起失血性休克，甚至导致死亡；出血量过少，达不到所要治疗的目的。放血量的多少，应根据临床实际情况灵活掌握，以不损伤正气为原则。

1．分清虚实：一般来说，实证放血量相对较多，虚证放血量相对较少。但是，须据病人的身体状况灵活运用。对于虚证，有人主张不适宜放血，但在临床实践中，若病情需要而身体状况允许，也可适当放血，同时补充一定量的血容量。

2．部位选择：在静脉、肌肉、关节处以及适宜拔罐或引流的部位，放血量宜多；在浅表部位的毛细血管或肢体远端，放血量宜少。有时根据治疗的需要，浅表部位或肢体远端肿胀较重或有感染时，也需要长期放血。

3．病证情况：如果病变范围小，病情较轻，病程较短，病邪较轻浅，则放血量宜少；如果病变范围大，病情较重，病程较长，病邪较深，则放血量宜多。若以上两种情况都存在时，应根据病情的不同，灵活掌握放血量。

4．体质强弱：一般情况下，如果病人的体形较瘦弱，体质较单薄，放血量宜少；如果病人的体形较肥胖，体质较强壮，放血量宜多。

5．年龄性别：小儿与老年人放血量宜少；青年及中年人放血量宜多。由于妇女临床上多表现为亏气亏血，所以使用放血疗法治疗时，女性的放血量相对于男性的放血量一般要少。

五、注意事项

1. 在使用放血疗法治疗前，一定要全面了解病人的身体情况，注意患者是否有不适宜放血的其他疾病，如心脏病、贫血、血友病等。

2. 放血前，认真做好放血器具和所施治部位的消毒工作，避免引起感染。特别是在用刀具操作时，一定要遵循外科的消毒常规。

3. 在治疗前，要细致做好患者的思想工作；治疗时，患者宜平卧在治疗床上。这样，可以防止病人晕针，同时，也有利于患者配合医生进行操作。

4. 刺络时，进针宜轻，刺入宜浅，动作要快，出血如珠为宜，切记不要用力过猛；在静脉放血操作时，要注意进针的方向应与静脉的方向一致，针尖向心，速度宜缓。

5. 操作时必须躲开重要的器官和动脉，严禁深刺，以免出血过多。

6. 在感染部位和肌肉、关节等深在部位放血时，病理产物和瘀血要尽可能地清除干净，必要时，可以下引流条或引流器，长期放血，直到排尽为止。

7. 针刺放血后，要注意按压针孔，避免皮下或组织出现瘀血。如果出现瘀血，一般 10 天左右会自动吸收，或给予热敷。

8. 操作完成后，患者宜静卧 15 ~ 30 分钟，然后才能下床活动。

9. 放血后，若出现口渴或贫血的症状，应适当补充血容量。

10. 需要长期治疗的患者，每次放血量较少者，可每日或隔日 1 次；每次放血量较多者，一周可进行 1 ~ 2 次。

六、放血疗法常用部位及操作方法

放血疗法常用部位操作方法、功用及主治病证见表 7 – 1。

表 7 – 1　放血疗法常用部位、操作方法及功用、主治

放血部位	操作手法	功用	治疗疾病
大椎	点刺法、散刺法、叩刺法、挑刺法	祛邪解表、开窍泻热、通经活络、祛瘀消肿	感冒、高热、背痛、痈疖疮疡等、表证、热证、痹证
尺泽	点刺法、	开窍泻热、祛邪解表	中暑、急性吐泻、感冒、肘关节疼痛及表证、热证、痹证等
委中	点刺法	通经活络、开窍泻热	高热、中暑、急性吐泻、腓肠肌痉挛及热证、痹证、痛证等

续表

放血部位	操作手法	功用	治疗疾病
肩井	点刺法、叩刺法	通经活络、开窍泻热、祛邪解表	表证、热证、痹证等
涌泉	点刺法、叩刺法	开窍泻热、通经活络	头晕、咽痛、失音、晕厥、足底疼痛及热证、痹证等
颊车	点刺法	通经活络、祛瘀消肿	口眼歪斜、齿痛及痹证、痛证等
素髎	点刺法	开窍泻热	高热、中暑等热证
曲泽	点刺法	开窍泻热、通经活络	高热、中暑、胸闷、心烦、感冒等热证、表证
曲池	点刺法	开窍泻热、通经活络、祛邪解表	热证、表证、痹证、痛证等
攒竹	点刺法	开窍	头痛、闭证、眼疾等
百会	点刺法	开窍	头痛、失眠、头晕、闭证等
水沟	点刺法	开窍泻热	热证、闭证等
背俞穴	点刺法、挑刺法、叩刺法	通经活络、祛瘀消肿、祛邪解表、调理脏腑	痹证、痛证、脏腑疾病及表证、热证等
五输穴	点刺法	开窍泻热、祛瘀消肿、通经活络、祛邪解表	痹证、痛证、脏腑疾病及表证、热证等
下合穴	点刺法	通经活络、调理脏腑	痹证、脏腑疾病等
络穴	点刺法	祛邪解表、通经活络、祛瘀消肿、开窍泻热、调理脏腑	表证、痹证、热证、痛证、脏腑疾病等
郄穴	点刺法	开窍泻热、通经活络	热证、急性病证、血证等
十宣	点刺法	开窍泻热、祛邪解表	发热、昏迷、中暑、晕厥、肢端麻木及热证、闭证、痹证等
太阳	点刺法	开窍泻热、祛邪解表	头痛、目赤肿痛、三叉神经痛、失眠、口眼歪斜、感冒等
印堂	点刺法	开窍	头晕、头痛、惊风、鼻疾、三叉神经痛、失眠等
金津、玉液	点刺法	开窍	失语等
鱼际	点刺法、叩刺法	通经活络、开窍泻热、祛邪解表	热证、表证、痹证等
四缝	点刺法	调理脏腑	消化不良、疳积以及百日咳等
八风	点刺法	开窍泻热	足肿、头痛、牙痛等
八邪	点刺法	祛邪解表、开窍泻热、通经活络	痛证、闭证、热证、表证、手指肿痛麻木等
鱼腰	点刺法	开窍	闭证、眼疾等

续表

放血部位	操作手法	功用	治疗疾病
牵正	点刺法	通经活络	口眼歪斜、牙痛等
翳明	点刺法	开窍泻热、祛邪解表	头痛、头晕、目疾、失眠等
安眠	点刺法	开窍	头痛、头晕、失眠、精神病、高血压等
定喘	点刺法、叩刺法	祛邪解表、通经活络	咳嗽、肩背痛、荨麻疹等
百虫窝	点刺法、叩刺法	祛瘀消肿、通经活络	皮肤病、热证、虫证等
人中	点刺法	开窍泻热	闭证、热证等
落枕	点刺法	通经活络、祛瘀消肿、祛邪解表	痛证、痹证等
肩前	点刺法	通经活络、祛瘀消肿	痛证、痹证等
血压点	点刺法	平肝潜阳	高血压
华佗夹脊	点刺法、叩刺法、挑刺法、散刺法	祛瘀消肿、通经活络、开窍泻热、祛邪解表	痹证、热证、表证等
百劳	点刺法	调理脏腑	咳嗽、气喘、潮热、盗汗等虚证
腰痛穴	点刺法	通经活络、祛瘀消肿	痛证、痹证等
胆囊穴	点刺法	清热解毒、平肝潜阳	胆囊炎
膝眼	点刺法、泻血法	通经活络、祛瘀消肿	滑膜炎、关节积液、类风湿、膝关节炎等膝关节疾病
四弯穴	静脉泻血法	开窍泻热、祛邪解表	发热、中暑、高血压、感冒等热证、表证
膝关节	泻血法、点刺法	通经活络、祛瘀消肿	滑膜炎、关节积液、关节结核、关节血肿、类风湿、膝关节炎等膝关节疾病
踝关节	泻血法、点刺法	通经活络、祛瘀消肿	踝关节急性损伤、关节积液、风湿等踝关节疾病
腕关节	泻血法、点刺法	通经活络、祛瘀消肿	囊肿、腕关节血肿等腕关节疾病
肘关节	泻血法、点刺法	通经活络、祛瘀消肿	囊肿、肘关节血肿、慢性劳损等肘关节疾病
耳尖、耳背、屏尖	点刺法	清热解毒、平肝潜阳	发热、咽炎、扁桃体炎、目赤肿痛、高血压等
肘尖	点刺法	清热解毒	各种痈疖疔疮等
阑尾穴	点刺法	清热解毒	阑尾炎等

第三节 放血疗法的适应证及禁忌证

一、放血疗法的适应证

1. **急性病：**高热、晕厥、痉挛、中风、中暑、惊风等。根据中医理论“急则治其标，缓则治其本”的原则，在抢救急危重病人时，无论实证或虚证，都可以用放血疗法，只是在放血时，严格掌握好放血量，以免加重患者的病情。

2. **骨伤科疾病：**慢性劳损、急性损伤或外感风、寒、湿等引起的腰背、四肢出血、瘀血、僵硬、疼痛、麻木等。放血疗法具有改善微循环，促进瘀血的排除和吸收，增强神经的调节作用，因此，可以起到消肿止痛、通经活络的作用。

3. **内科疾病：**感冒、头痛、失眠、眩晕、高血压、腹痛、便秘、哮喘等。在一些特定穴和脏腑在体表的阳性反应点上进行放血治疗，可以起到调节脏腑功能的作用。同时，利用放血疗法对交感神经的调节作用，可以治疗因自主神经功能紊乱引起的神经性疾病。

4. **儿科疾病：**疳积、麻疹、水痘、泄泻、夜啼、小儿惊风、流行性腮腺炎等。小儿多热易惊，病情变化较快，及时把握放血治疗时机，可使小儿的疾病迅速恢复，以免病邪内传。

5. **五官科疾病：**牙痛、结膜炎、鼻炎、中耳炎、急性扁桃体炎、急性咽喉炎等。对于急慢性感染和无菌性炎症引起的五官科疾病，放血治疗可以起到排毒泄热，消炎止痛，提高人体免疫力的作用。

6. **外科感染性疾病：**痈、肿、疖、疮初起痒痛而未化脓者或已化脓者。未化脓者，可以放出瘀血，增加局部的血循环量，促进局部的新陈代谢，提高人体免疫力，达到康复的目的；已化脓者，应切开排出瘀血和脓液等病理产物，把病变的组织清除干净，必要时放引流条或引流管，这样既清理了病灶，同时也改善局部微循环。

7. **皮肤科疾病：**带状疱疹、荨麻疹、扁平疣、神经性皮炎、黄褐斑、银屑病等。一般选用梅花针叩刺病变部位，叩刺的针眼比较密集，有利于病邪直接排出体外。对于病变部位较深者，也可以用三棱或粗毫针散刺病变部位。这样，既改善了局部的微循环，又可提高人体免疫力，还能使病邪排出体外。

8. **妇科疾病：**痛经、闭经、月经不调、更年期综合征、乳腺炎等。对于瘀血、炎症以及神经病变引起的妇科病，放血疗法可以起到通经活络、消炎止痛、调节神经和内分泌功能的作用。

二、放血疗法的禁忌证

1. 素体虚弱或久病体虚不能耐受者。
2. 妇女妊娠期、妇女产后、有习惯性流产者。
3. 贫血、低血压或大出血后。
4. 皮肤有创伤及溃疡者。
5. 年老体弱、虚脱等疾病。
6. 有出血性疾病或损伤后出血不止者。

第四节　放血疗法的临床应用

一、急性病

（一）高热

1. 耳穴放血法

（1）穴位及部位：耳尖、耳轮、上屏尖。

（2）放血器具：三棱针或粗毫针。

（3）操作方法：先揉捏患者双耳，以外耳道为中心，向耳廓离心性方向进行，使血液散布在耳廓周围。常规耳部消毒，然后，用左手拇、食、中三指依次夹紧耳尖、耳轮和上屏尖等穴，右手持三棱针或粗毫针点刺，再用左手挤压点刺部位，使之出血2～5滴，最后用无菌棉球按压。

（4）注意事项：①揉捏患者双耳时，方向是离心性的。②点刺应浅刺疾出。

2. 体穴放血法

（1）穴位及部位：大椎、十宣、少商、关冲、曲泽、委中、肘窝静脉。

（2）放血器具：三棱针、粗毫针或注射器。

（3）操作方法：针刺前，在大椎、十宣、少商、关冲、曲泽、委中穴上下用左手拇、食指向针刺处推按，穴位常规消毒，右手持三棱针或粗毫针行点刺放血，然后，用手挤出3～5滴血；发热重者，用注射器在肘窝静脉处抽取1～3ml血液或用三棱针缓缓刺入肘窝静脉，针尖朝向心脏方向，最后用无菌棉球按压。

（4）注意事项：①点刺放血前，一定要上下推按放血部位。②放血量的多少，要视病人的病情轻重而定。③放血量多的间隔时间长，每周1～2次，放血量少的间隔时间短，每日或两日1次。

（二）中暑

1. 穴位及部位：十宣、水沟、百会、人中、委中、十二井穴等。

2. 放血器具：三棱针、粗毫针。

3. 操作方法：针刺前，在十宣、水沟、百会、人中、委中、十二井穴等上下用左手拇、食指向针刺处推按，穴位常规消毒，右手持三棱针或粗毫针行点刺放血，然后，挤出3～5滴血；重者，在委中穴处加用火罐，留罐10分钟左右；伴有呕吐的患者，可以在项部两筋处，用三棱针或粗毫针挑断皮下部分纤维，挤出少许血液，最后用无菌棉球按压。

4. 注意事项

（1）留罐时间不要过长，以免形成血肿或损伤皮肤。

（2）失液过多的患者，应及时补充液体。

（三）惊厥

1. 穴位及部位：十宣、水沟、攒竹、人中。

2. 放血器具：三棱针、粗毫针。

3. 操作方法：针刺前，在十宣、水沟、攒竹、人中穴上下用左手拇、食指向针刺处推按，穴位常规消毒，捏紧所要放血的穴位，右手持三棱针或粗毫针行点刺放血，然后，挤出2～3滴血，最后用无菌棉球按压针孔。

4. 注意事项

（1）点刺放血前，一定要上下推按放血部位。

（2）放血量的多少，要视病人的病情轻重而定。

（3）水沟、攒竹、人中穴放血量不宜过多。

（四）吐泻

1. 穴位及部位：十二井穴、曲泽、委中、中脘、上巨虚、脾俞、胃俞等。

2. 放血器具：三棱针、粗毫针或注射器。

3. 操作方法：穴位常规消毒，用三棱针或粗毫针在十二井穴、曲泽、委中、中脘点刺放血，再用三棱针或粗毫针在上巨虚、脾俞、胃俞等处先点刺放血，然后加拔火罐，留罐10～15分钟左右，最后，用无菌棉球按压针孔。肝郁气滞者加在肝俞、太冲上点刺放血；脾虚加气海、大肠俞上点刺放血。

4. 注意事项

（1）点刺放血前，一定要上下推按放血部位。

（2）放血量的多少，要视病人的病情轻重而定。

（五）中风

1．中风闭证

（1）穴位及部位：十二井穴、人中、百会、涌泉、水沟等。

（2）放血器具：三棱针、粗毫针或注射器。

（3）操作方法：穴位常规消毒，用三棱针或粗毫针在十二井穴、人中、百会、涌泉、水沟等穴点刺放血3~5滴，然后用无菌棉球按压针孔。

（4）注意事项：①本法适用于中风闭证，脱证禁用。②刺入的速度宜快。

2．中风后遗症

（1）穴位及部位：曲泽、尺泽、委中、委阳、足三里。

（2）放血器具：三棱针、粗毫针、火罐。

（3）操作方法：皮肤常规消毒，用三棱针或粗毫针在曲泽、尺泽、委中、委阳、足三里穴点刺放血，缓缓进针，然后用手挤压针孔，放血5~8滴，最后加拔火罐10分钟左右，最后用无菌棉球按压针孔。

（4）注意事项：①用三棱针、粗毫针进针宜缓慢，刺入相对较深，放血量相对较多，不要伤及动脉。②操作前或操作后要严格消毒。

3．中风失语

（1）穴位及部位：金津、玉液及语言一区、二区、三区。

（2）放血器具：三棱针或粗毫针。

（3）操作方法：常规穴位及部位消毒，用三棱针和粗毫针迅速点刺金津、玉液二穴，然后用粗毫针在语言一、二、三区缓缓刺入，并摇大针孔，出针后用左手挤出血液少许，最后用消毒棉球按压针孔。

（4）注意事项：①在金津、玉液二穴操作时，病人应仰卧在治疗床上，头后仰，颈后垫一圆枕，口张开，舌尖向上卷曲，点刺速度要快。②头部操作后应按压1分钟左右，避免出现皮下血肿。

4．面瘫

（1）穴位及部位：颊车、地仓、人中、承浆、下关、攒竹、翳风、印堂、合谷等穴。

（2）放血器具：三棱针或粗毫针。

（3）操作方法：常规穴位消毒，用三棱针或粗毫针依次在颊车、地仓、人中、承浆、下关、攒竹、翳风、印堂、合谷等穴处点刺放血，用左手挤出血2~3滴，用无菌棉球按压针孔。

（4）注意事项：①此法放血的穴位较多，每次放血时选3~5穴，每日1次。②点刺时动作宜轻巧，速度宜快，刺入不宜过深，以免留下瘢痕。③放血量不宜过多。

二、骨伤科疾病

（一）颈椎病

1. 穴位及部位：颈椎夹脊穴、大椎、肩外俞、大杼、身柱、阿是穴等。

2. 放血器具：三棱针、粗毫针或小针刀。

3. 操作方法

（1）在上穴中选2~3个，针刺前，用左手拇、食指向针刺处推按，穴位常规消毒，右手持三棱针或粗毫针进行点刺放血，然后挤出血3~5滴。在大椎、肩外俞穴处加用拔罐，留罐15分钟。上肢麻木者加曲池、外关、合谷等穴；头痛加百会、风池、率谷穴。

（2）穴位外科常规消毒，用小针刀在颈椎夹脊穴、阿是穴等处剥离粘连的筋膜和韧带附着点，并挤出瘀血，最后用无菌纱布加压包扎。

4. 注意事项

（1）点刺放血时，进针宜缓慢，放血量稍多。

（2）拔罐时，留罐时间稍长。

（3）小针刀操作时，注意不要伤及椎动脉和大面积地剥离筋膜及韧带的附着点。

（4）要严格消毒，防止感染。

（二）落枕

1. 穴位及部位：阿是穴、大椎、肩外俞等。

2. 放血器具：三棱针、粗毫针。

3. 操作方法：针刺前，在阿是穴、大椎、肩外俞等穴处推挤使血液聚集在针刺处，穴位常规消毒，左手捏起皮肤，右手用三棱针或粗毫针缓缓刺入皮肤内，直达筋膜，摇大针孔，挤出血5~7滴，并在上述穴位上加拔火罐，留罐15分钟左右。

4. 注意事项

（1）如果伴有寰枢椎半脱位，应先进行颈椎旋转复位，然后再进行点刺放血。

（2）放血量宜多，针刺宜深，出针时应摇大针孔。

（三）菱形肌劳损

1．穴位及部位：背部夹脊穴、大椎、大杼、风门、肺俞、魄户、神堂、阿是穴等。

2．放血器具：粗毫针、梅花针。

3．操作方法：穴位常规消毒，先用梅花针叩刺夹脊穴及膀胱经第一侧线，使其微微出血，然后，用左手处依次推挤大椎、大杼、风门、肺俞、魄户、神堂、阿是穴等，并捏起皮肤，右手持粗毫针缓缓刺入皮肤，进行点刺放血，挤出血5~7滴，同时挑出皮下纤维少许，最后加拔火罐，留罐10分钟。

4．注意事项

（1）操作时，针刺部位的皮肤一定要捏起，刺入宜深，约1~1.5cm，速度宜缓慢，刺入的三棱针方向应与脊柱成45°角。

（2）注意要严格进行皮肤消毒。

（四）肩周炎

1．穴位及部位：肩三针、肩井、曲池、阿是穴等。

2．放血器具：三棱针、粗毫针。

3．操作方法：针刺前，使患者前臂屈曲，并外展肩关节约90°，穴位常规消毒，在肩三针、肩井、曲池、阿是穴等穴处依次点刺放血。然后在肩前、肩贞穴处加拔火罐，留针10分钟。

4．注意事项

（1）针刺时，应外展肩关节，便于操作。

（2）放血后，应加强肩关节的功能锻炼，并配合针灸或按摩进行治疗。

（3）注意避风寒。

（五）腰背筋膜炎

1．穴位及部位：腰背夹脊穴、腰俞、腰阳关、命门、肾俞、膈俞、脾俞等膀胱经第一侧线上的穴位、阿是穴。

2．放血器具：粗毫针、梅花针。

3．操作方法：穴位及部位常规消毒，先用梅花针叩刺腰背夹脊穴及膀胱经第一侧线，使其微微出血，然后，用左手依次推挤腰俞、腰阳关、命门、肾俞、膈俞、脾俞、阿是穴等穴，并捏起该穴位处皮肤，右手持粗毫针缓缓刺入皮肤，进行点刺放血，同时挑出皮下纤维少许，最后加拔火罐，留罐10分钟。

4. 注意事项

（1）操作时，针刺部位的皮肤一定要捏起，刺入的程度宜深，约1～1.5cm，腰部相对背部可更深些。

（2）针刺速度宜缓慢，刺入的三棱针方向在背部应与脊柱成45°角，在腰部应与脊柱成80°左右角。

（3）注意要严格进行皮肤消毒。

（六）肋间神经痛

1. 穴位及部位：背部阿是穴、膀胱经第一侧线、肋间神经循行路线。

2. 放血器具：三棱针或粗毫针、梅花针。

3. 操作方法：穴位或部位常规消毒，先用梅花针在肋间神经循行路线上叩刺，使其微微出血。然后，用三棱针或粗毫针在背部膀胱经第一侧线上的相应病变部位处的穴位和阿是穴处点刺放血，或用散刺法在穴位周围点刺5～7下，并用手挤压，使其放血1～2ml。最后，在背部阿是穴和膀胱经第一侧线相应病变部位处的穴位上加拔火罐，留罐15分钟左右。

4. 注意事项

（1）注意操作前后的皮肤消毒，预防感染。

（2）梅花针应叩刺在肋间神经分布处。

（3）背部阿是穴应在肋间神经的起始处。

（4）隔日1次，10次为一个疗程。

（七）肱骨外上髁炎

1. 穴位及部位：曲池、手三里、阿是穴等。

2. 放血器具：三棱针、粗毫针或刀具、钩针。

3. 操作方法

（1）针刺前，用左手拇、食指在曲池、手三里、阿是穴四周向针刺处推按，使血液聚集于该部位，穴位或部位常规消毒，右手持三棱针或粗毫针进行点刺放血或散刺放血。点刺放血时，针要缓缓刺入较深部位，然后，挤出血5～7滴；散刺放血时，针要快速刺入较浅部位，然后，用手由针刺处四周向中心推挤。重者，在放血部位加拔火罐，留罐10分钟左右。

（2）穴位或部位外科常规消毒，左手拇指和食指分开所要施术的部位，右手用小针刀或钩针缓缓刺入肱骨外上髁的结节部位，直达骨膜，在该部位顺肌腱走行进行挑拨和切割，使结节完全松解开，并挤出血水，最后用无菌纱布加压包扎好施治部位。

4. 注意事项

（1）点刺放血时，针要缓缓刺入较深部位。

（2）散刺放血时，针要快速刺入较浅部位。放血量宜多，大约2ml左右。

（3）用小针刀或钩针操作时，手法宜熟练，不要损伤肌腱，骨膜也不应破坏较大；一般只操作1～3次，间隔时间要长。

（八）急性腰扭伤

1. 耳穴放血法

（1）穴位及部位：耳廓的腰及腰椎对应部位。

（2）放血器具：三棱针、粗毫针。

（3）操作方法：先找出阳性反应点，用手挤捏耳廓，使之充血。再在耳廓及四周部常规消毒，用左手拇、食指捏挤住阳性反应点，其余三指放在耳廓的背面，协同拇、食指固定住耳廓。然后，右手持三棱针或粗毫针在该处点刺放血，快进快出，挤压针孔，使之出血10滴左右。最后，用消毒棉球按压针孔。

（4）注意事项：①操作前，要找到阳性反应点。②操作时，点刺的速度要快，挤压针孔的力量要轻柔，出血量要多。

2. 体穴放血法

（1）穴位及部位：委中、承山、后溪、龈交、腰阳关、腰部夹脊、腰痛穴、阿是穴等。

（2）放血器具：三棱针、粗毫针或注射器等。

（3）操作方法：①针刺前，用双手手掌在委中穴上下相对用力推挤，使血液聚集于委中穴处，然后，用右手拍打该处，直到委中穴处出现数个静脉结节。穴位或部位常规消毒，再用左手拇食指固定各个静脉结节，右手持三棱针或粗毫针在该处点刺放血，快进快出，然后，挤出5～8滴血；或用注射器在最大的静脉结节上缓缓刺入，抽出2～3ml血液。最后，用消毒棉球按压针孔止血或用无菌纱布包扎好施治部位。②针刺前，用左手拇、食指在委中、承山、后溪、龈交、腰阳关、腰部夹脊、腰痛穴、阿是穴等四周向针刺处推按，使血液聚集于该部位，穴位或部位常规消毒，右手持三棱针或粗毫针进行点刺放血。重者，在委中、承山、腰阳关、腰部夹脊、阿是穴处加用拔罐，留罐10分钟左右。

（4）注意事项：①静脉结节放血的量宜多，每次选2～3个静脉结节，3～5日一次。放血后，要充分止血和消毒，防止形成血肿和感染。②点刺放血时，在后溪、龈交穴操作的速度宜快，刺入宜浅，出血量宜少；在委中、承山、腰阳关、腰部夹脊、阿是穴处操作的速度宜慢，刺入宜深，出血量宜多，并可以加用火罐。

（九）腰椎间盘突出症

1. 穴位及部位：腰阳关、腰部夹脊、腰痛穴、阿是穴、肾俞、脾俞、委中、足三里、承山、膀胱经第一、第二侧线等。

2. 放血器具：三棱针或粗毫针、注射器、刀具。

3. 操作方法

（1）急性发作期：①以腰痛为主：针刺前，在委中穴附近寻找静脉结节，用左手拇、食指固定各个静脉结节，穴位常规消毒，右手持三棱针或粗毫针向静脉结节处点刺放血，快进快出，挤出5～8滴血；或用注射器在最大的静脉结节上缓缓刺入，抽出1～2ml血液。然后，选定腰部腰阳关、腰部夹脊、腰痛穴、阿是穴中的4～6个穴位，用三棱针或粗毫针进行点刺放血，出血3～5滴，并加拔火罐15分钟。最后，用消毒棉球按压针孔止血或用无菌纱布包扎好施治部位。②以下肢痛为主：穴位或部位常规消毒，选用三棱针或粗毫针在足三里、承山以及腰阳关、腰部夹脊、阿是穴中的2～4个穴，进行点刺放血，使之出血3～5滴，并加拔火罐15分钟。

（2）慢性期：针刺前，在腰阳关、腰部夹脊、腰痛穴、肾俞、脾俞、足三里、膀胱经第一、第二侧线的穴位中选6～8个穴位，先用左手拇、食指向针刺处推按，穴位常规消毒，右手持三棱针或粗毫针进行点刺放血，缓进缓出，挤出3～5滴血；重者，在委中穴处加用拔罐，留罐10分钟左右。或用钩针在腰部神经根对应的体表阿是穴、结节处以及足三里穴处进行皮下松解，并挑出纤维数根，然后，加拔火罐10分钟，使出血1ml左右。

4. 注意事项

（1）在急性发作期，要注意是以腰痛为主还是以下肢痛为主，其治疗的方案有所不同。急性发作期多以实证为主，慢性期多以虚证为主，所以急性发作期的放血量较慢性期相对要多，留罐时间要长。

（2）慢性期的腰间盘突出症在放血治疗时，宜采用补法为主，缓进慢出，放血量宜少，并选用补益先天后天的肾俞、脾俞穴。

（十）腰肌劳损

1. 穴位及部位：腰部压痛点、腰阳关、腰部夹脊、腰痛穴、肾俞、脾俞、委中等。

2. 放血器具：三棱针、粗毫针。

3. 操作方法：针刺前，在腰部压痛点、腰阳关、腰部夹脊、腰痛穴、肾俞、脾俞、委中穴等上下用左手拇食指向针刺处推按，穴位或部位常规消毒，右手持三棱针或粗毫针进行点刺放血，缓进慢出，挤出 3 ~ 5 滴血；重者，在腰部压痛点、腰阳关、腰部夹脊、腰痛穴处加用拔罐，留罐 10 分钟左右。一日 1 次，10 日一个疗程。

4. 注意事项

（1）操作时，要注意腰筋膜和腰后部肌群的整体治疗。

（2）手法宜轻柔、缓慢。

（3）放血量宜少。

（十一）第三腰椎横突综合征

1. 穴位及部位：第三腰椎横突压痛点处。

2. 放血器具：粗毫针、皮肤针。

3. 操作方法：针刺前，在第三腰椎横突压痛点处上下用左手拇、食指向针刺处推按，穴位常规消毒，右手持三棱针或粗毫针垂直刺入约 1cm 左右，剥离横突压痛点处的结节，挤出 6 ~ 8 滴血，然后，加拔火罐，留罐 15 分钟左右。隔日 1 次，10 日一个疗程。

4. 注意事项：操作时，要充分剥离横突压痛点处的结节，使经络通畅。放血量宜多，留罐时间宜长，操作切忌粗暴。

（十二）踝关节扭伤

1. 穴位及部位：申脉、照海、踝部疼痛点或血肿处、足背血络、足趾端等。

2. 放血器具：三棱针或粗毫针、注射器。

3. 操作方法

（1）肿胀期：在踝部疼痛点或血肿处、足背血络、足趾端常规消毒，用左手拇、食指向针刺处推按，寻找充盈足背血络，并固定，右手持三棱针或粗毫针快速点刺放血，快进浅出，然后，用手把瘀血尽可能多地挤出，直到血液颜色由紫黑变为鲜红为止；如果足趾肿胀较重，应用左手由肿胀足趾的近端向远端推挤，右手持三棱针或粗毫针刺入足趾端，并摇大针孔，然后，用手进一步向远端推挤，以便瘀血流出；如果在踝部有血肿者，宜用注射器刺入血肿中，尽可能把瘀血抽净，并用无菌纱布加压包扎。一般隔日 1 次，可以连续操作 2 ~ 4 次。

（2）缓解期：先在踝部寻找疼痛点，常规消毒疼痛点、申脉、照海穴处，用手先揉按以上各处，并用左手拇、食指向针刺处推按，使血液聚集该处。然后，用左手固定脚背，右手持三棱针或粗毫针依次缓缓刺入疼痛点，快速点刺申脉、照海穴，挤出血液 3 ~ 5 滴，每日 1 次，10 次为一疗程。

4. 注意事项

（1）踝关节肿胀期应迅速缓解肿胀，有利于止痛和改善血液循环，促进组织恢复，以免形成创伤性关节炎。放血量以肿胀的程度而定。

（2）踝关节缓解期，治疗周期长，每次放血量宜少，在操作前应配合按摩，在操作3小时后可用中药熏洗。

（十三）外伤血肿

1. 穴位及部位：皮下、肌肉、关节血肿处。

2. 放血器具：三棱针、粗毫针、注射器。

3. 操作方法：部位常规外科消毒，先用注射器把瘀血尽可能抽取干净，用三棱针或粗毫针在血肿周围皮下瘀血处散刺放血，并用手由四周向针刺处推挤，以便瘀血排除干净。最后，用无菌棉球压在血肿上，用绷带加压包扎。

4. 注意事项

（1）消毒要严格，避免感染。

（2）操作时，血肿要尽可能排出干净。

（3）操作后，应加压包扎。

（十四）关节炎

1. 穴位及部位

（1）肩关节：肩髃、臂臑、曲池、肩井、肩贞、阿是穴等。

（2）肘关节：曲池、少海、尺泽、曲泽、阿是穴等。

（3）腕关节：阳池、大陵、养老、神门、阿是穴等。

（4）颈项部：风池、颈夹脊、肩井、天宗、大椎、阿是穴等。

（5）肩背部：身柱、天宗、膀胱经第一侧线、背部夹脊、阿是穴等。

（6）腰臀部：腰阳关、腰俞、大肠俞、次髎、膀胱经第二侧线、腰部夹脊、阿是穴等。

（7）膝关节：膝眼、血海、犊鼻、委中、阳陵泉、足三里、梁丘、阿是穴等。

（8）踝关节：绝骨、昆仑、然谷、照海、承山、阿是穴等。

2. 放血器具：三棱针、粗毫针、皮肤针等。

3. 操作方法

（1）肩关节：穴位常规消毒，先用梅花针在阿是穴、肩峰和肩后皮肤上进行叩刺。再在肩髃、臂臑、曲池、肩井、肩贞、阿是穴等四周用左手拇、食指向针刺处推按，并固定住所要针刺的部位，右手持三棱针或粗毫针进行点刺放血，缓进慢出，各挤出3～5滴血液。然后，在肩井、肩贞、阿是穴处加拔火罐，留罐15分钟左右，其余各穴用无菌棉球按压针孔。

（2）肘关节：穴位常规消毒，先用梅花针在阿是穴、肘后和肘外侧皮肤上进行叩刺。再在曲池、少海、尺泽、曲泽、阿是穴等四周用左手拇、食指向针刺处推按，并固定住所要针刺的部位，右手持三棱针或粗毫针进行点刺放血，快进急出，各挤出3～5滴血液。然后，在曲池、阿是穴处加拔小火罐，留罐10分钟左右，其余各穴用无菌棉球按压针孔。

（3）腕关节：穴位常规消毒，先用梅花针在阿是穴、腕关节背侧皮肤上进行叩刺。再在阳池、大陵、养老、神门、阿是穴等四周用左手拇、食指向针刺处推按，并固定住所要针刺的部位，右手持三棱针或粗毫针进行点刺放血，缓进慢出，各挤出3～5滴血液。最后，用无菌棉球按压针孔。

（4）颈项部：穴位常规消毒，先用梅花针在颈夹脊处由上到下进行叩刺。在风池、肩井、天宗、大椎、阿是穴等四周用左手拇、食指向针刺处推按，并固定住所要针刺的部位，右手持三棱针或粗毫针进行点刺放血，缓进慢出，各挤出5～8滴血。然后，在肩井、大椎、阿是穴等处加拔火罐，留罐15分钟左右，其余各穴用无菌棉球按压针孔。

（5）肩背部：穴位常规消毒，先用梅花针在背部夹脊、膀胱经第一侧线上由上到下进行叩刺。接着，在身柱、天宗、膀胱经第一侧线上的2～4个穴位、阿是穴等四周用左手拇、食指向针刺处推按，并固定住所要针刺的部位，右手持三棱针或粗毫针进行点刺放血，缓进慢出，各挤出5～8滴血液。然后，在身柱、膀胱经第一侧线上的2～4个穴位、阿是穴处加拔火罐，留罐15分钟左右，其余各穴用无菌棉球按压针孔。

（6）腰臀部：穴位常规消毒，先用梅花针在膀胱经第二侧线、腰部夹脊处由上到下进行叩刺。接着，在腰阳关、腰俞、大肠俞、次髎、阿是穴等四周用左手拇、食指向针刺处推按，并固定住所要针刺的部位，右手持三棱针或粗毫针进行点刺放血，缓进慢出，各挤出5～8滴血液。然后，在腰阳关、大肠俞、阿是穴处加拔火罐，留罐15分钟左右，其余各穴用无菌棉球按压针孔。

（7）膝关节：穴位常规消毒，先用梅花针在膝关节两侧由上到下进行叩刺，在股四头肌止点、阿是穴周围用三棱针或粗毫针进行散刺。接着，在膝眼、血海、犊鼻、委中、阳陵泉、足三里、梁丘等四周用左手拇、食指向针刺处推按，并固定住所要针刺的部位，右手持三棱针或粗毫针进行点刺放血，缓进慢出，各挤出5～8滴血液。然后，在血海、足三里、梁丘、阿是穴处加拔火罐，留罐15分钟左右，其余各穴用无菌棉球按压针孔。

（8）踝关节：穴位常规消毒，先用梅花针在阿是穴处进行叩刺。接着，在绝骨、昆仑、然谷、照海、承山、阿是穴等四周用左手拇、食指向针刺处推按，并固定住所要针刺的部位，右手持三棱针或粗毫针进行点刺放血，在承山上缓进慢出，其余各穴宜缓进浅出，各挤出 5 ~ 8 滴血液。最后，在承山、阿是穴处加拔火罐，留罐 10 分钟左右，其余各穴用无菌棉球按压针孔。

4. 注意事项

（1）注意操作前后要严格消毒，避免感染。

（2）肌肉丰厚的部位宜缓进慢出，肌肉较薄弱的部位宜或快进急出，以免过度损伤皮下组织和血管。

（3）较大的关节放血量宜多，一般为 5 ~ 8 滴；较小的关节放血量宜少，一般为 3 ~ 5 滴。

（4）穴位较多时，每次可选用 4 ~ 6 个穴。

（5）一般治疗时间较长，隔日 1 次，10 次为一疗程。

（6）注意急性期放血量宜多，缓解期放血量宜少。

（7）身体状况较差或关节炎后期气血匮乏较重者，不适宜放血治疗。

（8）注意配合其他方法进行治疗，并嘱患者进行功能锻炼。

三、内科疾病

（一）感冒

1. 穴位及部位： 大椎、太阳、十宣、风池、曲池、八风、八邪、肩井、曲泽、背部膀胱经等。

2. 放血器具： 三棱针、粗毫针、皮肤针。

3. 操作方法： 穴位常规消毒，先用梅花针沿背部膀胱经由上到下进行叩刺。接着，用三棱针或粗毫针散刺大椎、肩井穴 3 ~ 5 下。然后，在太阳、十宣、风池、曲池、八风、八邪、曲泽等穴上下用左手拇、食指向针刺处推按，并捏紧所要放血的穴位，右手持三棱针或粗毫针进行点刺放血，快进急出，挤出 2 ~ 3 滴血。最后，在大椎、肩井穴上加拔火罐 15 分钟，其他各穴用无菌棉球按压针孔。

头痛加百会、印堂、攒竹穴处点刺放血；咳嗽加列缺、肺俞穴处点刺放血；发热重者加十二井穴处点刺放血，或用注射器在四弯穴处静脉抽取血液 1 ~ 2ml；鼻塞流涕加迎香穴处点刺放血；胸闷欲吐者加内关、天突穴处点刺放血。

4. 注意事项

（1）放血疗法适宜治疗风热型感冒和流行性感冒，对风寒感冒发热者也适用。

（2）治疗时，以大椎、肩井、背部膀胱经为主穴，其他各穴可以一次选用2~4穴。

（3）在大椎、肩井穴上加拔火罐的时间稍长，出血量宜多，一般每日1次，连续治疗2~4次。

（4）治疗期间注意避风寒。

（二）头痛

1．穴位及部位

（1）风湿头痛：太阳、百会、率谷、风池、头维、通天、合谷、三阳络等。

（2）肝阳头痛：太冲、太溪、悬颅、颔厌、鱼腰、太阳、百会等。

（3）痰浊头痛：百会、印堂、丰隆、中脘、脾俞等。

（4）血虚头痛：血海、足三里、三阴交、脾俞、肝俞等。

（5）瘀血头痛：太阳、攒竹、百会、合谷、三阴交、阿是穴等。

2．放血器具：三棱针、粗毫针。

3．操作方法：上述五种头痛都采用点刺放血法进行治疗。分别选用每一种头痛所列穴位中的2~4个穴，常规消毒，针刺前，在所选穴位的上下用左手拇、食指向针刺处推按，并捏紧所要放血的穴位，右手持三棱针或粗毫针进行点刺放血，快进快出，挤出2~5滴血，最后用无菌棉球按压针孔。

4．注意事项

（1）面部点刺放血进针宜浅，以免留下疤痕。

（2）实证放血量宜多，虚证放血量宜少。

（3）要根据不同的兼症而灵活加减变化。

（4）注意心理因素的影响和生活饮食的调养。

（三）失眠

1．穴位及部位：颈部夹脊穴、膀胱经第一、二侧线、安眠穴等。

（1）心脾两虚：脾俞、心俞、神门、百会、三阴交等。

（2）阴虚火旺：神门、太冲、太溪、大陵、肾俞、肝俞、心俞等。

（3）肝火上扰：太冲、足窍阴、神门、行间、肝俞等。

（4）胃腑不和：中脘、丰隆、脾俞、胃俞、足三里等。

2．放血器具：三棱针或粗毫针、梅花针。

3．操作方法：上叙四型失眠证均可采用点刺放血法进行治疗。在颈部夹脊穴、膀胱经第一、二侧线上用梅花针由上到下进行叩刺，在安眠穴处进行点刺放血。再根据不同的分型，选择不同的穴位加减分别进行点刺放血，每次选用2~

4个穴，挤出2~5滴血，最后用无菌棉球按压针孔。

4．注意事项

（1）以上四型都以颈部夹脊穴、膀胱第一、二侧线、安眠穴为主穴。

（2）叩刺时，以局部皮肤潮红或微微出血为度。

（3）实证放血量宜多，虚证放血量宜少。

（4）要根据不同的兼症而灵活加减变化。

（5）注意生活要有规律性。

（6）少食辛辣刺激性食物。

（四）眩晕

1．穴位及部位

（1）虚证：百会、风池、肾俞、膈俞、足三里、印堂、太阳、脾俞等。

（2）实证：太冲、印堂、行间、太阳、百会、肝俞、肾俞等。

2．放血器具：三棱针或粗毫针。

3．操作方法

（1）虚证：穴位常规消毒，每次治疗时选用2~4个穴，用三棱针或粗毫针进行点刺放血，挤出血液2~3滴，然后用无菌棉球按压针孔。

（2）实证：穴位常规消毒，以太冲、印堂为主穴，每次治疗时选用2~3个穴，进行点刺放血，挤出血3~5滴，然后，用无菌棉球按压针孔。

4．注意事项

（1）治疗时要分清虚实，采取不同的治疗方法。

（2）实证操作时应缓进慢出，并摇大针孔，放血宜量多；虚证操作时应快进快出，放血量宜少。

（五）高血压

1．穴位及部位：血压点、耳尖、百会、太阳、肝俞、桥弓、膀胱经第一侧线、骶部等。

2．放血器具：三棱针或粗毫针、皮肤针。

3．操作方法：穴位常规消毒，先用梅花针在颈部、桥弓、背部膀胱经第一侧线上以及骶部由上到下进行叩刺，以局部皮肤潮红或微微出血为度。再用三棱针或粗毫针点刺耳尖和血压点，使之出血5~8滴。然后，分别点刺百会、太阳、肝俞各穴，使之出血3~5滴。最后，用无菌棉球按压针孔。

4．注意事项

（1）治疗时，以耳尖和血压点为主穴，放血量宜多。

（2）在桥弓穴叩刺时，力量不要太大，刺入不宜太深。

（3）治疗时除选用主穴外，其他各穴可以灵活交替选用。

（4）一般每日1次，10次为一疗程。

（5）适当配合降血压药物进行治疗。

（六）腹痛

1．穴位及部位：中脘、足三里、内关、天枢、脾俞、胃俞、合谷等。

2．放血器具：三棱针或粗毫针。

3．操作方法：穴位常规消毒，用三棱针或粗毫针点刺中脘、足三里、内关、天枢、脾俞、胃俞、合谷等穴中的4～6穴，使之出血3～5滴。可在脾俞、胃俞加拔火罐10分钟。

4．注意事项

（1）对于急腹症的治疗，如果不缓解者，应立即采取别的方法治疗，以免耽误病情。

（2）放血治疗腹痛以因实证引起的为宜，虚证宜慎用。

（七）便秘

1．穴位及部位：大肠俞、小肠俞、腰阳关、腹结、次髎、足三里、上巨虚等。

2．放血器具：三棱针或粗毫针。

3．操作方法：穴位常规消毒，用三棱针或粗毫针在大肠俞、小肠俞、腹结、次髎、足三里、上巨虚等穴上点刺放血，快进急出，使之出血3～5滴。可在大肠俞、腰阳关处加拔火罐10分钟。

4．注意事项

（1）分清虚实。实证放血量相对较多，虚证放血量相对较少，且常配合其他补益方法。

（2）大肠俞和腰阳关是治疗便秘的主穴，在治疗时，可选用2～3其他穴位配伍应用。

（3）平时要注意养成良好的饮食习惯。

（八）哮喘

1．穴位及部位：定喘、肺俞、丰隆、风门、鱼际、大椎、尺泽、膻中等。

（1）寒饮伏肺宜选用肺俞、尺泽、风门等。

（2）痰热蕴肺宜选用丰隆、大椎、膻中、鱼际等。

（3）虚证宜选用定喘、肺俞等。

2．放血器具：三棱针或粗毫针。

3．操作方法：穴位常规消毒，先用三棱针或粗毫针在定喘、肺俞、丰隆、风门、鱼际、大椎、尺泽、膻中等穴中的2～4个穴位处点刺放血，使之出血3～5滴。

4．注意事项

（1）操作时，根据疾病的虚实和分型，分别选用不同的穴位进行放血治疗。

（2）注意身体锻炼，预防感冒。

（3）应避开容易引起哮喘的诱发源。

四、儿科疾病

（一）疳积

1．穴位及部位：四缝、百虫窝、中脘、足三里、脾俞、胃俞、华佗夹脊（7～17椎）。

2．放血器具：三棱针或粗毫针、皮肤针。

3．操作方法：穴位常规消毒，先用梅花针在华佗夹脊（7～17椎）上轻轻叩刺，以四缝、百虫窝为主穴，选取中脘、足三里、脾俞、胃俞中的1～2个穴为配穴，用三棱针或粗毫针在上述诸穴上点刺放血，使之出少量血液。然后，可以在脾俞、胃俞上加拔火罐10分钟。隔日1次，10次为一疗程。

4．注意事项

（1）梅花针叩刺的力量宜轻；点刺放血时，进针要快进快出。

（2）放出的血液量宜少。

（3）注意患儿的饮食习惯和饮食卫生。

（二）麻疹

1．穴位及部位：曲池、少商、鱼际、十宣、委中、背部膀胱经等。

2．放血器具：三棱针或粗毫针、皮肤针。

3．操作方法：穴位常规消毒，先用梅花针在背部膀胱经上轻轻叩刺，再用凉水拍打委中穴，使血络暴露，用三棱针或粗毫针在血络点刺，以血的颜色转为鲜红为度。最后在对曲池、少商、鱼际、十宣中的1～2个穴位处用三棱针或粗毫针点刺放血，使之出血3～5滴。

4．注意事项

（1）急性期以泄热为主；发疹期和恢复期则宜在肝经上进行放血治疗。

（2）治疗时放血手法宜轻柔。

（三）泄泻

1. 穴位及部位：七节骨、长强、足三里、脾俞、天枢等。

2. 放血器具：三棱针或粗毫针、皮肤针。

3. 操作方法：穴位常规消毒，先用梅花针在七节骨穴由下到上轻轻叩刺，然后，在长强、足三里、脾俞、天枢等穴上用三棱针或粗毫针点刺放血，使之出血3~5滴。

4. 注意事项

（1）在七节骨穴叩刺时，手法宜轻，方向由下到上。

（2）点刺放血时，手法宜轻柔。

（3）治疗时，要根据泄泻的虚实而灵活加减变化。

（4）平时要注意饮食调养。

（四）小儿急惊风

1. 穴位及部位：人中、十二井穴、涌泉、大椎、十宣、印堂、神门等。

2. 放血器具：三棱针或粗毫针。

3. 操作方法：穴位常规消毒，用三棱针或粗毫针在人中、十二井穴、涌泉、大椎、十宣、印堂、神门穴中的2~4个穴处点刺放血，使之出血3~5滴。

4. 注意事项：根据病情的轻重放血量可有所不同，以症状缓解为度。

（五）流行性腮腺炎

1. 穴位及部位：耳尖、少商、曲池、翳风、关冲、合谷、颊车、大椎、十二井穴等。

2. 放血器具：三棱针或粗毫针。

3. 操作方法

（1）轻证：穴位常规消毒，用三棱针或粗毫针在耳尖、翳风、合谷、颊车穴上点刺放血，使之出血3~5滴。

（2）重证：穴位常规消毒，用三棱针或粗毫针在耳尖、少商、曲池、关冲、大椎、十二井穴处上点刺放血，使之出血5~8滴。

4. 注意事项

（1）轻证放血量较少，重证放血量较多。

（2）一般隔日治疗1次，10次为一疗程。

五、五官科疾病

（一）牙痛

1. 穴位及部位： 合谷、胃俞、下关、颊车等。

2. 放血器具： 三棱针或粗毫针。

3. 操作方法： 穴位常规消毒，先用三棱针或粗毫针在合谷、胃俞、下关、颊车等穴处点刺放血，使之出血3~5滴。然后，在胃俞穴上加拔火罐10分钟。

4. 注意事项

（1）放血疗法适宜治疗胃火和风火引起的牙痛。

（2）虚火牙痛放血量少，且不适宜拔罐。

（二）咽喉肿痛

1. 穴位及部位： 大椎、耳尖、少商、尺泽、风池、内庭、太溪、照海等。

2. 放血器具： 三棱针或粗毫针。

3. 操作方法： 穴位常规消毒，实证选用大椎、耳尖、少商、尺泽、风池，虚证选用耳尖、少商、内庭、太溪、照海，先用三棱针或粗毫针在上述诸穴上点刺放血，使之出血3~5滴，然后，在大椎穴上加拔火罐10分钟。

4. 注意事项

（1）虚证放血量宜少，刺入宜浅。

（2）伴有便秘者，宜加上巨虚穴。

（三）中耳炎

1. 穴位及部位： 翳风、听宫、风池、足临泣、合谷、外关、足三里、阴陵泉等。

2. 放血器具： 三棱针或粗毫针。

3. 操作方法： 穴位常规消毒，实证选用翳风、听宫、风池、足临泣、合谷、外关，虚证选用翳风、听宫、足三里、阴陵泉，用三棱针或粗毫针在上述诸穴上点刺放血，使之出血3~5滴。

4. 注意事项

（1）虚证治疗周期较长，放血量宜少。

（2）注意忌食辛辣和刺激性食物。

（四）鼻炎

1．穴位及部位：迎香、风门、鼻通、印堂等。

2．放血器具：三棱针或粗毫针。

3．操作方法：穴位常规消毒，用三棱针或粗毫针在迎香、风门、鼻通、印堂等穴上点刺放血，快进快出，挤出血液2～3滴。隔日1次，10次为一疗程。

4．注意事项

（1）刺入要浅，速度要快。

（2）治疗周期较长，放血量宜少。

（3）注意避免引起鼻炎发作的刺激源，同时要预防感冒。

（五）结膜炎

1．穴位及部位：太冲、少泽、太阳、攒竹、印堂、耳尖、耳背小动脉等。

2．放血器具：三棱针或粗毫针。

3．操作方法：穴位常规消毒，用三棱针或粗毫针在太冲、少泽、太阳、攒竹、印堂、耳尖、耳背小动脉上点刺放血，快进快出，挤出血液2～3滴。

4．注意事项

（1）治疗期间注意配合应用眼部的外用药。

（2）注意眼部卫生。

六、皮肤科疾病及外科感染性疾病

（一）带状疱疹

1．穴位及部位：病变局部及其神经走行方向。

2．放血器具：三棱针或粗毫针、梅花针。

3．操作方法：病变局部常规消毒，先用三棱针或粗毫针刺破病变部位所起的水疱，将其中的液体放出。再用梅花针在病变局部及其神经走行方向实施叩刺，使其微微出血。然后，在病变部位上加拔火罐，留罐15分钟，隔日1次，直至康复。

4．注意事项

（1）病变部位疼痛，疱疹未起者，可以直接用三棱针散刺该部位，然后加拔火罐15分钟。

（2）疱疹初起者，可直接用梅花针叩刺局部，然后加拔火罐，留罐15

分钟。

(3) 配合应用抗病毒药物和抗生素。

(二) 神经性皮炎

1. 穴位及部位：血海、曲池、委中、大椎、曲泽及病变部位和神经走行部位。

2. 放血器具：三棱针或粗毫针、皮肤针。

3. 操作方法：部位及穴位常规消毒，先用梅花针叩刺神经性皮炎的发病部位及神经走行方向，使其微微出血。接着用三棱针或粗毫针点刺血海、曲池、委中、大椎、曲泽，使之出血3～5滴，然后在血海、大椎上加拔火罐。

4. 注意事项

(1) 叩刺时一定要沿着神经的走行方向。

(2) 拔火罐法适用于实证，虚证一般不用。

(三) 荨麻疹

1. 穴位及部位：风池、风府、大椎、血海、曲池、后溪、膈俞、肺俞、三阴交、曲泽、风门等。

2. 放血器具：三棱针或粗毫针。

3. 操作方法：局部常规消毒，以大椎、血海为主穴，选其余穴中的1～2个穴为配穴，用三棱针或粗毫针在上述选定穴位上进行点刺放血，挤出血液5～8滴，然后在大椎、血海、膈俞、肺俞上加拔火罐15分钟。

4. 注意事项

(1) 大椎、血海放血量宜多，拔罐时间宜长。

(2) 一般隔日1次，10次为一疗程。

(3) 忌食辛辣刺激性食物。

(4) 避风寒，应尽可能少接触凉水。

(四) 痈肿

1. 穴位及部位：病变部位、四弯穴、大椎。

2. 放血器具：三棱针或粗毫针、刀具。

3. 操作方法

(1) 穴位常规消毒，先用三棱针或粗毫针点刺大椎及四弯穴，放血3～5滴，然后加拔火罐，留罐15分钟。

(2) 痈肿部位外科常规消毒，脓未成者，用三棱针或粗毫针在肿胀部位的四周向中心用散刺法进行放血，挤出血液 1～2ml；脓已成者，用刀具切开病变部位，使脓液和瘀血尽量排出，然后安放引流条，用无菌纱布加压包扎，隔日换药一次，直至愈合。

4．注意事项

（1）要分清是否有脓液形成而采取不同治疗方法。

（2）散刺或切开引流时，要注意无菌操作。

（3）切开引流时切口不宜缝合。

七、妇科疾病

（一）痛经

1．穴位及部位：血海、三阴交、太冲、委中、关元、气海、腰俞等。

2．放血器具：三棱针或粗毫针。

3．操作方法：穴位常规消毒，用三棱针或粗毫针在血海、三阴交、太冲、委中、关元、气海、腰俞等穴点刺放血，使之出血 3～5 滴，并在血海、三阴交、腰俞上加拔火罐，留罐 10 分钟左右。

4．注意事项

（1）本法适用于实证引起的痛经。

（2）妇女本为亏血之体，放血量宜少，拔罐时间宜短。

（二）闭经

1．穴位及部位：合谷、肝俞、肾俞、膈俞、脾俞、关元、血海、太冲、小肠俞等。

2．放血器具：三棱针或粗毫针。

3．操作方法：穴位常规消毒，用三棱针或粗毫针在合谷、肝俞、肾俞、脾俞、关元、血海、太冲、小肠俞等穴点刺放血，使之每穴出血 3～5 滴。

4．注意事项

（1）由气血不足引起的闭经不宜用本法。

（2）除舒经活血治疗之外，还应选择补益先天后天的肾俞、脾俞等穴位。

（三）更年期综合征

1．穴位及部位：太冲、太溪、百会、风池、三阴交、丰隆、心俞、肝俞、脾俞、肾俞等。

2．放血器具：三棱针或粗毫针。

3. 操作方法：穴位常规消毒，肝阳上亢宜选用太冲、太溪、百会、风池，用三棱针点刺放血3～5滴；心血亏损宜选用心俞、脾俞、肝俞、三阴交、肾俞，用三棱针点刺放血2～3滴；痰气郁结宜选用三阴交、丰隆、肝俞、脾俞，用三棱针点刺放血3～5滴。

4. 注意事项

（1）治疗时要辨证施治，分清虚实。

（2）实证放血量宜多，虚证放血量宜少。

（四）乳腺炎

1. 穴位及部位：肝俞、膈俞、胆俞、太冲、丰隆、大椎、四弯穴及病变部位等。

2. 放血器具：三棱针或粗毫针。

3. 操作方法：部位及穴位常规消毒，先用三棱针或粗毫针在病变部位进行散刺放血，使其出血少许。次用三棱针或粗毫针在肝俞、膈俞、胆俞、太冲、丰隆、大椎、四弯穴等中的3～4穴上进行点刺放血，每穴挤出血液5～8滴。最后，在大椎、肝俞、膈俞穴上加拔火罐，留罐15分钟左右。

4. 注意事项

（1）乳腺炎发病初期，放血量宜大，中后期放血量宜小。

（2）乳腺炎后期成脓者不宜用散刺放血，而应切开引流。

第八章 拔罐疗法

拔罐疗法是指用加热、抽气等方法使杯、筒、罐等器具内气压低于普通大气压，使其吸附于体表疼痛部位或穴位以治疗疾病的方法。由于拔罐可以改变皮肤温度，形成局部充血或瘀血，故又将拔罐疗法称为瘀血疗法。

拔罐疗法是我国最古老的治疗疾病的方法之一，它属于中医外治法范畴，是广大劳动人民长期同疾病作斗争中积累起来的宝贵经验总结。拔罐疗法，因为古时人们多用动物之角作为治疗工具，故又称为角法。据考古研究发现，人们在先秦时期就已经使用角法治疗疾病。湖南马王堆汉墓出土的《五十二病方》帛书中，就有以角法治疗痔疾的记载。晋代葛洪著的《肘后方》、唐代王焘著的《外台秘要》、清代吴谦等人著的《医宗金鉴》等医学著作中均有关于拔罐疗法治疗疾病的记载。随着现代人类社会文明的不断发展，科学技术的日新月异，拔罐疗法也有了新的发展变化。在拔罐的制作材料方面，大有改进，从原始的兽角，发展成竹罐、陶罐、瓷罐、玻璃罐、煮药罐、药水罐、抽气罐等多种罐具；在拔罐疗法的操作上，由简而繁，呈现多样化的趋势，如坐罐、走罐、闪罐、刺络拔罐、针罐等，由过去只是吸拉局部不移动，发展为配合中医辨证、选穴配方、循经行走，闪、摇、提、熨等十余种操作方法；拔罐疗法的治病范围，也日益广泛，应用在内、外、妇、儿、五官、皮肤等多科疾病的治疗。拔罐疗法，以其操作简便、疗效确切、治病广泛、安全经济的特点在民间享有很高的信誉，值得大力推广和应用。

第一节 拔罐疗法的基本原理

一、中医学原理

1. 温经散寒，活血通络： 人体的经络系统内属于脏腑，外络于肢节，纵横交错，遍布全身，将人体内外、脏腑、肢节联络成为一个有机的整体，具有运行气血、沟通机体表里上下和调节脏腑组织活动的作用。若人体经络系统气血功能失调，经络闭阻不通，气血循环障碍，就会产生各种病变。拔罐疗法借助于罐内负压的吸引力，作用于人体的经络和穴位处，引起局部皮肤充血或瘀血，在脏腑经络气血凝滞或经脉空虚时，可起到疏通经络，行气活血的作用，鼓动经脉气血，濡养脏腑组织器官，温煦皮毛；同时使衰弱的脏腑机能得以振奋，鼓舞正气，加强驱除病邪之力，从而使经络气血恢复正常，疾病得以祛除。

2. **平衡阴阳，扶正祛邪：**人的生命活动，有赖于自身阴阳对立统一的协调关系，阴阳始终在不断地相互对立、依存、消长、转化。只有这样，才能保持人体各组织器官、脏腑的正常生理功能。如果因某种原因使阴阳的平衡遭到破坏，出现阴阳偏盛或偏衰，就会导致疾病的发生。拔罐疗法平衡阴阳、扶正祛邪作用的产生，一方面是通过经络腧穴的配伍作用来实现，另一方面是通过吸拔作用，拔出体内的各种邪气，使邪去正安，阴阳平衡。如拔关元穴可以温阳祛寒；拔大椎穴可以清泄阳热；脾胃虚寒引起的泄泻，可取天枢、足三里、脾俞、胃俞等穴；肝阳上亢引起的头痛、高血压等病可取大椎、肝俞穴，用三棱针刺血后加拔火罐。又如由风、寒、湿邪引起的痹证，可在疼痛部位或压痛点进行刺络拔罐，拔除病邪，则气血得以正常濡润而疾病自愈；荨麻疹多是由于患者营血虚弱，卫外失固，腠理空虚，风邪乘虚侵袭肌肤而引起，治疗时可在病变局部进行刺血拔罐，以祛除风邪。

二、现代医学原理

1. **物理学原理：**拔罐疗法的作用原理在物理学方面主要有压力刺激和温热作用。在压力刺激方面，拔罐疗法的吸拔力主要是在罐内形成负压，这种负压作用的刺激，可使局部组织高度充血，加强局部组织的气体交换，局部毛细血管破裂，血液溢入组织间隙，从而产生瘀血，出现自身溶血现象，红细胞受到破坏，大量的血红蛋白释放出来，从而起到一种良性的刺激作用。在温热作用方面，拔罐疗法的罐口可以阻碍外周的血液进入罐口内部，当起罐后，聚集在罐口周围的血液涌入罐口内相对充盈不满的血管中，这种不典型的贫血后充血，可以使局部皮肤温度持续升高，增加了局部的血液循环，加速体内废物、毒素的排泄，改变局部组织的营养状态，改善血管壁通透性，提高白细胞及网状细胞的吞噬活力，增强局部组织的耐受性，并通过反射机制调整全身的状况，从而达到祛病健身的目的。

2. **生物学原理：**拔罐疗法的作用原理在生物学方面，主要表现在改善皮肤生理功能、促进微循环、提高免疫力、缓解疼痛、减轻局部炎症反应等方面。在改善皮肤生理功能方面，拔罐疗法可以使皮肤二氧化碳呼出量明显增加，局部皮脂分泌及皮下酸性产物渗出增多，汗腺中溶菌物质增多，从而使皮肤酸度增加，增强皮肤抗感染的能力。在促进微循环方面，拔罐疗法所产生的充血、瘀血可以使毛细血管扩张，血液循环加快，改善血管壁通透性和舒缩功能，调节器官组织的血液供应，改变全身代谢状况。在提高免疫力方面，拔罐疗法的负压作用，使局部毛细血管破裂，引起自体溶血现象，释放出组胺、5-羟色胺及多种神经介质，提高白细胞吞噬指数和血清补体的效价，激活多种免疫反应途径，增强机体抗病能力。在缓解疼痛方面，拔罐疗法通过负压对皮肤的挤压、牵拉，直接改善了局部组织的新陈代谢，减少或消除了诸多致痛物质，如 K^+、Na^+、组胺、5-羟色胺、前列腺素等对神经末梢的刺激，缓解局部痉挛，提高机体痛阈，进而缓解疼痛。在修复损伤方面，拔罐疗法可以加强局部血液循环，伸展肌肉，松解粘连，调整组织结构和功能，进而修复损伤。

第二节　拔罐疗法常用的器具与操作规程

一、拔罐疗法常用的器具

（一）传统拔罐器具

1. **竹罐：** 用坚韧成熟的青竹，截成长 6～9cm 的竹管，一端留节为底，一端为罐口，口径为 3～5cm 不等。用刀刮去青皮及内膜，管壁厚 0.6～1cm，用砂纸磨光，罐口周围必须平整光滑。竹罐两端稍小，中间稍大，状如腰鼓。竹罐的特点是取材容易，制作简便，吸拔力强，能耐高温，不易破碎，可用于身体多个部位，适宜多种拔罐方法，尤其适用于水煮罐法。但竹罐易爆裂漏气，罐身不透明，难以观察罐内皮肤反应，不宜用作刺血拔罐。为防止竹罐破裂透气，应避免风吹日晒，过于干燥，常用温水浸泡。

2. **陶罐：** 用陶土烧制而成，罐的两端较小，中间略向外展，状如水缸，口径大小不一。陶罐的特点是吸拔力大，易于消毒，适用于全身多个部位。但陶罐罐身不透明，难于观察治疗过程中罐内的变化。且陶罐较重，易于破碎。

3. **玻璃罐：** 用耐热质硬的透明玻璃制成。玻璃罐状如球形，下端开口，口小肚大，罐口边缘稍厚，略向外翻，内外光滑。玻璃罐的特点是罐口光滑，吸拔力大，易于清洗消毒，质地透明，使用时可以随时观察罐内皮肤的瘀血程度，便于掌握情况，适用于身体各个部位。但玻璃罐传热较快，容易破碎。

4. **金属罐：** 用铜或铁等金属材料制成，状如竹罐，口径大小不一。金属罐的特点是吸拔力大，不易破碎，比较耐用。但金属罐由于密度较大，吸拔相对不稳，难于留罐。且金属罐传热太快，容易烫伤皮肤。目前临床上已经较少使用。

（二）新型拔罐器具

1. 挤压罐：又名塑胶罐。用高弹性塑胶制成，状如双层叠塔。塑胶罐是靠手指挤压排气而产生吸拔力的罐具。操作时将罐口扣在吸拔部位后并压紧，挤压罐身后，塑胶罐靠本身弹力恢复原样，罐内形成负压而拔罐。塑胶罐的特点是携带方便，操作简单，无需点火。但塑胶罐无温热感，不能高温消毒，罐身不透明，吸拔力相对较小，罐口边缘较薄，吸拔时容易产生疼痛感，且材质容易老化。塑胶罐仅仅适宜拔固定罐，不宜施其他罐法。

2. 抽气罐：用带有锌皮橡胶封口玻璃瓶制成，如青、链霉素的药物空瓶等。保留瓶口带锌皮保护的橡皮塞，去掉瓶底，将边缘打磨光滑圆平即成。操作时将罐口扣在吸拔部位后压紧，用注射器针头经橡皮塞刺入罐内，抽空罐内空气产生负压而拔罐。

3. 多功能罐：即配置有其他治疗作用的新型罐具。如在罐内配置磁铁的磁疗罐、罐内配置刺血器具的刺血罐、罐内配置艾灸器具的灸罐、罐内配置电热元件的电热罐等，均具有拔罐和相应疗法的双重治疗作用。

二、拔罐疗法操作规程

（一）术前准备

1. 选择宽敞明亮、空气流通、室温适宜的房间作为治疗室，注意患者保暖，防止发生晕罐。

2. 仔细检查患者病情，确定临床诊断和施术方法。根据临床诊断确定拔罐的穴位与部位，帮助患者采取合适的体位，充分暴露施术穴位或部位；根据施术方法选择适当的拔罐器具与相关器材。如应用火罐法则需准备燃料和点火工具，应用针罐法则需准备针具等。

3. 做好罐具等施术器材的消毒工作，同时清洁患者施术穴位或部位，有汗液的应擦干，有粗长毛发的部位，应剃刮干净，防止发生感染和漏气。

（二）施术方法

拔罐疗法吸拔力的产生主要是通过各种方法排出或抽出罐内的空气，从而使罐内出现负压所致。根据不同罐具吸拔力产生方法的不同，拔罐疗法一般分为火罐法、水罐法和抽气法三种。

1．火罐法：火罐法是指施术时利用燃烧时火焰的热力，排去空气，使罐内形成负压，将罐吸附于皮肤表面。具体操作方法有以下几种：

（1）投火法：将酒精棉球或小纸片点燃后，投入罐内，趁火旺时迅速将罐扣于应拔的穴位或部位上。操作时应注意将有未燃物的一端向下，避免烫伤皮肤。此法一般多用于患者身体侧面横向拔罐，火罐纵轴与患者体表垂直。此法操作简单方便，一般应用于单罐、留罐、排罐等。

（2）闪火法：用镊子夹着点燃的酒精棉球、小纸片或其他可燃物，或将蘸有少许酒精的纱布缠绕于粗铁丝上点燃，一手握罐，将燃烧物伸入罐内一闪即出，迅速将罐扣于应拔的穴位或部位上。操作时应注意棉球或纱布少蘸酒精，且不能沾于罐口，以免烫伤皮肤。此法适用于全身各部位，可用于留罐、闪罐、走罐等。

（3）贴棉法：剪1cm×1cm脱脂棉一块，不要过厚，蘸上适量酒精后，贴在罐内侧壁，点燃后迅速扣于应拔穴位或部位上。操作时注意脱脂棉不宜蘸太多酒精，以免酒精在燃烧时滴下，烫伤皮肤。此法一般多用于患者身体侧面横向拔罐，火罐纵轴与患者体表垂直。

（4）架火法：将胶木瓶塞或小薄面饼、中药饮片等不易燃烧及传热的块状物，放在应拔的部位上，上置小块酒精棉球，点燃后迅速将火罐扣于应拔的穴位或部位上。此法安全简便，不易烫伤皮肤，适用于肌肉丰厚而平坦的部位，可用于留罐、排罐等。

2．水罐法：水罐法是指施术时利用水的热力排出罐内空气，使罐内形成负压，将罐吸附于皮肤表面。具体操作方法有以下几种：

（1）水煮法：将竹罐放入水中或药液中煮沸2~3分钟，然后用镊子将竹罐倒置夹起，甩去水液或立即用干毛巾捂住罐口，以吸去罐内的水液，降低罐口温度，趁热迅速将竹罐扣于应拔穴位或部位上，轻按半分钟左右，使之吸牢。但操作应适时，出水后拔罐过快易烫伤皮肤，过慢又易导致吸拔力不足。此法温热作用强，且可以罐药结合，适用于全身各个部位，可用于留罐、排罐等。

（2）蒸汽法：将水或药液在容器中煮沸，用沸水的蒸汽对准罐口，使罐内充满蒸汽后（2~3秒钟即可），迅速扣于应拔的穴位或部位上，轻按半分钟左右，使之吸牢。此法适用于全身各个部位，可用于留罐、排罐等。

3．抽气法：抽气法是指施术时利用注射器或其他抽气装置抽走罐内空气，使罐内形成负压，将罐吸附于皮肤表面。具体的操作方法是：将带有锌皮橡胶封口的玻璃瓶，如青、链霉素的药物空瓶等，去掉瓶底，将边缘打磨光滑圆平制成罐具。将罐口扣于应拔穴位或部位后压紧，用注射器针头经橡皮塞刺入罐内，抽空罐内空气产生负压，使之吸拔于体表。此法适用于全身各个部位，可用于留罐、排罐等，但不宜进行走罐操作。塑胶罐等软质罐体的操作方法也属于抽气法范畴。

（三）常用罐法

根据患者不同的疾病性质和病变部位，临床上也采用不同的拔罐方式，以期达到不同的治疗作用。常用的拔罐方式主要有以下几种：

1. **单罐法：**单罐法是指仅使用一个罐具的操作方式。此法适用于病变部位明确、病变范围局限的病证。一般在操作时多选取穴位或固定痛点，如治疗牙痛选拔颊车穴，治疗冈上肌肌腱炎选拔肩髃穴，治疗软组织扭挫伤选拔疼痛点，疮疖脓成时，破溃或切开后选拔病变局部以吸拔排脓等。

2. **多罐法：**多罐法是指多个罐具一起使用的操作方式。此法适用于病变范围广泛、选拔穴位或部位较多的病证。一般又可分为以下两种操作方式：

（1）排罐法：即沿着经脉、神经的循行部位或肌肉的解剖位置排列施罐。如治疗坐骨神经痛，可在坐骨神经循行路线上选拔环跳、承扶、殷门、委中、承山等多个穴位；治疗某一肌束劳损时，选拔肌束解剖位置上的多个部位。排罐法多应用于气血瘀滞、神经肌肉疼痛、陈旧性软组织损伤、骨科慢性疾病等。排罐法在操作时应注意排罐间距适中。

（2）散罐法：即零散选择拔罐部位。适用于患者同时患有多种疾病，或虽患同一种疾病但选拔多个穴位或部位。如治疗肩关节周围炎，选拔肩关节周围的肩中俞、肩井、肩髃、天宗、肩前等多个穴位。

3. **留罐法：**留罐法又称坐罐法，是指在治疗部位上将罐留置一定时间，是最常用拔罐方式。留罐法一般留置10～20分钟，使局部皮肤和浅层肌肉及其他软组织被吸拔入罐内，呈现局部皮肤潮红或皮下出现紫黑色瘀血。留罐时间过长（半个小时以上），则容易出现水疱。此法适用于深部软组织损伤、颈肩腰腿痛、关节病及临床各科多种疾病。

留罐法的罐具留置时间一般随罐具大小、患者体质情况及病情而有所不同。就选取罐具大小而言，大罐者留罐时间短些，小罐者留罐时间长些；就年龄体质而言，年轻体质强壮者可留罐时间长些，年老体弱和小儿可留罐时间短些；就施术部位而言，肌肉丰厚处（腰背、臀等）可留罐时间长些，肌肉薄弱处（头面、胁肋部等）可留罐时间短些；就病情而言，病情较重，病程较长者，可留罐时间长些，病情较轻，病程较短者，可留罐时间短些。

留罐中，根据病情需要，可于皮肤垂直方向有节奏的轻提轻按罐体，或频频震颤或摇摆罐具，或缓缓于水平方向顺时针与逆时针交替转动罐体，以增强刺激，提高治疗效果。但操作时手法宜轻柔和缓，以免肌肤疼痛或罐具脱落。

4. **闪罐法**：用闪火法使罐具吸附于应拔部位，随即快速提拉火罐并使其脱落，再次吸拔，再次取下，如此反复吸拔、提拉，以局部皮肤发红发热为度。操作时要求动作迅速准确。此法兴奋作用明显，多用于治疗外感风寒病证、风湿痹痛、肌肤麻木萎缩、中风后遗症及体弱久病等。

5. **走罐法**：走罐法又称行罐法，是指在操作中采取前后或左右移动罐具的拔罐方式。本法所采用的罐具要求大口径，罐口边宽而平滑。走罐法的具体操作方法是：在施术部位或罐口边缘涂抹一些润滑剂，用闪火法将罐具吸附于应拔部位，然后以手握住罐底，稍倾斜，即以罐口后半边着力，前半边不着力，慢慢向前推动，或后半边不着力，前半边着力向后拉动，这样使罐具在皮肤上沿着肌肉、骨骼或经络循行路线来回推拉移动，至局部皮肤呈潮红、紫红或起丹痧点为止。操作时应注意罐具吸附后要立即走罐，否则吸牢后难以走罐；走罐时动作宜轻柔和缓，用力均匀、平稳。应根据患者的病情与体质情况调节罐内负压及走罐的快慢与轻重。罐内负压大小以推拉顺利为宜，若负压过大或用力过重，速度太快，易拉伤患者皮肤，产生疼痛感；若负压太小，吸拔力不足，罐具又容易脱落，影响治疗效果。本法适用于病变范围广泛、肌肉丰厚的部位，如背腰部、下肢部、腹部、肩关节等部位，多用于治疗急性热病、气血痹阻疼痛、麻木、肌肉萎缩等病证。

6. **针罐法**：针罐法是指将拔罐与针刺相结合的一种拔罐方式。常用的针罐法一般分为以下几种：

（1）留针罐法：在应拔的穴位或部位上进行针刺得气后，不需持续捻针，即可拔罐，用罐口罩住针柄，启罐后再出针。操作时应注意针柄不宜过长，以防罐底挤压针柄，造成针刺过深伤及有关组织器官。对于胸腹部、胁肋部、背部、肾区以及有较大血管、神经分布的四肢部穴位，要用浅于正常直刺深度的手法进针，以免拔罐后由于吸力作用，针尖逆式深入，造成针刺事故，如气胸等。

针罐结合，增强了对经络穴位的刺激量，常用于比较顽固的病证，如顽固性风湿痛、陈旧性筋骨损伤、坐骨神经痛、腰椎间盘突出症等。

（2）出针罐法：在应拔的穴位或部位上进行针刺得气后，再持续快速行针，出针，不按压针孔，立即在针孔处拔罐，可吸出少许血液或组织液，然后起罐。此法适用于感冒、发热、风湿痹痛、跌打损伤、瘀血肿痛等。小儿针刺不易配合留针，适宜用此法治疗。

（3）刺络罐法：在应拔穴位或部位进行常规消毒后，用三棱针、粗毫针、皮肤针、小刀片等点刺穴位、病灶、表皮显露的小血管，使之出血或出脓，或挑刺皮下血络及肌纤维数根，然后拔罐，可吸出适量的血液、组织液、脓液或腐烂组织，然后起罐。此法在操作时也可以先行拔罐，待局部出现瘀血或丹痧后，再选择瘀血或丹痧最明显的部位进行点刺，使其出血。此法适用于热证、实证、瘀血证及某些皮肤病，如各种急慢性软组织损伤、哮喘、坐骨神经痛以及神经性皮炎、皮肤瘙痒症、疮痈、丹毒等。

7．药罐法：药罐法是指将拔罐与药物外治相结合的一种拔罐方式。药罐法最常用的拔罐方式是煮药罐法。具体操作是：将配制成的药物装入布袋中，扎紧袋口，放入清水煮至适当浓度，再把罐具投入药汁内煮15分钟。取出罐具，按水罐法吸拔在应拔穴位或部位上。此法多用于全身各部的风湿痹痛、肌肤麻木等病证。此外，药罐法在操作时还有将备用的药液、药膏、药油等摊涂于应拔部位或罐具内壁而再行拔罐。

（四）起罐方法

起罐，又称启罐、脱罐，是将吸拔牢稳的罐具取下的方法。具体操作方法是：对于一般的罐具，医者一手持罐，稍用力使之向同侧倾斜，另一手的食指或拇指轻轻按压对侧罐口边缘的软组织，使空气缓慢进入罐内，罐具即可自行脱落。对于抽气罐，可用注射器或其他抽气装置将空气注入罐内，罐具即可自行脱落。操作时需注意起罐过程一定要缓慢，千万不能暴力硬拔，或者快速倾斜火罐，造成被拔部位皮肤与肌肉的损伤与疼痛。

（五）罐后反应及处理

1．罐后反应：患者在拔罐时局部可能产生多种感觉，如有牵拉、紧缩、发胀、温暖、酸楚、舒适、透凉气等感觉，均属正常。起罐后在吸拔部位上都会留下罐斑或罐印，一般为点片状紫红色瘀点或瘀块，或兼有微热痛感，这是正常的反应，1～2天后即可自行消失。但是如果患者本身或吸拔部位存在着病邪，则会在吸拔部位出现一些异常的反应，在临床上应结合患者的其他症状综合分析。如罐斑显现水疱提示湿盛或寒湿。若水气色黄为湿热；水疱呈现红色或黑色，提示久病湿盛血瘀。罐斑颜色深紫，提示瘀血为患。罐斑色深紫黑，触之疼痛，伴有身热，提示热毒瘀结。罐斑无皮色变化，触之不温，提示为虚寒证。罐斑微痒或出现皮纹，提示风邪为患。罐斑或水疱颜色浅淡，提示为虚证。针罐后，若出血颜色深红，提示有热，颜色青色，提示为寒凝血瘀等。

在拔罐过程中，也有极少数患者发生休克和晕厥现象。患者一般感到头晕眼花，心烦欲呕，面色苍白，四肢厥冷，冷汗淋漓，呼吸急促，脉搏频数而细小等现象。此时应立即将罐取下，使患者平卧床上，喝些温开水，稍事休息。严重者可针刺十宣、人中穴，即可帮助患者恢复常态。如无毫针，可用手指按压人中穴。患者恢复常态后，应继续卧床休息一段时间才能离开治疗室。

2. 罐后处理：起罐后，应用消毒棉球轻轻擦拭拔罐部位罐斑或罐印上的小水珠，若罐斑微觉痒痛，不可搔抓，数日内可自行消退。如果在拔罐部位上出现小水疱，可不做处理，任其自行吸收；对于水疱较大者，可用消毒毫针刺破水疱，放出疱中水液，涂上甲紫。若出血可用消毒棉球擦拭干净。若局部皮肤出现破损，可常规消毒，并用无菌敷料覆盖其上。如果应用拔罐疗法治疗疮痈，在起罐后可擦拭干净脓血，并常规处理疮口。

一般在处置妥当后，应让患者休息片刻再离开治疗室，并嘱咐患者隔1~2天后再做治疗，同时还要参考患者的具体病情和反应。

第三节　拔罐疗法的适应证与禁忌证

一、拔罐疗法的适应证

随着拔罐疗法的逐渐发展，罐具不断创新，吸拔方法与罐法也越来越多，加之对作用机理的深入研究，拔罐疗法的适应证，已从早期的疮疡发展到用于内、外、妇、儿等各种病证，能够治疗的常见病、多发病已达百种之多。特别是近年来，一些从未用本法治疗过的疾病如白塞病、术后腹胀等使用本法也取得了较好的效果。拔罐疗法除了用于治疗疾病外，还可用于预防保健。

1. 骨伤科病：风湿性关节炎、类风湿性关节炎、肩周炎、落枕、腱鞘炎、退行性骨关节病、骨质增生、腰背肌肉劳损、软组织扭挫伤、肌肉肌腱拉伤等。

2. 内科病：感冒、发热、中暑；急慢性支气管炎、支气管哮喘；高血压病、冠心病、心绞痛、动脉硬化；面神经麻痹、头痛、三叉神经痛、神经衰弱、中风后遗症；呕吐、便秘、胃肠痉挛、慢性阑尾炎、慢性腹泻、慢性肝炎；尿潴留、尿失禁、尿路感染等。

3. 外科病：疖、疔、痈、疽、丹毒、痔疮、脱肛、虫蛇咬伤等。

4. 妇科病：痛经、月经不调、闭经、带下、盆腔炎、功能性子宫出血、产后病、更年期综合征、乳腺炎等。

5. 儿科病：发热、厌食症、腹泻、消化不良、遗尿、百日咳、流行性腮腺炎等。

6. 皮肤病：痤疮、湿疹、荨麻疹、神经性皮炎、皮肤瘙痒症、白癜风、银屑病、带状疱疹、面部美容等。

7. 五官科病：急慢性结膜炎、青光眼、鼻炎、牙痛、口腔溃疡、慢性咽喉炎、扁桃体炎、中耳炎等。

二、拔罐疗法的禁忌证

拔罐疗法虽然适应证广泛，但是对于某些特殊情况还应谨慎处理，以免给患者带来不必要的伤害。

1. 凝血机制不好，有自发性出血倾向或损伤后出血不止的患者不宜使用拔罐疗法，如血友病、血小板减少性紫癜、白血病等。

2. 皮肤严重过敏者或皮肤患有疥癣等皮肤传染性疾病的患者不宜拔罐；恶性皮肤肿瘤患者或局部皮肤破损溃烂处、静脉曲张、体表大动脉搏动处、瘰疬、疝气处等局部不宜拔罐。

3. 精神高度紧张、精神分裂症、抽搐、神经质及不合作者不宜拔罐。

4. 妊娠期妇女的腹部、腰骶部、乳房部及前后二阴部不宜拔罐，拔其他部位时，手法也应轻柔。

5. 人体的眼、耳、口、鼻等五官部位和前后二阴部位不宜拔罐。

6. 重度心脏病、心力衰竭、呼吸衰竭的患者和急性外伤性骨折、严重水肿、活动性肺结核的患者不宜拔罐。

7. 醉酒、过饥、过饱、过渴、过劳的患者慎用火罐。

8. 皮肤局部毛发太多、太过细嫩或充满褶皱处不宜拔罐。

第四节　拔罐疗法的临床应用

一、拔罐疗法的注意事项

拔罐疗法在临床应用中，一定要根据患者的病情选择适当的罐具、吸拔部位和吸拔方法，才能保证取得确切的疗效。

（一）选择正确的吸拔部位或穴位

对于吸拔部位或穴位的选择，一般以肌肉丰满、皮下组织丰富、毛发稀少的部位为宜。如有皱纹、松弛、凹凸不平、体位移动等，都容易使罐脱落。一般不在血管浅显处、颈部两侧、心脏搏动处、五官、骨突、瘢痕处拔罐。血管浅显处拔罐，易造成小血管破裂，出血不止；颈部两侧有颈动脉等大血管，如果拔罐，易影响血液循环，造成组织和器官的供血不足；五官等处不能承受拔罐的负压刺激；骨突处难以着罐；瘢痕处由于皮肤弹性不好，易发生疼痛；皮肤松弛有较大皱纹则易使罐具难以保持负压，并常引起疼痛。另外，前次拔罐时罐斑未消退时，不宜重复拔罐。

（二）选择适当的罐具

对于拔罐时罐具的选择，主要是根据吸拔的部位或穴位而定。一般来说，如果吸拔的部位比较平坦，肌肉丰满，皮下脂肪较厚，则宜用大号罐具；如果吸拔的部位比较窄小，肌肉较薄，皮下脂肪较少，则宜用小号罐具；如果吸拔的部位是小的关节或穴位，则宜用小竹罐或抽气罐。具体而言，如果吸拔的部位在背、腹、胸部，可用大号罐具；如果吸拔的部位是肩部、臀部、大腿部，可用大号或中号的罐具；如果吸拔的部位在小腿和上肢，可用中号或小号罐具；如果吸拔的部位在手、足或者是穴位，则应该选用小号罐具。

对于年老体弱、小儿或产后体虚、精神紧张之人，应选择小号罐具，反之年轻体壮之人应选择大号罐具。

（三）选择适当的拔罐方法

1. 用投火法时，火焰要旺，动作要敏捷，扣罐时用另一手掌挡一下罐口或摇晃一下火罐再扣，以免皮肤烫伤。

2. 运用闪火法时，棉球的酒精不宜过多，防止滴下，造成皮肤烫伤。

3. 运用贴棉法时，一定要防止和避免燃着的棉球脱落，掉在病人的身上，造成皮肤灼伤。

4. 运用架火法时，一定要留心，燃着的火架不能歪倒或倾斜，避免烧伤病人的皮肤。另外，扣火罐时，一定要准确，避免扑灭火焰。

5. 用煮药罐或竹罐时，必须甩尽罐内的热药液或热水，以免烫伤皮肤。

6. 运用刺络拔罐时，出血量应根据患者的性别、年龄、病情和体质而定，一般急性病、青壮年、体质强者出血量宜多，慢性病、老年、幼儿及体质弱者出血量宜少。若是吸拔后，血出如喷泉，应该立即起罐止血。

7. 运用留针罐法时，一定要找准穴位，先行针刺，待“得气”后，再行拔罐。在扣罐时，注意勿撞压针柄，以免针刺过深，造成不应有的损伤。尤其是胸、背部，针刺更不能过深，否则容易产生气胸。

8. 在使用多罐法时吸拔的罐具不宜过密，以免相互牵拉，引起疼痛或罐具脱落。但是，也不能过稀。罐具过稀会导致吸拔面积减少，负压刺激不足，也会影响疗效。一般来说，多罐法中的密排法，罐距不超过一拇指宽的距离，适用于体壮而有疼痛者；疏排法，罐距应在两拇指宽的距离以上，适用于体弱者。

9. 在运用走罐法时，不能在骨突、小关节、皮肤有皱襞或皮肤细嫩之处行走，以免损伤皮肤，或使吸拔的罐具漏气脱落。

（四）确定适当的拔罐时间

1．**总的治疗时间：**急性病一般在1～5天或2～3周左右，慢性病治疗时间较长，需要数月到数年，可结合其他疗法，试治5～10次确定总的治疗时间。

2．**留罐时间：**一般对于疼痛性疾病，需留罐10～15分钟，如坐骨神经痛、股外侧皮神经痛等；对于麻痹性疾病需留罐5～10分钟，如肩臂神经麻痹、坐骨神经麻痹等。另外，闪罐、走罐治疗时间以局部或罐下皮肤出现潮红或丹痧、瘀块、瘀斑等为度。针罐的针感、出血等都与留罐时间有关。具体留罐时间，需根据患者耐受程度和病情而定。一般来说，疼痛性疾病，吸拔的时间应适当长一些；麻痹性病证，吸拔的时间应适当短一些。如果采用兴奋手法，所用小号罐具的数量少，吸拔的时间也要短，约10分钟左右；如果采取抑制手法，用小号罐具的数量要多些，吸拔的时间也要长，约15分钟左右。如果病人感觉不舒适时，就可以提早起罐；如果病人感觉舒适，罐子的吸力也不很大，而且吸拔部位的肌肉又比较丰满，时间就可以长一些。体质消瘦虚弱者，罐子吸拔的力量要小，时间要短，拔罐的数量要少；体质健壮，肌肉丰满者，罐子拔的力量要大，拔罐的数量要多，吸拔的时间要长。病人的耐受能力比较强，吸拔的时间可以长一些。首次接受拔罐疗法的病人，吸拔的时间要短一些；经常接受拔罐疗法的病人，吸拔的时间可长一些。

3．**治疗次数及间隔时间：**若急性病（感冒、发烧等）每天1～3次，若病重或疼痛则每天2～4次。若尿潴留等需急救的病则用闪罐直至见尿为止。慢性病，一般每天1次，特殊手法致瘀斑、瘀块等应待痧痕退后再拔，2～5天拔1次，或可交替选穴，缩短每次治疗间隔时间至每日1次等。

4．**疗程时间及间隔时间：**一般治疗7～10天为一疗程，间隔3～5天，进行第二疗程。应用拔罐疗法时，一般急性病经过2～3次、慢性病经过2～3疗程无明显效果，应配合应用其他疗法或改用其他疗法。至于巩固疗效所需疗程则根据实际病情灵活运用。

（五）密切注意患者的感觉和反应

1．罐具吸拔牢固之后，必须询问患者的感觉，如有发热、发紧、凉气外出、温暖、舒适等感觉时，属于正常现象，可以继续吸拔治疗。

2．如果患者感觉紧、灼痛，或吸拔处不舒适，应该立刻起罐。也可选择附近肌肉丰厚处，再重新进行吸拔，或改用较小的罐具多吸拔几次。如果罐具吸拔牢固之后，病人感觉吸拔得不够紧，可以起罐或改用较大的罐子，再重新吸拔，以免影响疗效。

3. 如果患者连续接受拔罐疗法，则应该注意轮换吸拔部位。一般针对病因和病情，可以在同一条经络上选择位置不同但疗效相近的穴位交替吸拔。

4. 如果施用走罐法或刺络拔罐法，一般应在上背部或脊柱两侧，每隔2~3天吸拔一次，左右交替进行。

二、拔罐疗法的临床应用

（一）感冒

1. 留罐法

取穴：大椎、风门、肺俞、合谷。

操作：患者取俯卧位或俯伏坐位，选择大小适宜的罐具，用闪火法或贴棉法等方法，将罐具吸拔于穴位上，根据所拔罐的负压大小及患者的皮肤情况，留罐10~15分钟。一般感冒初起拔罐治疗1次，症状即可明显减轻或完全消除。每日或隔日治疗1次。

头痛重者可加太阳、印堂刺络拔罐；咽痛重者可加天突刺络拔罐或少商刺血。

2. 刺络罐法

取穴：大椎、风门、肺俞、风池。

操作：患者取俯卧位或俯伏坐位，将所选穴位进行常规消毒，用三棱针点刺每穴3~5下，然后立即拔罐，在负压的作用下，放出少许血液，一般每穴出血8~10滴为宜。起罐后擦净皮肤上的血迹。一般治疗1次即可使病情减轻或痊愈。如果病未治愈，可连续治疗2~3次，每日1次，待疾病康复为止。

3. 留针罐法

取穴：大椎、肺俞、风池、曲池、合谷。

操作：所选穴位进行常规消毒后，用毫针常规针刺穴位，注意针刺不可过深，根据病人的体型，一般进针1~1.5寸左右，采用平补平泻的手法取得针感后，选择适当大小的罐具，用闪火法将罐吸拔于针上，留罐10~15分钟。每日或隔日治疗1次，一般治疗1~3次即可治愈。

4. 走罐法

取穴：足太阳膀胱经背部的穴位和循行部位、大椎穴。

操作：患者取俯卧位，充分暴露背部，将背部涂上适量的润滑油，选择适当大小的罐具，用闪火法将罐具吸拔在患者的背部，然后沿足太阳膀胱经两侧的循行路线上下来回走罐多次，直到循行线上的皮肤出现明显的瘀血为止。接着将罐具留在大椎穴5分钟，起罐后将背部的润滑油擦拭干净。隔日治疗1次，3次为一疗程。

5. 药罐法

取穴：大椎、风门、肺俞。

操作：麻黄、桂枝、防风、细辛、葛根、杏仁、桔梗、生姜、甘草各20g，将上药用纱布包好，放入煎药锅内，加水3000ml，煎煮30分钟左右至药性煎出，然后将竹罐放入锅内，与药同煮5～10分钟，用镊子夹出竹罐，甩去药液，迅速用干毛巾捂住罐口，以便吸去罐口的药液，降低罐口的温度，保持罐内的热气，然后趁热立即将竹罐扣于以上穴位，手持竹罐稍加按压约1分钟，待竹罐吸牢于皮肤即可。留罐10～15分钟，至皮肤出现红色瘀血现象为止。每日治疗1次，10次为一疗程。本法适用于治疗风寒感冒。

如果患者为风热感冒，可用连翘、银花、竹叶、荆芥、牛蒡子、芦根、菊花、薄荷、桑叶、甘草各20g煎水煮罐，吸拔于以上穴位治疗。

按语

对于感冒的拔罐疗法，一般来说，高热的病人应以刺络拔罐或走罐为主；项背强痛较重者应以足太阳膀胱经走罐为主；咽痛较剧的病人可配合少商、商阳点刺放血；头痛较剧的病人可配合太阳、印堂刺络拔罐；咳嗽、咳痰较重者可配合天突、丰隆刺血拔罐。

（二）胃痛

1. 留罐法

方法1

取穴：神阙。

操作：患者取仰卧位，暴露腹部肚脐神阙穴处，选择大号玻璃罐具，用闪火法或架火法将罐吸拔于神阙穴，留罐10～15分钟，待局部皮肤出现红色瘀血后起罐。每周治疗2～3次，6次为一疗程。本法适用于治疗寒邪犯胃所致的胃脘痛。

方法2

取穴：中脘、天枢、气海、足三里、脾俞、胃俞。

操作：选择大小适当的罐具，用闪火法将罐具吸拔于以上穴位，留罐约15分钟，至局部皮肤出现瘀血现象为度。每周治疗2～3次，8次为一疗程。本法适用于治疗各种原因引起的胃脘痛。

2. 刺络拔罐法

取穴：足三里、中脘、脾俞、胃俞。

操作：患者仰卧位，充分暴露下肢和上腹部，将足三里和中脘穴进行常规消毒，用三棱针在每个穴位上点刺3～5下，见皮肤出现出血点，立即选择大小适当的罐具，用闪火法将罐具吸拔于足三里和中脘穴。留罐10～15分钟，吸拔出约1～5ml血量。然后令患者俯卧位，将脾俞、胃俞进行常规消毒，用三棱针在每个穴位上点刺3～5下，见皮肤出现出血点时，立即用闪火法将罐拔于穴位，留罐10～15分钟，吸拔出约1～5ml血量。每周治疗2～3次，6次为一疗程。本法适用于各种原因引起的实证胃脘痛。

3. 留针罐法

取穴：①中脘、天枢、气海、足三里、阴陵泉；②膈俞、脾俞、胃俞、大肠俞、肝俞。

操作：以上两组穴位，每次选择一组，隔日治疗1次。患者选择适当的体位，用毫针针刺所选择的穴位，采用捻转补法，取得针感后，选择适当大小的罐具，用闪火法将罐具吸拔于针上，留罐15分钟，至皮肤出现瘀血现象后起罐拔针。每周治疗3次，8次为一疗程。本法适用于各种原因引起的虚证胃脘痛。

4. 走罐法

取穴：胃经的足三里穴至丰隆穴间的条形区域，脾经的阴陵泉穴至地机穴间的条形区域，膀胱经的膈俞穴至大肠俞穴间的条形区域。

操作：患者取仰卧位，充分暴露双下肢膝关节以下部位，将双下肢外侧涂抹适量的润滑油，选择小号罐具，用闪火法将罐吸拔于足三里穴，然后沿着足三里穴至丰隆穴上下推动罐具，至局部皮肤出现瘀血现象为止。用同样的方法，在阴陵泉穴和地机穴之间走罐，至局部皮肤出现瘀血现象为止；再令患者俯卧位，在背部两侧的膈俞穴至大肠俞穴进行走罐，至背部两侧皮肤出现瘀血现象为止。本法适用于治疗各种原因引起的胃脘痛。每次可选择1～2条经脉进行走罐，每周治疗2～3次。

5. 药罐法

取穴：足三里、天枢、神阙。

操作：将吴茱萸、小茴香、陈皮、党参、防风、乳香、没药、穿山甲各20g用纱布将包好，放入煎药锅内，加水3000ml，煎煮30分钟至药性煎出，将竹罐放入锅中，与药同煮5分钟，然后用镊子夹出竹罐，甩净药液，立即用干毛巾捂住罐口，擦净罐口的药液，保持罐内的热气，趁热立即将罐吸拔于所选穴位，手持竹罐稍加按压1分钟，竹罐即可吸附牢固，留罐10～15分钟，至局部皮肤出现瘀血现象为止，起罐后擦净皮肤上的药液。每日或隔日治疗1次。本法适用于治疗虚寒性腹痛。

按语

1. 拔罐疗法治疗胃痛效果较好，但在治疗过程中，要注意辨证施治，辨证选穴，才能取得理想的效果。治疗前应注意与肝胆疾患、心脏疾患等加以鉴别。对于溃疡病出血、胃肠穿孔等重症，应及时采取综合措施或进行外科治疗。

2. 治疗期间忌烟酒、辛辣刺激及生冷、不易消化的食物，切忌暴饮暴食。

3. 一些慢性胃脘疼痛的患者，病程较长，体质多虚弱，应采用综合疗法，坚持治疗，以巩固疗效。

（三）肩关节周围炎

1. 留罐法

取穴：肩髃、肩贞、臂臑、曲池、外关。

操作：患者取俯伏坐位，暴露患侧肩部及上肢，选择大小适当的罐具，用闪火法或贴棉法将罐具吸拔于以上穴位，留罐约15分钟，至局部皮肤出现瘀血现象为度。隔日治疗1次，10次为一疗程，疗程间隔5～7天。本法适用于治疗各种原因引起的肩周炎。

2. 刺络罐法

方法1

取穴：第5～7颈椎或第1～4胸椎两侧，肩关节周围、上肢掌侧面及外侧等区域的压痛点或皮下条索、结节等阳性物处。

操作：患者取俯伏坐位，暴露患侧颈肩部及上肢，将以上所选部位进行常规消毒，用梅花针中度或重度叩刺压痛点及阳性物处，至局部皮肤出现红紫色瘀血或点滴出血现象，然后立即选择大小适当的罐具，用闪火法将罐具吸拔于瘀血局部，拔罐5～10分钟，吸拔出约1～5ml血量。本法每隔2日操作1次，5次为一疗程，疗程间隔5～7天。

疼痛较重加拔后颈部、骶部；肩关节功能活动障碍加拔肩胛冈、第5～10胸椎两侧；肩关节周围肌肉萎缩、无力加拔第7～12胸椎两侧和腰部。

方法2

取穴：肩贞、肩井、肩髃、肩前、肩外俞、阿是穴。

操作：患者取俯伏坐位，暴露患侧颈肩部及上肢，选取3～4个上述穴位，以闪火法或贴棉法将罐具吸拔牢固，留罐5～10分钟，然后起罐。将罐斑进行常规消毒，用三棱针在每个罐斑上点刺3～5下，见皮肤出现出血点，立即再次用闪火法将原来的罐具吸拔于其处，留罐，待每罐出血量达到10ml左右起罐，将皮肤上的血液擦拭干净。本法每3日治疗1次，3次为一疗程，疗程间隔5～7天。

3. 药罐法

取穴：肩髃、肩外俞、曲垣、巨骨、天宗、阿是穴。

操作：乳香、没药、麻黄、马钱子各 20g，用纱布将其包好，放入煎药锅内，加水 3000ml，煎煮 30 分钟至药性煎出，将竹罐放入锅中，与药同煮 5 分钟，然后用镊子夹出竹罐，甩净药液，立即用干毛巾捂住罐口，擦净罐口的药液，保持罐内的热气，趁热立即将罐吸拔于所选穴位，手持竹罐稍加按压 1 分钟，竹罐即可吸附牢固，留罐 10～15 分钟，至局部皮肤出现瘀血现象为止，起罐后擦净皮肤上的药液。本法隔日治疗 1 次，10 次为一疗程，疗程间隔 3～5 天。

按语

1. 拔罐法治疗肩周炎效果较为满意，大部分病人经过拔罐治疗 1 次后，疼痛即可明显减轻或消失，但需多次治疗后，患肢活动才能逐步恢复正常。可配合穴位注射或针刺、按摩等方法综合治疗，以提高疗效。

2. 在治疗期间，应嘱患者注意患侧肩部的保暖及适当的功能锻炼。尤其对于慢性病人，关节功能活动受限，配合患肢适当的功能锻炼非常重要，有利于早期康复。

（四）痹证

1. 留罐法

取穴：大椎、气海、阳陵泉。肘关节症状明显选取曲池、合谷、天井、外关、尺泽、局部压痛点；腕关节症状明显选取阳池、外关、阳溪、腕骨、局部压痛点；背部症状明显选取身柱、腰阳关、局部压痛点；膝关节症状明显选取膝眼、梁丘、阳陵泉、局部压痛点；踝关节症状明显选取申脉、照海、昆仑、丘墟、局部压痛点。

操作：患者取适当体位，充分暴露上述各穴位，选择大小适当的罐具，用闪火法或架火法将罐具吸拔于所选穴位，留罐 10～15 分钟，待局部皮肤出现红色瘀血后起罐。每日或隔日治疗 1 次，10 次为一疗程，疗程间隔 3～5 天。

热邪偏盛加曲池、三阴交；湿热蕴蒸加足三里、三阴交、大肠俞；寒湿偏盛加关元、肓俞。

2. 刺络罐法

取穴：同留罐法。

操作：患者取适当体位，充分暴露上述各穴位，将所选穴位进行常规消毒，用三棱针在穴位上点刺 3～5 下，见皮肤出现出血点，立即选择大小适当的罐具，用闪火法将罐具吸拔于穴位处，留罐 10～15 分钟，吸拔出约 1～5ml 血量，起罐后将皮肤表面上的血液擦拭干净。本法每隔 2 日操作 1 次，5 次为一疗程，疗程间隔 5～7 天。

3. **留针罐法**

取穴：同留罐法。

操作：所选穴位进行常规消毒后，用毫针常规针刺穴位，注意针刺不可过深，根据病人的体型，一般进针 1～1.5 寸左右，采用平补平泻的手法取得针感后，选择适当大小的罐具，用闪火法将罐吸拔于针上，留罐 10～15 分钟。隔日治疗 1 次，5 次为一疗程，疗程间隔 5～7 天。

4. **药罐法**

取穴：同留罐法。

操作：独活、羌活、桑寄生、秦艽、防风、细辛、当归、芍药、川芎、杜仲、牛膝、黄芪各 30g，用纱布将药包好，放入煎药锅内，加水 3000ml，煎煮 30 分钟至药性煎出，将竹罐放入锅中，与药同煮 5 分钟，然后用镊子夹出竹罐，甩净药液，立即用干毛巾捂住罐口，擦净罐口的药液，保持罐内的热气，趁热立即将罐吸拔于所选穴位，手持竹罐稍加按压 1 分钟，竹罐即可吸附牢固，留罐 10～15 分钟，至局部皮肤出现瘀血现象为止，起罐后擦净皮肤上的药液。本法隔日治疗 1 次，10 日为一疗程，疗程间隔 3～5 天。

按语

1. 拔罐疗法治疗风湿性关节炎效果较好，但风湿性关节炎易反复发作，故应结合其他疗法进行综合治疗。

2. 治疗期间应注意及时更换衣物，防止风、寒、湿邪侵袭，加重病情。

3. 患者平时要加强体质锻炼，避免居住在潮湿环境。

（五）腰痛

1. **留罐法**

取穴：肾俞、腰眼、命门、阿是穴、委中。

操作：患者取俯卧位，充分暴露腰骶部，选择大小适当的罐具，用闪火法吸拔于所选穴位，留罐 10～15 分钟，待皮肤出现红色瘀血后起罐，每周治疗 2～3 次，8 次为一疗程。本法适用于治疗各种原因引起的腰痛。

2. **出针罐法**

取穴：肾俞、委中、夹脊、阿是穴。

操作：患者取俯卧位，暴露所选穴位，将以上穴位进行常规消毒，用毫针刺之，采用平补平泻的手法，取得针感后留针 20 分钟或加电脉冲刺激 20 分钟，起针后以闪火法将罐具吸拔于上述穴位 10～15 分钟，至皮肤出现红色瘀血现象为止。每周治疗 2 次，8 次为一疗程。

腰部寒湿症状重者加风府、腰阳关；腰部劳损重者加膈俞、次髎；肾虚证状重者加命门、志室。

3．刺络罐法

取穴：腰骶部、阿是穴、委中。

操作：患者取俯卧位，暴露所选部位，先将所选部位严格消毒，用梅花针在腰骶部、阿是穴及委中穴重叩数下使之出血，然后加拔火罐10～15分钟，拔出血量5～10ml，起罐后擦净皮肤上的血迹。每周治疗1～2次，6次为一疗程。本法适用于治疗寒湿腰痛和慢性腰肌劳损等实证腰痛。

4．走罐法

取穴：足太阳膀胱经的胃俞至膀胱俞，督脉的悬枢至腰阳关，腰眼，阿是穴。

操作：先将腰部涂适量的润滑油，用闪火法将罐吸拔于腰部，沿着膀胱经和督脉的经穴轻轻地来回推拉火罐，至皮肤出现红色瘀血为止，然后在两侧腰眼处拔罐15分钟，可行摇罐或转罐手法30次，起罐后擦净皮肤上的油迹，然后在腰部选2～3个阳性点，严格消毒后，每穴用三棱针点刺3～5下，或用小针刀迅速刺入皮肤，沿着肌肉的走行拔离2～3下，拔出小针刀后，在局部阳性点注射维生素B_1注射液2ml，然后用创可贴覆盖针孔。每周治疗1～2次，6次为一疗程。本法适用于治疗各种慢性腰痛。

5．药罐法

取穴：腰眼、肾俞、腰阳关、大肠俞、八髎。

操作：独活、寄生、青风藤、海风藤、透骨草、千年健、海桐皮、野木瓜、细辛、川芎各30g，用纱布将药包好，放入煎药锅内，加水3000ml，煎煮30分钟至药性煎出，将竹罐放入锅中，与药同煮5分钟，然后用镊子夹出竹罐，甩净药液，立即用干毛巾捂住罐口，擦净罐口的药液，保持罐内的热气，趁热立即将罐吸拔于所选穴位，手持竹罐稍加按压1分钟，竹罐即可吸附牢固，留罐10～15分钟，至局部皮肤出现瘀血现象为止，起罐后擦净皮肤上的药液。本法每日治疗1次，10次为一疗程，疗程间隔3～5天。

按语

1．拔罐疗法治疗腰痛效果较好，一般急性腰痛治疗一次即可缓解症状或治愈。临床上一般多配合针灸、推拿等疗法进行综合治疗。

2．平时应多进行以腰部运动为主的医疗体育活动，防止受凉及坐卧冷湿之地，避免劳欲太过。

（六）痛经

1．留罐法

取穴：气海、地机、三阴交。

操作：患者仰卧位，暴露所选穴位，选择大小适当的罐具，用闪火法或贴棉法将罐具吸拔于以上穴位，留罐约 15 分钟，至局部皮肤出现瘀血现象为度。每日治疗 1 次，10 次为一疗程。本法用于治疗气滞血瘀型痛经。

伴有小腹冷痛者加关元、肾俞；经后头晕、神疲倦怠者加足三里、脾俞、胃俞。

2. 留针罐法

取穴：肾俞、脾俞、肝俞、关元、归来、三阴交。

操作：患者俯卧位，暴露所选穴位，将肾俞、脾俞、肝俞进行常规消毒，用毫针刺之，采用平补平泻的手法，取得针感后，用闪火法将罐具吸拔于针上，留罐 10～15 分钟，至皮肤出现红色瘀血后起罐。然后令患者仰卧位，用同样的方法在关元、归来、三阴交穴进行针刺，针刺关元、归来穴时要使针感下传至会阴部，然后拔罐。每日治疗 1 次，经前 1～2 天开始治疗，经后再治 1～2 天。7～10 天为一疗程。每月治疗一个疗程。本法适用于治疗气滞血瘀、寒湿凝滞引起的痛经。

3. 走罐法

取穴：督脉的命门至腰俞，足太阳膀胱经的肾俞至次髎，关元，归来，足三里，三阴交。

操作：患者俯卧位，充分暴露腰骶部，将腰骶部涂适量的润滑油，选择适当大小的罐具，用闪火法将罐具吸拔于腰部，然后沿着膀胱经和督脉在腰骶部来回推拉火罐，至皮肤出现红色瘀血为止，起罐后擦净皮肤上的油迹。本法适用于治疗各种原因引起的痛经。

4. 刺络罐法

取穴：气海俞、关元俞、肾俞、气海、关元、归来。

操作：患者俯卧位，暴露所选穴位，将气海俞、关元俞、肾俞进行常规消毒，用三棱针在每个穴位上点刺 3～5 下，见皮肤出现出血点，立即选择大小适当的罐具，用闪火法将罐具吸拔于穴位处，留罐 10～15 分钟，吸拔出约 1～5ml 血量，起罐后将皮肤表面上的血液擦拭干净。然后用同样的方法在气海、关元、归来穴上进行刺络拔罐。本法每日操作 1 次，7 次为一疗程，经前 1～3 天开始治疗。本法适用于寒湿凝滞型痛经和气滞血瘀型痛经。

5. 药罐法

取穴：关元、归来、肾俞、关元俞。

操作：当归、白芍、乳香、没药、桂枝、细辛、陈皮、厚朴、艾叶、小茴香、甘草各 30g，用纱布将药包好，放入煎药锅内，加水 3000ml，煎煮 30 分钟至药性煎出，将竹罐放入锅中，与药同煮 5 分钟，然后用镊子夹出竹罐，甩净药液，立即用干毛巾捂住罐口，擦净罐口的药液，保持罐内的热气，趁热立即将罐吸拔于所选穴位，手持竹罐稍加按压1分钟，竹罐即可吸附牢固，留罐10~15分钟，至局部皮肤出现瘀血现象为止，起罐后擦净皮肤上的药液。本法每日治疗1次，10次为一疗程。本法适用于寒湿凝滞型痛经和气滞血瘀型痛经。

按语

1. 拔罐疗法治疗原发性痛经效果较好，对于因生殖系统功能异常引起的继发性痛经效果较差。

2. 患者在月经期间应注意经期卫生，不宜游泳、涉水，防止精神刺激，不要过食生冷寒凉食物。

（七）痤疮

1. 走罐法

取穴：足太阳膀胱经的大杼至膀胱俞，督脉的大椎至腰俞。

操作：患者俯卧位或俯伏坐位，暴露出所选穴位和部位，将背部涂适量的润滑油，选择适当大小的火罐，用闪火法将罐吸拔于背部，然后轻轻地沿着膀胱经和督脉来回推拉走罐，至皮肤出现明显的瘀血为止，起罐后擦净皮肤上的油迹。每周治疗1~2次，8次为一疗程。

2. 刺络罐法

取穴：①大椎、肺俞；②心俞、肝俞。

操作：患者俯卧位，暴露所选穴位。以上穴位，每次选择一组。将所选择穴位进行常规消毒，每穴用三棱针点刺3~5下或用梅花针叩刺数下，见皮肤出现出血点，立即选择大小适当的罐具，以闪火法将罐具吸拔于穴位处，留罐10~15分钟，拔出适量的毒血，起罐后擦净皮肤上的血迹。每周治疗3次，10次为一疗程，疗程间隔3~5天。

3. 留针罐法

取穴：①肺俞、脾俞、胃俞；②心俞、肝俞、大椎；③太阳、印堂、阳白、颧髎。

操作：患者俯卧位，暴露所选穴位。以上三组穴位，每次选择一组。先将所选穴位进行常规消毒，然后用1寸毫针刺之，采用强刺激泻法，取得针感后，在针上加拔罐具，至皮肤出现明显的瘀血为止。第三组穴位用毫针针刺，采用强刺激泻法，取得针感后，加电脉冲弱刺激20分钟。此法每日治疗1次，10次为一疗程，疗程间隔3~5天。

按语

1. 拔罐疗法治疗面部痤疮效果较好，但患者必须坚持治疗1~2个疗程才能收到较满意的效果。

2. 患者应经常用温水、硫黄皂清洗面部，切忌挤压尚未成熟之痤疮。

3. 在治疗过程中，患者应多吃新鲜水果和蔬菜，少食或不食油腻及辛辣食物。

（八）小儿疳积

1. 留罐法

取穴：①脾俞、胃俞；②足三里、中脘。

操作：患儿取适当体位，暴露所选穴位。选择大小适当的罐具，用闪火法或贴棉法将罐具吸拔于所选穴位上，留罐5~10分钟，至局部皮肤出现瘀血现象为度。每次选择其中一组穴位，每日治疗1次，10次为一疗程。

2. 针罐法

取穴：中脘、天枢、建里、气海、腰俞、足三里、内关、四缝。

操作：患儿俯卧位或仰卧位，暴露所选穴位。先将穴位进行消毒后，以毫针刺之，稍留针后起针，立即选择大小适当的罐具，吸拔于针刺后的穴位处，留罐约5分钟即可起罐。四缝穴直接点刺，以刺出黄水为度，不拔罐。本法亦可用闪罐法操作，至局部皮肤潮红为度。每日1次，10次为一疗程，疗程间隔3~5天。

3. 走罐法

取穴：足太阳膀胱经的大杼至膀胱俞。

操作：患儿俯卧位，充分暴露背部，将背部涂适量润滑油，选择口径小的罐具，用闪火法将罐具吸拔于背部（注意小儿皮肤娇嫩，负压不宜太大），然后沿着膀胱经轻轻地来回走罐，至皮肤出现红色瘀血现象为止，起罐后擦净皮肤上的油迹。每周治疗1次，6次为一疗程。

4. 药罐法

取穴：脾俞、胃俞、中脘、足三里、天枢。

操作：党参、茯苓、白术、扁豆、陈皮、山药、薏苡仁、砂仁、莲子心、干姜、甘草各20g，用纱布将药包好，放入煎药锅内，加水3000ml，煎煮30分钟至药性煎出，将竹罐放入锅中，与药同煮5分钟，然后用镊子夹出竹罐，甩净药液，立即用干毛巾捂住罐口，擦净罐口的药液，保持罐内的热气，趁热立即将罐吸拔于所选穴位，手持竹罐稍加按压1分钟，竹罐即可吸附牢固，留罐10~15分钟，至局部皮肤出现瘀血现象为止，起罐后擦净皮肤上的药液。本法每日治疗1次，10日为一疗程，疗程间隔3~5天。

按语

1. 疳积患儿饮食须定时定量，不宜过饥、过饱或过食香甜油腻之品。

2. 凡因肠道寄生虫病或结核病引起的小儿疳疾，须及时治疗原发病。

第九章 点穴疗法

第一节 点穴疗法概述

一、点穴疗法的概念

点穴疗法是以中医经络理论为指导，以手指、尺骨鹰嘴或器械刺激穴位，达到治病、防病、保健目的的治疗疗法。

点穴疗法具有适应证广、操作方便、疗效确切、无副作用等优点。

二、点穴疗法的作用原理

点穴疗法的作用原理是通过刺激经络、腧穴，调节气血，平衡阴阳，和调脏腑，从而达到扶正祛邪、养生保健的目的。

（一）经络的功能

1. 联络脏腑，沟通肢窍：人体的五脏六腑、四肢百骸、五官九窍、皮肉筋骨等组织器官，之所以能保持相对的协调与统一，完成正常的生理活动，是依靠经络系统的联络沟通而实现的。经络中的经脉、经别、经筋、皮部与奇经八脉、十五络脉，纵横交错，入里出表，通上达下，使人体形成了统一的整体。

2. 运行气血，滋养周身：气血是人体生命活动的物质基础。全身各组织器官得到气血的濡润才能完成正常的生理功能。经络是人体气血运行的通路，通过经络将营养物质输布到全身各组织脏器，从而完成和调于五脏、洒陈于六腑的生理功能。

3. 抗御外邪，保卫机体：营气行于脉中，卫气行于脉外，使营卫之气分布周身。外邪侵犯人体由表及里，先从皮毛开始，卫气充盈于络脉中，当外邪侵犯机体时，卫气首当其冲发挥其抗御外邪、保卫机体的屏障作用。

（二）腧穴的作用

1. 腧穴的近治作用：是指腧穴所在，主治所在。即点颜面部的穴位，如四白、地仓、颧髎，可以治疗颜面部位的病证；点腹部的穴位，如中脘、梁门、天枢，可以治疗腹部病证；点四肢的穴位，如曲池、合谷、环跳、委中，可以治疗四肢部位的病证。

2. 腧穴的远治作用：即经脉所过，主治所及。如足三里为足阳明胃经的腧穴，足阳明胃经属胃络脾，因此点足三里穴不仅可以治疗下肢局部的病证，还可治疗远离足三里穴的脾胃病证。

3. 腧穴主治的特殊性：点穴疗法与针刺疗法相似，具有良性双向调节作用，如点内关可以使心率趋向正常，即点内关可使心率过速者心率减慢，使心率过缓者心率加快。也可以通过点按特殊穴位，达到特殊的治疗作用，如点按背俞穴治疗相应脏腑病证。

三、点穴疗法的选穴原则

点穴时应根据病证，在辨证立法的基础上，选择腧穴。临床治疗时选穴是基础，是前提。选穴的方法有近部选穴、远部选穴，对症选穴、辨证取穴。

（一）近部选穴

即在病变的局部就近选取腧穴的方法。其依据为“腧穴所在，主治所在”，即每个腧穴都能治疗局部病证。此时应遵循“越近越好”的原则，即越靠近病变部位的腧穴治疗效果越好。如偏头痛可取太阳、率谷；胃病取中脘、梁门；眼病取睛明、瞳子髎；耳病取听宫、耳门。

（二）远部选穴

即在远离病变部位处取穴的方法。其依据为“经脉所过，主治所及”，即每个腧穴都能主治所在经脉循经部位远端的病证。包括本经取穴和异经取穴。

1. 本经取穴：即某经循行所过处病证，可选远离病变部位的本经有关腧穴。此时应遵循“越远越好”的原则，即越远离病变部位的腧穴治疗效果越好。如落枕时选合谷，颈椎病时选手三里、小海、合谷等。

2. 异经取穴：即某经及其所络属脏腑器官发生病变，取其表里经、相交经、相关经腧穴的方法。

（1）表里经取穴：是指取互为表里两经的腧穴进行治疗的选穴方法，如肺疾取太渊、合谷，肝疾取太冲、阳陵泉。

（2）相交经取穴：是指取与病变所在经脉相交经脉腧穴的选穴方法，如治疗月经病时应选取肝、脾、肾三经交会的腧穴三阴交；任脉、足三阴病取关元、中极等。

（3）相关经取穴：是指取与病变脏腑相关经脉的腧穴，如肝胃不和而致胃痛取足阳明胃经腧穴足三里和足厥阴肝经腧穴太冲。

3．对症取穴：是根据具体症状，选取具有特殊治疗作用腧穴的方法。其依据为“以痛为腧”，“在分肉间痛而刺之”。如在痛证治疗时可选取阿是穴，晕厥时应选人中等。

4．辨证取穴：在辨证论治的指导思想下，以法统方，选穴组方。如脾胃虚寒时选取脾俞、胃俞。

四、点穴疗法中的特定穴应用

（一）原穴与络穴

原穴是脏腑原气输注体表的部位，共12个。原穴可以反映脏腑的病变，可协助疾病的诊断，并可调治脏腑经脉的虚实病证。络穴是络脉所属穴位，是表里两经相联络的处所，共有15个。络穴是治疗表里两经的病变可常选用的穴位。各经原穴与络穴见表9－1。

表9－1　原穴与络穴

经名	原穴	络穴	经名	原穴	络穴
肺经	太渊	列缺	大肠经	合谷	偏历
胃经	冲阳	丰隆	脾经	太白	公孙
心经	神门	通里	小肠经	腕骨	支正
膀胱经	京骨	飞扬	肾经	太溪	大钟
心包	大陵	内关	三焦经	阳池	外关
胆经	丘墟	光明	肝经	太冲	蠡沟

（二）俞穴与募穴

俞穴即背俞穴，是脏腑经气输注于背部的特定穴，共12个。募穴是脏腑之气汇集于胸腹部的特定穴，与其脏腑位置邻近，共12个。俞募穴可反映内脏疾病；当脏腑病变时，相关俞募穴处也可出现压痛点或敏感点现象。俞募穴可调节脏腑功能，并治疗相应的脏腑病变。背俞穴与募穴见表9－2。

表9－2　　背俞穴与募穴

脏腑	背俞穴	募穴	脏腑	背俞穴	募穴
肺	肺俞	中府	大肠	大肠俞	天枢
胃	胃俞	中脘	脾经	脾俞	章门
心	心俞	巨阙	小肠	小肠俞	关元
膀胱	膀胱俞	中极	肾经	肾俞	京门
心包	厥阴俞	膻中	三焦	三焦俞	石门
胆	胆俞	日月	肝	肝俞	期门

（三）五输穴

五输穴是十二经分布在肘膝关节以下的五个特定腧穴。阴经五腧穴详见表9－3，阳经五腧穴详见表9－4。具体应用时有以下几个要点。

表9－3　　阴经五输穴表

经脉	井（木）	荥（火）	输（土）	经（金）	合（水）
肺经	少商	鱼际	太渊	经渠	尺泽
心包经	中冲	劳宫	大陵	间使	曲泽
心经	少冲	少府	神门	灵道	少海
脾经	隐白	大都	太白	商丘	阴陵泉
肝经	太敦	行间	太冲	中封	曲泉
肾经	涌泉	然谷	太溪	复溜	阴谷

表9－4　　阳经五输穴表

经脉	井（金）	荥（水）	输（木）	经（火）	合（土）
大肠经	商阳	二间	三间	阳溪	曲池
三焦经	关冲	液门	中渚	支沟	天井
小肠经	少泽	前谷	后溪	阳谷	小海
胃经	厉兑	内庭	陷谷	解溪	足三里
胆经	足窍阴	侠溪	足临泣	阳辅	阳陵泉
膀胱经	至阴	足通谷	束骨	昆仑	委中

1．五输主病选穴

井主心下满：即井穴可治心下痞满。阴经“井”木穴，内应肝，可抑木扶土；阳经“井”金穴，内应大肠腑，大肠为传导之官，以通为用，均可治痞满。

荥主身热：即荥穴可治热证。无论阴经荥穴，还是阳经荥穴，无论实热证还是虚热证，均属荥穴之主治证候。

输主体重节痛：即输穴可治肢体沉重和关节疼痛等症。阴经“输”土穴应脾，主运化水湿；阳经“输”木穴应肝胆，主疏泄，调畅气机。

经主喘咳寒热：即经穴可治哮喘寒热类疾病。阴经“经”金穴应肺，主皮毛，司呼吸；阳经“经”火穴应大肠。

合主逆气而泄：即合穴可治上逆和下泄类疾病。阴经“合”水穴应肾，肾阳衰微，下元不固，可见精血下泄。肾阴不足，热扰精宫，可见遗精早泄。阳经“合”土穴应脾胃，主治胃气不降而上逆，脾不健运而见飧泄者。

2. 补虚泻实的应用：即子母补泻法包括本经子母补泻和异经子母补泻，具体补泻见表9－5。

本经补泻：即虚证时补本经之母穴，实证时泻本经之子穴，不虚不实取本经之本穴。

异经补泻：即取异经或表里经的母子穴，虚证补异经或表里经的母穴，实证泻异经或表里经的子穴。

表9－5　子母补泻

经脉	虚实	本经取穴	他经取穴	经脉	虚实	本经取穴	他经取穴
肺经	虚	太渊	太白	脾经	虚	大都	少府
	实	尺泽	阴谷		实	商丘	经渠
心经	虚	少冲	太敦	肾经	虚	复溜	经渠
	实	神门	太白		实	涌泉	大敦
心包经	虚	中冲	大敦	肝经	虚	曲泉	阴谷
	实	大陵	太白		实	行间	少府
大肠经	虚	曲池	足三里	胃经	虚	解溪	阳谷
	实	二间	足通谷		实	厉兑	商阳
小肠经	虚	后溪	足临泣	膀胱经	虚	至阴	商阳
	实	小海	足三里		实	束骨	足临泣
三焦经	虚	中渚	足临泣	胆经	虚	侠溪	足通谷
	实	天井	足三里		实	阳辅	阳谷

（四）八脉交会穴

八脉交会穴是指奇经八脉与十二经脉相交会的8个穴位，详见表9－6。八脉交会穴主治本经脉循行所过部位的病变，是治疗相通奇经病证的首选穴，如后溪主治颈痛、腰痛等督脉病证，公孙主治胸腹气逆、气上冲心的冲脉病证，内关、公孙均可治心、胸、胃病。

表9-6　　八脉交会穴

八脉交会穴	所属经脉	所通经脉	主治
公孙	脾经	冲脉	胃、心、胸疾患
内关	心包经	阴维脉	
足临泣	胆经	带脉	目锐眦、耳后、肩、颈、缺盆、胸膈部疾患
外关	三焦经	阳维	
后溪	小肠经	督脉	目内眦、项、耳、肩髆疾患
申脉	膀胱经	阳跷脉	
列缺	肺经	任脉	肺系、膈、喉咙疾患
照海	肾经	阴跷	

（五）八会穴

八会穴是脏、腑、气、血、筋、脉、骨、髓精气所汇聚体表的部位，共8个腧穴，分别是：脏会章门，腑会中脘，髓会绝骨，筋会阳陵泉，骨会大杼，血会膈俞，气会膻中，脉会太渊。分别治疗相应的病变，如腑病取中脘，血病取膈俞，气病取膻中，筋病取阳陵泉，脏病取章门，骨病取大杼，脉病取太渊，髓病取悬钟。

（六）下合穴

下合穴是六腑之气汇注在足三阳经的6个穴位，因6穴分布于下肢，故称“六腑下合穴”。小肠腑的下合穴为下巨虚，三焦腑的下合穴为委阳，大肠腑的下合穴为上巨虚，膀胱腑的下合穴为委中，胆腑的下合穴为阳陵泉，胃腑的下合穴为足三里。下合穴主治六腑病变，如胃痛、恶心、嗳酸取足三里；肝胆病、呕吐取阳陵泉。

（七）郄穴

郄穴是经脉气血深聚体内的孔隙部位，共16个，详见表9-7。郄穴是反映脏腑经脉病证的腧穴，如心绞痛、胸膜炎时相应的郄穴处有压痛；郄穴主治经脉脏腑的急性、出血性病证，如肺病咯血可取孔最，心胸疼痛可取郄门。

表9-7　　郄穴表

经脉	郄穴	经脉	郄穴	经脉	郄穴	经脉	郄穴
阳维脉	阳交	阴维脉	筑宾	阳跷脉	跗阳	阴跷脉	交信
肺经	孔最	大肠经	温溜	脾经	地机	胃经	梁丘
心经	阴郄	小肠经	养老	胆经	外丘	肝经	中都
心包经	郄门	三焦经	会宗	膀胱经	金门	肾经	水泉

（八）交会穴

交会穴是两条或两条以上经脉相交会的腧穴，约100多个，主治交会经脉及所属脏腑的病变。如：大椎为诸阳经交会穴，通一身之阳；头维为足阳明、足少阳经交会穴，主治阳明、少阳头痛；三阴交为足三阴经交会穴，主治足三阴经的病证。

五、点穴疗法的配穴

配穴是在选穴的基础上，根据各种不同病证的治疗需要，选择具有协调作用的穴位配伍而成处方。

1. **按部配穴**：是结合身体一定部位进行配穴的形式。常见的有上下配穴法、前后配穴法、左右配穴法和远近配穴法四种。

2. **按经配穴**：即按经脉的理论和经脉之间的联系配穴。有本经配穴法、表里经配穴法、同名经配穴法、子母经配穴法和交会经配穴法。

3. **原络配穴**：又称主客配穴法，是表里经配穴法的代表方法。意指根据脏腑表里经络，先病与后病，先病者为主取其原穴，后病者为客取其络穴。

4. **俞募配穴**：寓“阴病引阳，阳病引阴”之义。五脏俞偏于主治脏病、虚损性病证。募穴偏于治疗相应脏腑的急性疼痛性病证。

六、点穴疗法的适应证

点穴疗法适应证主要为：

1. **疼痛类病证**：如腰痛、腹痛、牙痛、头痛、关节痛。
2. **脏腑功能失调类病证**：如脾胃虚弱致胃痛，肝阳上亢致眩晕、耳鸣等。
3. **急慢性软组织损伤**：落枕、急性腰部软组织损伤等。
4. **退行性疾病**：退行性脊柱炎、膝关节骨性关节炎等。
5. **急症**：昏厥、呕吐等。

七、点穴疗法的注意事项

在应用点穴疗法时应注意以下几点：

1. 应诊断明确，治法正确，选穴准确，力度适中。
2. 过饥、过饱、过度疲劳、身体极度虚弱时慎用点穴疗法。
3. 软组织损伤早期肿胀较重的部位不宜点穴。
4. 孕妇、经期妇女的腰骶部和小腹部进行点穴时应慎重。
5. 对于有出血性倾向的患者，点穴时力量不宜过大。

6. 在皮肤破损处不宜点穴。

7. 对于有传染性疾病的患者，应不作点穴治疗。

第二节　点穴技法

一、点穴的基本概念

1. **点穴的概念：**是以指、尺骨鹰嘴或借用点穴器械刺激穴位的方法。

2. **点穴的着力部位：**在点穴时着力部位可以为拇指指端，食、中指的指端，拇、食、中指近侧指间关节背侧，尺骨鹰嘴。

3. **点穴的作用时间：**在点穴时可以持续点按穴位，也可瞬间用力点按穴位。

4. **点穴的器械：**点穴时可用按摩棒、点穴枪点按穴位。

5. **点穴的动作要领：**以指端着力应用点法时，各手指应保持一定姿势，避免在点穴的过程中出现手指过伸或过屈，造成损伤。

6. **点穴的作用及应用：**点法有通经活络、通调脏腑、调理气机的作用，多用于止痛、急救、调理脏腑功能。具体应用时应根据具体情况，辨证选穴并配穴。

7. **点穴的作用层次：**点法作用层次深，在点穴时患者应有酸、麻、胀、重等感觉。

8. **点穴的特点：**本法刺激量大，见效快。

9. **点穴的注意事项：**施用点法时，既要注意保护自己手指，同时也要注意保护患者的皮肤。

二、点法与其他手法

在应用点法时常配合其他手法，如与揉法结合应用称为点揉法，简称点揉；与按法结合应用称为点按法，简称点按。

应用点穴疗法时，应注意与其他推拿手法配合使用，以提高疗效。

三、点穴的操作形式

临床应用时，根据穴位的不同，点法各有不同。以下着重介绍点穴的几种操作形式。

（一）拇指点法

以拇指的罗纹面着力于穴位上，进行点按。有以下几种操作形式：

1. 单手拇指点穴：拇指置于穴位上着力点穴。适用于四肢大部分穴位。（见图9-1）

2. 双手拇指重叠点穴：两手拇指重叠，放于穴位上着力点穴，其余手指放于穴位的两边。适用于任脉腹部的穴位、督脉背部和巅顶部位的穴位，也可点按于四肢穴位，用于加大刺激量。

3. 双手拇指分别点穴：拇指分别放于两侧同名穴位上，着力点穴，其余四指放于穴位两边。多用于肩背、腹部非正中线上的穴位、四肢的穴位。

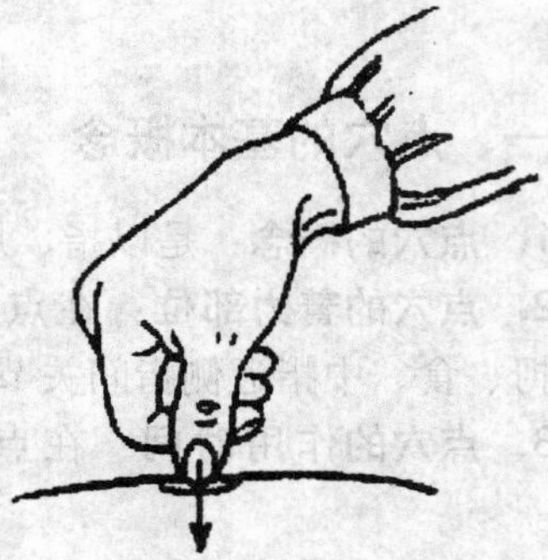

图9-1　拇指点法

（二）食指点法

以食指的罗纹面着力于穴位上，着力点穴，其余手指自然屈曲。主要用于面部穴位、四肢穴位。（见图9-2）

（三）拇食指点法

以拇指和食指的罗纹面分别着力于穴位上，进行点按。主要用于两侧同名穴，如风池；也可用于肢体两侧邻近的穴位，如内关和外关、犊鼻和内膝眼、太溪和昆仑。

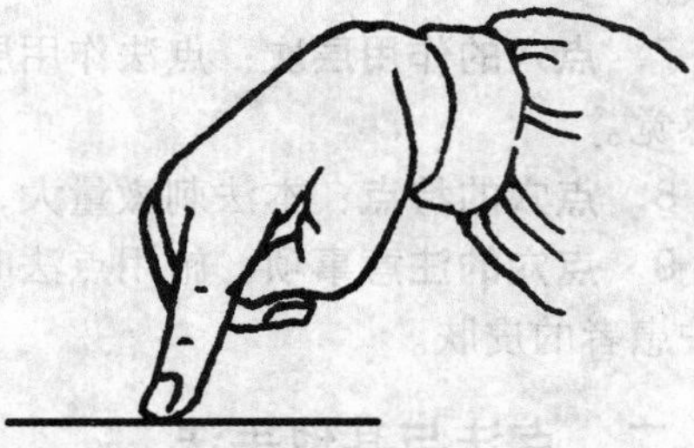

图9-2　食指点法

（四）食中指点法

以食指和中指的罗纹面着力于穴位上，进行点按。有两种操作形式：

1. 单手食中指点法：用单手的食、中指着力于两侧同名穴位，进行点按，主要用于足太阳膀胱经背部穴位、足阳明胃经腹部穴位。

2. 双手食中指点法：用两手食、中指分别置于面部两侧穴位上，着力点按。如点下关、颊车。

（五）拇食中指点法

以拇、食、中指点按穴位的方法。有两种操作方法：

1. 三指点一穴：拇指罗纹面置于食指罗纹面的掌侧，中指罗纹面置于食指末节背侧，三指指端平齐，快速点击穴位。拇、食中指点法多用于背部、臀部、下肢穴位。主要用于治疗痿证、肌肤麻木不仁者。

2. 三指点两穴：以拇指着力一个穴位上，食、中两指着力于另一个穴位上，三指同时用力，进行点按。本法与拇食指点法的区别在于：加大了食指所点穴位的刺激量。与拇食指点法相似，主要用于两侧同名穴，如风池；也可用于肢体两侧邻近的穴位，如内关和外关、犊鼻和内膝眼、太溪和昆仑。

（六）肘点

上臂垂直于治疗部位，以尺骨鹰嘴着力于穴位，进行点压。主要用于臀部穴位和压痛部位，如环跳、梨状肌的压痛点；也可用于腰部穴位和压痛点，如大肠俞、小肠俞、腰椎间盘突出症的压痛点；或者用于肩部和大腿后侧穴位，如肩井、承扶、殷门。肘点法为刺激量较大的手法，使用时应注意逐渐用力，以使力达深层。（见图9－3）

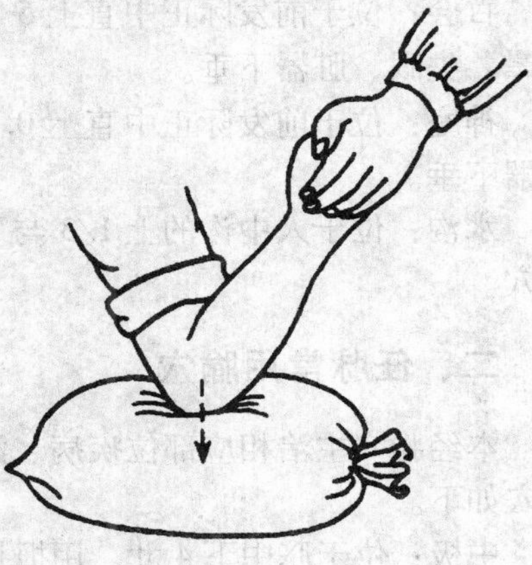

图9－3　肘点法

第三节　点穴疗法常用腧穴

点穴疗法常用的腧穴包括有十四经穴位、奇穴和阿是穴。

一、督脉常用腧穴

本经腧穴主治相应部位疾病、脑病、热病、急救、肛肠疾病。常用腧穴如下。

长强：位于尾骨端与肛门连线的中点处。用中指点法，点穴的同时可配合揉法。主治肛肠疾患。

腰阳关：位于第4腰椎棘突下凹陷中。用拇指点法、点揉法。主治腰痛、棘突炎、泌尿生殖系统疾患。

命门：位于第2腰椎棘突下凹陷中。用拇指点法、点揉法。主治腰痛、棘突炎、泌尿生殖系统疾患。

至阳：位于第7胸椎棘突下凹陷中。用拇指点法、点揉法。主治背痛、棘突炎、心血管系统疾患。

大椎：位于第7颈椎棘突下凹陷中。用拇指点法、点揉法。主治颈肩痛、棘突炎。

风府：位于后发际正中直上1寸，枕外隆突直下，两侧斜方肌之间凹陷中。用拇指点法、点按法。主治颈肩痛。

百会：位于前发际正中直上5寸处。用拇指点法、食中指点法。主治头痛、眩晕、失眠、脏器下垂。

神庭：位于前发际正中直上0.5寸。用拇指点法。主治头痛、眩晕、失眠、脏器下垂。

水沟：位于人中沟的上1/3与下2/3交点处。主治昏厥、不省人事，为急救要穴。

二、任脉常用腧穴

本经腧穴主治相应部位疾病、泌尿生殖系统疾病，另外具有强壮作用。常用腧穴如下。

中极：位于脐中下4寸。用拇指点法、食中指点法、点揉法。主治泌尿生殖系统疾病。

关元：位于脐中下3寸。用拇指点法、点揉法。主治泌尿生殖系统疾病，另具有强壮作用。

气海：位于脐中下1.5寸。用拇指点法、食中指点法、点揉法。主治小腹胀痛、泌尿生殖系统疾病。

神阙：位于脐中央。用拇指点法、点揉法。主治小腹胀痛、泌尿生殖系统疾病，另具有强壮作用。

中脘：位于脐中上4寸。用拇指点法、食中指点法、点揉法。主治消化系统疾病。

膻中：位于第4肋间，两乳头连线中点。用拇指点法、食中指点法、点揉法。主治心肺疾患。

天突：位于胸骨上窝中央。用食中指点法、点揉法。主治咽痛、咳嗽。

廉泉：位于喉结上方，舌骨上缘凹陷处。用食中指点法、点揉法。主治咽痛。

承浆：位于颏唇沟的正中凹陷处。用食中指点法、点揉法。主治面瘫和半身不遂时的流涎、颈项强痛。

三、手太阴肺经常用腧穴

本经腧穴主治头面、五官、咽喉病、热病及经脉循行部位的病证。常用穴位如下。

中府：位于距前正中线6寸，平第1肋间隙。用拇指点法、点揉法。主治肺部疾患。

尺泽：位于肘横纹中，肱二头肌桡侧缘凹陷处。用拇指点法、点揉法。主治肺部疾患、急性胃痛。

孔最：位于尺泽与太渊连线上，腕横纹上7寸。用拇指点法、点揉法。主治肺部疾患、咳血。

列缺：位于前臂桡侧缘，在桡骨茎突上方，腕横纹上1.5寸。用拇指点法、点揉法。主治肺部疾患、颈痛。

太渊：位于腕掌侧横纹的桡侧端，桡动脉搏动处。用拇指点法。主治无脉症。

鱼际：位于第1掌骨中点桡侧，赤白肉际处。用拇指点法、点揉法。主治颈椎病之拇指麻木疼痛、哮喘。

少商：位于拇指指甲根角，距指甲根角0.1寸。用拇指点法。主治咽痛。

四、手阳明大肠经常用腧穴

本经腧穴主治头、面、目、鼻、齿、咽喉病，胃肠疾病，神志病，皮肤病，发热病。常用腧穴如下。

商阳：位于食指指甲根角桡侧，距指甲根角0.1寸。用拇指点法。主治咽痛。

合谷：位于第2掌骨桡侧的中点处。用拇指点法、点揉法。主治颈痛、颈椎病、肩痛、牙痛、头痛、口眼歪斜。

手三里：位于前臂背面桡侧，阳溪与曲池连线上，肘横纹下2寸。用拇指点法、点揉法。主治前臂桡侧疼痛、手背疼痛、肱骨外上髁炎、半身不遂。

曲池：屈肘时位于尺泽与肱骨外上髁连线中点。用拇指点法、点揉法。主治肘痛、半身不遂。

肘髎：在臂外侧，屈肘，曲池上方1寸，当肱骨边缘处。用拇指点法。主治肱骨外上髁炎。

臂臑：在臂外侧，三角肌止点处，当曲池与肩髃连线上，曲池上7寸。用拇指点法、点揉法。主治颈椎病致虎口区麻木。

肩髃：臂外展或向前平伸时，位于肩峰前下方凹陷处。用拇指点法、点揉法。主治肩痛。

迎香：位于鼻翼外缘中点旁，当鼻唇沟中。用食指点法、食中指点法。主治鼻疾、面瘫、面痛。

五、足阳明胃经常用腧穴

本经腧穴主治胃肠病，头面、目、鼻、口齿病，神志病及经脉循行部位的病证。常用腧穴如下。

四白：位于瞳孔直下，当眶下孔凹陷处。用食指点法、点揉法。主治目疾、面瘫、面痛。

地仓：位于口角外侧，直对瞳孔处。用食指点法、食中指点法。主治面瘫。

颊车：位于下颌角前上方约一横指处，当咀嚼时咬肌隆起处。用食指点法、食中指点法。主治面瘫、面痛。

下关：位于颧弓与下颌切迹所形成的凹陷中。用食指点法、食中指点法。主治面瘫、面痛。

头维：位于额角发际上 0.5 寸，头正中线旁开 4.5 寸。用拇指点法、点揉法。主治头痛。

缺盆：位于锁骨上窝中点凹陷处，距前正中线4 寸。用拇指点法、食中指点法、点揉法。主治颈椎病之上肢麻木疼痛。

梁门：位于脐中上4 寸，距前正中线2 寸处。用拇指点法、食中指点法、点揉法。主治胃肠疾病。

天枢：位于脐中旁开2 寸处。用拇指点法、食中指点法、点揉法。主治胃肠疾病。

归来：位于脐中下4 寸，距前正中线2 寸处。用拇指点法、食中指点法、点揉法。主治月经病。

髀关：位于髂前上棘与髌底外侧端的连线上，屈股时，平会阴，居缝匠肌外侧凹陷处。用拇指点法、点揉法。主治下肢无力、肢端发凉。

梁丘：位于髂前上棘与髌底外端的连线上，髌上2 寸。用拇指点法、点揉法。主治胃痛。

犊鼻：位于髌骨与髌韧带外侧凹陷处。用拇指点法。主治膝痛。

足三里：位于小腿前外侧，犊鼻下3 寸，距胫骨前缘一横指处。用拇指点法、拇食中指点法。主治胃肠疾病、下肢疾患，另具有强壮作用。

上巨虚：犊鼻下6 寸，距胫骨前缘一横指处。用拇指点法、拇食中指点法。

主治便秘、便溏、下肢疾患。

条口：位于犊鼻下8寸，距胫骨前缘一横指。用拇指点法、拇食中指点法。主治肩痛、下肢疾患。

下巨虚：位于犊鼻下9寸，距胫骨前缘一横指。用拇指点法、拇食中指点法。主治小便不利、下肢疾患。

丰隆：位于外踝尖上8寸，距胫骨前缘二横指。用拇指点法、拇食中指点法。主治痰证、下肢疾患。

内庭：位于足背第2～3趾间，趾蹼缘后方赤白肉际处。用拇指点法、点揉法。主治一切胃热之证，如胃火牙痛、消谷善饥。

厉兑：位于足第2趾趾甲根角处，距趾甲根角0.1寸。用拇指点法。主治失眠、多梦。

六、足太阴脾经常用腧穴

本经腧穴主治脾胃病、妇科病、前阴病及经脉循行部位的病证。常用腧穴如下。

隐白：位于足大趾末节内侧，距趾甲根角0.1寸。用拇指点法。主治失眠多梦。

太白：位于足内侧缘，当第1跖趾关节后下方赤白肉际凹陷处。用拇指点法、点揉法。主治脾胃疾病。

公孙：位于足内侧缘，当第1跖骨基底的前下方。用拇指点法、点揉法。主治脾胃疾病。

三阴交：位于小腿内侧，当足内踝尖上3寸，胫骨内侧缘后方。用拇指点法。主治泌尿生殖系统疾病。

地机：位于小腿内侧，当内踝尖与阴陵泉的连线上，阴陵泉下3寸。用拇指点法、食中指点法。主治月经病。

阴陵泉：位于小腿内侧，当胫骨内侧髁后下方凹陷处。用拇指点法、拇食指点法。主治脾胃疾病、水肿、膝痛。

血海：位于大腿内侧，髌底内侧端上2寸，当股四头肌内侧头的隆起处。用拇指点法、拇食指点法。主治膝痛、血液病。

大横：位于腹中部，与脐相平，距前正中线4寸。用拇指点法。主治便秘、泄泻。

七、手少阴心经常用腧穴

本经腧穴主治心、胸、神志病以及经脉循行部位的病证，如颈椎病之上肢内侧疼痛麻木。常用腧穴如下。

极泉：位于腋窝顶点，腋动脉搏动处。用食中指点法、点揉法。主治颈椎病之上肢麻木疼痛，心悸，呼吸困难。

神门：位于腕掌侧横纹尺侧端，尺侧腕屈肌腱的桡侧缘凹陷处。用拇指点法、点揉法。主治失眠。

少冲：位于小指末节桡侧，距指甲根角 0.1 寸。用拇指点法。主治失眠多梦。

八、手太阳小肠经常用腧穴

本经腧穴主治颈椎病之上肢疼痛麻木，头、项、耳、目、咽喉病，热病，神志病以及经脉循行部位的病证。常用腧穴如下。

少泽：位于小指末节尺侧，距指甲根角 0.1 寸。用拇指点法、点揉法。主治小指麻木疼痛，肩臂外后侧疼痛。

后溪：位于第 5 掌指关节后的远侧掌横纹头赤白肉际处。用拇指点法、点揉法。主治小指麻木疼痛，肩臂外后侧疼痛。

养老：位于尺骨小头近端桡侧凹陷中。用拇指点法、点揉法。主治落枕，肩臂外后侧疼痛。

小海：位于尺骨鹰嘴与肱骨内上髁之间凹陷处。用食指点法、点揉法。主治小指麻木疼痛，肩臂外后侧疼痛。

肩贞：位于腋后纹头上 1 寸。用拇指点法、点揉法。主治小指麻木疼痛，肩臂外后侧疼痛，肩周炎。

臑俞：位于腋后纹头直上，肩胛冈下缘凹陷中。用拇指点法、点揉法。主治肩周炎。

天宗：位于冈下窝中央凹陷处，与第 4 胸椎相平。用拇指点法、点揉法。主治颈椎病、落枕、肩背痛。

秉风：位于冈上窝中央凹陷处，天宗直上，举臂时有凹陷处。用拇指点法、点揉法。主治颈椎病、落枕、肩背痛。

曲垣：位于冈上窝内侧端，当臑俞与第 2 胸椎棘突连线的中点处。用拇指点法、点揉法。主治颈椎病、落枕、肩背痛。

肩外俞：位于第 1 胸椎棘突下，旁开 3 寸。用拇指点法、点揉法。主治颈椎病、落枕、肩背痛。

肩中俞：位于第 7 颈椎棘突下，旁开 2 寸。用拇指点法、点揉法。主治颈椎病、落枕、肩背痛。

颧髎：位于目外眦直下，颧骨下缘凹陷处。用食中指点法。主治面瘫、面痛。

听宫：位于耳屏前，下颌骨髁状突的后方，张口时呈凹陷处。用食指点法、食中指点法。主治耳疾。

九、足太阳膀胱经常用腧穴

本经腧穴主治头、项、目、背、腰、下肢部病证以及神志病，背部第一侧线的背俞穴及第二侧线相平的腧穴，主治与其相关的脏腑病证和有关的组织器官病证。常用腧穴如下。

睛明：位于目内眦角稍上方凹陷处。用食指点法、点揉法。主治眼疾。

攒竹：位于眉头凹陷中，眶上切迹处。用食指点法、点揉法。主治眼疾、面瘫、面痛。

玉枕：位于后发际正中直上 2.5 寸，旁开 1.3 寸，平枕骨粗隆上缘的凹陷处。用拇食中指点法、点揉法。主治后枕痛。

天柱：位于后发际正中旁开 1.3 寸。用拇食中指点法、点揉法。主治后枕痛。

大杼：位于第 1 胸椎棘突下，旁开 1.5 寸。用拇指点法、食中指点法、拇食中指点法。主治颈肩痛。

肺俞：位于第 3 胸椎棘突下，旁开 1.5 寸。用拇指点法、食中指点法、拇食中指点法。主治与肺相关病证、颈肩痛。

厥阴俞：位于第 4 胸椎棘突下，旁开 1.5 寸。用拇指点法、食中指点法、拇食中指点法。主治与心相关病证、背痛。

心俞：位于第 5 胸椎棘突下，旁开 1.5 寸。用拇指点法、食中指点法、拇食中指点法。主治与心相关病证、背痛。

督俞：位于第 6 胸椎棘突下，旁开 1.5 寸。用拇指点法、食中指点法、拇食中指点法。主治与心相关病证、背痛。

膈俞：位于第 7 胸椎棘突下，旁开 1.5 寸。用拇指点法、食中指点法、拇食中指点法。主治与胸膈相关病证、背痛。

肝俞：位于第 9 胸椎棘突下，旁开 1.5 寸。用拇指点法、食中指点法、拇食中指点法。主治与肝胆相关病证、背痛。

胆俞：位于第 10 胸椎棘突下，旁开 1.5 寸。用拇指点法、食中指点法、拇食中指点法。主治与肝胆相关病证、背痛。

脾俞：位于第 11 胸椎棘突下，旁开 1.5 寸。用拇指点法、食中指点法、拇食中指点法。主治与脾胃相关病证、背腰痛。

胃俞：位于第 12 胸椎棘突下，旁开 1.5 寸。用拇指点法、食中指点法、拇食中指点法。主治与脾胃相关病证、背腰痛。

三焦俞：位于第1腰椎棘突下，旁开1.5寸。用拇指点法、食中指点法、拇食中指点法。主治与脾胃相关病证、背腰痛。

肾俞：位于第2腰椎棘突下，旁开1.5寸。用拇指点法、食中指点法、拇食中指点法。主治与泌尿生殖系统相关病证、背腰痛、腰椎间盘突出症。

气海俞：位于第3腰椎棘突下，旁开1.5寸。用拇指点法、食中指点法、拇食中指点法。主治与泌尿生殖系统相关病证、背腰痛、腰椎间盘突出症。

大肠俞：位于第4腰椎棘突下，旁开1.5寸。用拇指点法、食中指点法、拇食中指点法。主治与泌尿生殖系统相关病证、背腰痛、腰椎间盘突出症。

关元俞：位于第5腰椎棘突下，旁开1.5寸。用拇指点法、食中指点法、拇食中指点法。主治与泌尿生殖系统相关病证、背腰痛、腰椎间盘突出症。

小肠俞：位于骶骨正中旁开1.5寸，平第1骶后孔。用拇指点法、食中指点法、拇食中指点法。主治与泌尿生殖系统相关病证、腰骶痛。

膀胱俞：位于骶骨正中旁开1.5寸，平第2骶后孔。用拇指点法、食中指点法、拇食中指点法。主治与泌尿生殖系统相关病证、腰骶痛。

上髎：位于髂后上棘与后正中线之间，适对第1骶后孔处。用拇指点法、食中指点法、拇食中指点法。主治与泌尿生殖系统相关病证、腰骶痛。

次髎：位于髂后上棘内下方，适对第2骶后孔处。用拇指点法、食中指点法、拇食中指点法。主治与泌尿生殖系统相关病证、腰骶痛。

中髎：位于次髎内下方，适对第3骶后孔处。用拇指点法、食中指点法、拇食中指点法。主治与泌尿生殖系统相关病证、腰骶痛。

下髎：位于中髎内下方，适对第4骶后孔处。用拇指点法、食中指点法、拇食中指点法。主治与泌尿生殖系统相关病证、腰骶痛。

承扶：位于大腿后面，臀下横纹的中点。用拇指点法、拇食中指点法。主治下肢痿软无力、腰椎间盘突出症、半身不遂。

殷门：位于大腿后面，当承扶与委中的连线上，承扶下6寸。用拇指点法、拇食中指点法。主治下肢痿软无力、腰椎间盘突出症、半身不遂。

浮郄：位于腘横纹外侧端，当委阳上1寸，当股二头肌腱的内侧。用拇指点法、拇食中指点法。主治下肢痿软无力、腰椎间盘突出症、膝痛、半身不遂。

委阳：位于腘横纹外侧端，当股二头肌腱的内侧。用拇指点法、拇食中指点法。主治下肢痿软无力、腰椎间盘突出症、膝痛、半身不遂。

委中：位于腘横纹中点，当股二头肌腱与半腱肌肌腱的中间。用拇指点法、拇食中指点法。主治下肢痿软无力、腰椎间盘突出症、膝痛、半身不遂。

附分：位于第2胸椎棘突下，旁开3寸。用拇指点法、拇食中指点法。主治肩痛、背痛及与肺相关病证。

魄户：位于第3胸椎棘突下，旁开3寸。用拇指点法、拇食中指点法。主治肩痛、背痛及与肺相关病证。

膏肓：位于第4胸椎棘突下，旁开3寸。用拇指点法、拇食中指点法。主治肩痛、背痛及与心肺相关病证，另具有强壮作用。

神堂：位于第5胸椎棘突下，旁开3寸。用拇指点法、拇食中指点法。主治背痛及与心肺相关病证。

譩譆：位于第6胸椎棘突下，旁开3寸。用拇指点法、拇食中指点法。主治背痛及与心肺相关病证。

膈关：位于第7胸椎棘突下，旁开3寸。用拇指点法、拇食中指点法。主治背痛及与心肺相关病证。

魂门：位于第9胸椎棘突下，旁开3寸。用拇指点法、拇食中指点法。主治背痛及与肝胆相关病证。

阳纲：位于第10胸椎棘突下，旁开3寸。用拇指点法、拇食中指点法。主治背痛、腰痛及与肝胆相关病证。

意舍：位于第11胸椎棘突下，旁开3寸。用拇指点法、拇食中指点法。主治背痛、腰痛及与脾胃相关病证。

胃仓：位于第12胸椎棘突下，旁开3寸。用拇指点法、拇食中指点法。主治背痛、腰痛及与脾胃相关病证。

肓门：位于第1腰椎棘突下，旁开3寸。用拇指点法、拇食中指点法。主治背痛、腰痛及与泌尿生殖相关病证。

志室：位于第2腰椎棘突下，旁开3寸。用拇指点法、拇食中指点法。主治背痛、腰痛及与泌尿生殖相关病证。

秩边：俯卧位，在臀部，平第4骶后孔，骶骨正中旁开3寸。用拇指点法、拇食中指点法。主治臀痛、腰椎间盘突出症、半身不遂。

合阳：俯卧位，在小腿后面，当委中与承山的连线上，委中下2寸。用拇指点法、拇食中指点法。主治膝痛、下肢痛、腰椎间盘突出症、半身不遂。

承筋：俯卧位，在小腿后面，当委中与承山的连线上，腓肠肌肌腹中央，委中下5寸。用拇指点法、拇食中指点法。主治膝痛、下肢痛、腰椎间盘突出症、半身不遂。

承山：俯卧位，在小腿后面正中，委中与昆仑之间，当伸直小腿或足跟上提时腓肠肌肌腹下出现尖角凹陷处。用拇指点法、拇食中指点法。主治下肢痛、腰椎间盘突出症、半身不遂。

飞扬：俯卧位，在小腿后面，当外踝后，昆仑穴直上7寸，承山外下方1寸处。用拇指点法、拇食中指点法。主治下肢痛、腰椎间盘突出症、半身不遂。

跗阳：俯卧位，在小腿后面，外踝后，昆仑穴直上3寸。用拇指点法、拇食中指点法。主治下肢痛、腰椎间盘突出症、半身不遂。

昆仑：俯卧位，在足部外踝后方，当外踝尖与跟腱之间的凹陷处。用拇指点法、拇食中指点法。主治膝痛、下肢痛、腰椎间盘突出症、半身不遂。

申脉：正坐平放足，或仰卧位，在足外侧部，外踝直下方凹陷中。用拇指点法。主治膝痛、下肢痛、腰椎间盘突出症、半身不遂、失眠。

京骨：正坐平放足，或仰卧位，在足外侧，第5跖骨粗隆下方，赤白肉际处。用拇指点法。主治下肢痛、腰椎间盘突出症、半身不遂。

束骨：正坐平放足，或仰卧位，在足外侧，足小趾本节（第5跖趾关节）的后方，赤白肉际处。用拇指点法。主治下肢痛、腰椎间盘突出症、半身不遂。

足通谷：正坐平放足，或仰卧位，在足外侧，足小趾本节（第5跖趾关节）的前方，赤白肉际处。用拇指点法。主治下肢痛、腰椎间盘突出症、半身不遂。

至阴：位于足小趾末节外侧，距趾甲根角0.1寸。用拇指点法。主治足趾痛、腰椎间盘突出症、半身不遂，还可纠正胎位。

十、足少阴肾经常用腧穴

本经腧穴主治妇科病，前阴病，肾、肺、咽喉病及经脉循行部位的病证。常用腧穴如下。

涌泉：位于足底部，足跖屈时足前部凹陷处，约当足2~3趾趾缝纹端与足跟连线的前1/3与后2/3交点上。用拇指点法、点揉法。主治高血压、呕吐、头痛。

太溪：位于内踝尖与跟腱之间的凹陷处。用拇指点法、点揉法。主治下肢痛、腰椎间盘突出症、月经不调、遗精、阳痿、小便不利。

照海：位于足内侧，内踝尖下方凹陷处。用拇指点法。主治咽痛。

复溜：位于太溪直上2寸，跟腱的前方。用拇指点法。主治各种汗证。

阴谷：位于腘窝内侧，屈膝时，当半腱肌肌腱与半膜肌肌腱之间。用拇指点法、食中指点法、点揉法。主治膝痛、小便不利。

大赫：位于脐中下4寸，前正中线旁开0.5寸。用拇指点法、食中指点法。主治泌尿生殖系统疾病。

肓俞：位于脐中旁开0.5寸。用拇指点法、食中指点法。主治泌尿生殖系统疾病、脾胃病。

俞府：位于锁骨下缘，前正中线旁开2寸。用拇指点法、食中指点法。主治与肺相关病证。

十一、手厥阴心包经常用腧穴

本经腧穴主治心、胸、胃、神志病以及经脉循行部位的病证。常用腧穴如下。

曲泽：位于肘横纹中，当肱二头肌腱的尺侧缘。用拇指点法。主治肘痛。

内关：位于前臂掌侧，当曲泽与大陵的连线上，腕横纹上2寸，掌长肌腱与桡侧腕屈肌腱之间。用拇指点法、食指点法。主治与心相关病证、胸胁疼痛、正中神经分布区的病证、呕吐。

大陵：位于腕掌横纹的中点处，当掌长肌腱与桡侧腕屈肌腱之间。用拇指点法、食指点法。主治跟痛症。

劳宫：位于掌心，当第2~3掌骨之间偏于第3掌骨，握拳屈指时中指尖所指处。用拇指点法。主治手掌拘急挛缩、中风。

中冲：位于中指末节尖端中央。用拇指点法。主治晕厥。

十二、手少阳三焦经常用腧穴

本经腧穴主治头侧、耳、目、胸胁、咽喉病，热病以及经脉循行部位的病证。常用腧穴如下。

关冲：位于环指末节尺侧，距指甲根角0.1寸。用拇指点法。主治昏厥。

中渚：位于环指掌指关节的后方，第4~5掌骨间凹陷处。用拇指点法、点揉法。主治肩痛、颈痛、目痛、咽喉痛。

阳池：位于腕背横纹中，当指伸肌腱的尺侧缘凹陷处。用拇指点法、点揉法。主治腕痛。

外关：位于前臂背侧，阳池与肘尖的连线上，腕背横纹上2寸，尺骨与桡骨之间。用拇指点法、点揉法。主治各种风证、肩痛、颈痛、目痛、咽喉痛、偏头痛、耳疾。

支沟：位于前臂背侧，当阳池与肘尖的连线上，腕背横纹上3寸，尺骨与桡骨之间。用拇指点法。主治前臂背侧疼痛、便秘。

肩髎：位于肩髃后方，当臂外展时，于肩峰后下方呈凹陷处。用拇指点法。主治肩痛。

天髎：在肩胛部，肩井与曲垣的中间，当肩胛骨上角处。用拇指点法。主治肩背痛。

翳风：位于耳垂后方，当乳突与下颌角之间的凹陷处。用拇指点法、食中指点法。主治面瘫、颈痛。

瘈脉：位于耳后乳突中央，当角孙至翳风之间，沿耳轮连线的中下1/3的交点处。用拇指点法、食中指点法。主治耳疾、偏头痛、后枕疼痛。

颅息：位于角孙至翳风之间，沿耳轮连线的上中1/3的交点处。用拇指点法、食中指点法。主治耳疾、偏头痛、后枕疼痛。

角孙：位于耳尖直上入发际处。用拇指点法、食中指点法。主治偏头痛。

耳门：位于耳屏上切迹的前方，下颌骨髁突后缘张口呈凹陷处。用食中指点法。主治耳疾。

丝竹空：位于眉梢外侧凹陷处。用拇指点法、食中指点法。主治目疾、面疾。

十三、足少阳胆经常用腧穴

本经腧穴主治侧头、目、耳、咽喉病，神志病，热病及经脉循行部位的病证。常用腧穴如下。

瞳子髎：位于目外眦旁，当眶外侧缘处。用拇指点法、食中点法、点揉法。主治目疾。

听会：位于耳屏间切迹的前方，当下颌骨髁状突的后缘，张口有凹陷处。用食中点法、点揉法。主治耳疾。

上关：位于下关直上，当颧弓的上缘凹陷处。用食中点法、点揉法。主治耳疾。

颔厌：位于头维与曲鬓弧形线的上1/4与下3/4的交点处。用拇指点法。主治偏头痛。

悬颅：位于头维与曲鬓弧形线的中点处。用拇指点法。主治偏头痛。

悬厘：位于头维与曲鬓弧形线的上3/4与下1/4的交点处。用拇指点法。主治偏头痛。

曲鬓：位于耳前鬓角发际后缘的垂线与耳尖水平线交点处。用拇指点法。主治偏头痛。

率谷：位于耳尖直上入发际1.5寸，角孙直上方。用拇指点法。主治偏头痛。

阳白：位于瞳孔直上，眉上1寸。用拇指点法、食中指点法、点揉法。主治前额痛、面瘫、面痛。

风池：位于枕骨之下，与风府相平，胸锁乳突肌与斜方肌上端之间的凹陷处。用拇食中指点法、点揉法。主治头痛、目疾、项痛。

肩井：位于大椎与肩峰端连线的中点上。用拇指点法。主治颈痛、肩痛、颈椎病、乳疾。

居髎：位于髂前上嵴与股骨大转子最高点连线的中点处。用拇指点法、拇食中指点法、肘点法、点按法、点揉法。主治腰椎间盘突出症、半身不遂、下肢痿软无力。

环跳：侧卧屈股时位于股骨大转子最高点与骶管裂孔连线的外 1/3 与中 1/3 的交点处。用拇指点法、拇食中指点法、肘点法、点按法、点揉法。主治腰椎间盘突出症、半身不遂、下肢痿软无力。

风市：位于大腿外侧部的中间线上，当腘横纹上 7 寸；或直立垂手时，中指尖所指处。用拇指点法、拇食中指点法、点按法、点揉法。主治腰椎间盘突出症、半身不遂、下肢痿软无力。

膝阳关：位于膝外侧，当阳陵泉上 3 寸，股骨外上髁上方的凹陷处。用拇指点法、拇食中指点法、点按法、点揉法。主治腰椎间盘突出症、半身不遂、下肢痿软无力。

阳陵泉：位于腓骨头前下方凹陷处。用拇指点法、拇食中指点法、点按法、点揉法。主治腰椎间盘突出症、半身不遂、下肢痿软无力。

悬钟：仰卧位或侧卧位，在小腿外侧，当外踝尖上 3 寸，腓骨前缘。用拇指点法、拇食中指点法、点按法、点揉法。主治腰椎间盘突出症、半身不遂、下肢痿软无力。

足窍阴：仰卧位，在足部第 4 趾末节外侧，距趾甲根角 0.1 寸。用拇指点法、点揉法。主治腰椎间盘突出症、半身不遂、下肢痿软无力。

十四、足厥阴肝经常用腧穴

本经腧穴主治肝病，妇科、前阴病以及经脉循行部位的其他病证。常用腧穴如下。

大敦：位于足大趾末节外侧，距趾甲根角 0.1 寸。用拇指点法、点揉法。主治疝气疼痛。

行间：位于第 1、2 趾间，趾蹼缘的后方赤白肉际处。用拇指点法、点揉法。主治足跗疼痛、肋间神经痛、中风、高血压。

太冲：位于第 1、2 跖骨头之间的后方。用拇指点法、点揉法。主治足跗疼痛、肋间神经痛、中风、高血压。

蠡沟：位于足内踝尖上 5 寸，胫骨内侧面的中央。用拇指点法、点揉法。主治腰椎间盘突出症、小腿内侧疼痛、肋间神经痛、中风、高血压、月经不调。

膝关：位于胫骨内上髁的后下方，阴陵泉后 1 寸，腓肠肌内侧头的上部。用拇指点法、食中指点法。主治膝痛。

曲泉：位于膝内侧，屈膝，当膝关节内侧面横纹内侧端，股骨内侧髁的后缘，半腱肌、半膜肌止端的前缘凹陷处。用拇指点法、食中指点法。主治膝痛。

章门：位于第 11 肋游离端的下方。用拇指点法。主治胁痛。

期门：位于乳头直下，第 6 肋间隙，前正中线旁开 4 寸。用拇指点法。主治胁痛。

十五、常用经外奇穴

经外奇穴为非十四经的腧穴，但有特殊治疗作用的穴位。常用的有以下穴位。

四神聪：位于百会前后左右各 1 寸，共 4 个穴位。用拇指点法、点揉法。主治头痛、失眠、眩晕、小儿脑瘫。

印堂：位于两眉头之中间。用拇指点法、点揉法。主治头痛、失眠、眩晕、面瘫、鼻疾。

鱼腰：位于瞳孔直上，眉毛中。用拇指点法、食中指点法、点揉法。主治面瘫、目疾。

太阳：位于眉梢与目外眦之间，向后约一横指的凹陷处。用拇指点法、食中指点法。主治头痛、失眠、眩晕、面瘫、面痛。

子宫：位于脐中下 4 寸，中极旁开 3 寸。用拇指点法、点揉法。主治妇科病证。

定喘：位于第 7 颈椎棘突下，旁开 0.5 寸。用拇指点法、食中指点法。主治哮喘。

夹脊：位于第 1 胸椎至第 5 腰椎棘突下两侧，后正中线旁开 0.5 寸，每侧 17 穴。用拇指点法、食中指点法。主治腰背痛、相应脏腑功能失调。

胃脘下俞：位于第 8 胸椎棘突下，旁开 1.5 寸。用拇指点法、食中指点法。主治胃痛、消渴、胰腺炎。

四缝：位于第 2～5 指掌侧，近端指关节的中央，每侧 4 个穴位。用拇指点法、点按法。主治疳积。

内膝眼：位于髌韧带内侧凹陷处。用食中指点法。主治膝痛。

胆囊：位于阳陵泉直下 2 寸。用拇指点法、拇食中指点法。主治胆囊疾患。

阑尾：位于犊鼻下 5 寸，胫骨前缘旁开一横指。用拇指点法、拇食中指点法。主治阑尾炎。

十六、常见伤科疾病压痛点（阿是穴）

颈型颈椎病：压痛点位于颈肩部。

神经根型颈椎病：压痛点位于病变节段的棘突旁。

落枕：压痛点位于颈肩部肌肉痉挛、压痛处。

胸胁屏伤：压痛点可出现在肋椎关节、棘突或肋间肌的损伤处。

肋软骨炎：压痛点位于肋软骨和肋骨的交接部。

腰椎间盘突出症：压痛伴有放射痛，叩痛伴有放射痛，压痛点位于患侧，与病变间隙相平的脊柱旁开 1～2cm 处。

腰部软组织劳损：广泛压痛，以酸为主，痛为辅。压痛点位于脊柱两侧腰肌或韧带或筋膜起止点处。压痛点的位置提示劳损部位，如骶棘肌压痛，提示骶棘肌劳损。

急性腰部软组织损伤：压痛点常在腰 4～5、腰 5～骶 1 旁、骶棘肌起点处、腰 3 横突处，按压时常为剧烈疼痛，痛点固定。同时整个腰部肌肉痉挛，呈强直状。

退行性脊柱炎：压痛点位于腰部病变节段旁。

腰三横突综合征：压痛点位于腰三横突端部，并可触及条索状硬结。

隐性脊柱裂：腰骶部正中压痛，同时可有以下表现：皮肤可有色素沉着，汗毛较多，或有小陷窝。非急性期隐性脊柱裂可无任何症状。

梨状肌综合征：梨状肌体表投影区（自尾骨尖至髂后上棘连线的中点到股骨大转子最高点连一线，分为三等份，此线的中 1/3、内 1/3 部分即为梨状肌在体表的投影）有明显的压痛，并伴有下肢放射痛，用力按压时可触及痉挛的梨状肌。

肩周炎：压痛特点为广泛压痛。压痛点常位于喙突、大结节、小结节、结节间沟、三角肌止点、肩峰、冈上肌、冈下肌、小圆肌、肩胛提肌。

肱二头肌长头腱鞘炎：结节间沟处压痛，结节间沟下方有时也有压痛。

冈上肌腱炎：大结节外上方压痛。

肩峰下滑囊炎：压痛出现在三角肌、肩峰下、大结节等处，常可随肱骨的旋转而移位。当滑囊肿胀和积液时，肩关节周围及三角肌范围内都有压痛。

肱骨外上髁炎：肱骨外上髁处压痛，环状韧带、肱桡关节间隙处也可能有压痛。

肱骨内上髁炎：肱骨内上髁、肘关节内侧、尺侧屈腕肌、指浅屈肌处有明显压痛。

桡侧腕伸肌腱周围炎：前臂桡背侧中下 1/3 处可有压痛、发热。

三角软骨盘损伤：压痛点位于下尺桡关节间隙或尺骨茎突。

桡骨茎突部狭窄性腱鞘炎：桡骨茎突部压痛。

腱鞘囊肿：囊肿小如黄豆，大如乒乓球，半球形，光滑，压之有胀或痛感，与皮肤无粘连，但与深处组织附着，无活动性，囊肿张力较大，少数柔软，压之有囊性感。

屈指肌腱狭窄性腱鞘炎：掌骨头掌侧可触及结节样肿块，有压痛，在患指屈伸运动时，此结节处有弹跳感。

髋关节一过性滑膜炎：髋关节前方（腹股沟处）可有压痛。

膝关节韧带损伤：压痛点位于韧带的起止部，局部并可触及凹陷。

膝关节骨性关节炎：常见的压痛点有股骨内髁、股骨外髁、胫骨内侧髁、胫骨外侧髁、髌骨上下极、膝眼处。

半月板损伤：自膝眼处向后沿半月板之前角、体部、后角部按压，伸膝时膝眼处压痛而屈曲时不痛，提示半月板前角损伤，内侧压痛代表内侧半月板损伤，外侧压痛代表外侧半月板损伤。

髌骨软化症：髌骨关节面、髌骨周围压痛，尤以髌骨内缘多见，有时膝眼处也可有压痛。

胫骨结节骨骺炎：胫骨结节处压痛。

踝关节软组织损伤：压痛明显，压痛的部位即为损伤的部位。距腓前韧带损伤时压痛常在外踝前下方。应注意检查内踝、外踝、内踝尖、外踝尖、第五跖骨基底部是否有压痛，以除外骨折。

跟痛症：跟骨结节处压痛，有时可触及骨性隆起。

第四节　点穴疗法的临床应用

应用点穴疗法治疗病证时，治疗处方中的穴位包括三部分，第一部分是阿是穴，第二部分是以经络辨证、脏腑等辨证方法为依据所选的穴位，第三是经验穴。这三部分穴位可共同组成处方，也可单以某一部分的穴位为主进行治疗。

在点穴时，所点穴位的局部、远端或病变部位应有疼痛、酸胀、麻木、轻松、温热等感觉，出现上述感觉时点穴疗法效果才明显。

在点穴时可单点患侧穴位，亦可两侧同进点按。点穴至病变部位有相应感觉后再进行其他穴位的点按，或每穴点按半分钟至1分钟。对于有关节功能受限的患者，可一边点穴一边嘱患者活动受限的关节。

点穴的刺激量可分为弱刺激、中刺激、强刺激。针对疼痛患者通常采用强刺激；针对虚证患者，可采用弱刺激；对于肌肉丰厚处的穴位可采用强刺激，如环跳；对于肢端、巅顶、肌肉较薄处的穴位可采用弱刺激。

以下介绍一些常见病的点穴处方，供参考应用。如无特殊说明请参照前述点穴要点进行治疗。

一、伤科病证

颈型颈椎病：阿是穴、风池、肩外俞、肩中俞、曲垣、大杼、天宗、肩井。

神经根型颈椎病：阿是穴；颈5神经受压时选缺盆、肩中俞、天宗、极泉、手三里、外关；颈6神经受压时选缺盆、肩中俞、天宗、极泉、臂臑、手三里、鱼际、合谷；颈7神经受压时选缺盆、肩中俞、天宗、极泉、手三里、内关；颈8神经受压时选缺盆、肩中俞、肩贞、极泉、小海。

落枕：合谷、外关、落枕穴、阿是穴。

胸胁屏伤：内关、阳陵泉。

肋软骨炎：阿是穴。

腰椎间盘突出症：阿是穴、秩边、承扶、殷门、委中、委阳、承山、飞扬、昆仑、环跳、居髎、风市、阳陵泉、绝骨、足三里、太溪、涌泉。

腰部软组织劳损：阿是穴、三焦俞、肾俞、气海俞、大肠俞、关元俞、小肠俞、肓门、志室、委中。

急性腰部软组织损伤：委中、绝骨。患者取俯卧位，医生双手拇指点按患者双侧委中穴、绝骨穴以止痛，点按的力量要大。在点按委中时，嘱患者双手支撑床面，由俯卧位改为跪坐位，再俯卧于床上，如此反复5~10次。

退行性脊柱炎：阿是穴、大肠俞、关元俞、秩边、环跳、殷门、委中、承山、阳陵泉、绝骨、昆仑、太溪等穴。

腰三横突综合征：阿是穴。

隐性脊柱裂：委中、腰阳关。

梨状肌综合征：委中、绝骨。

肩周炎：阿是穴、合谷、三间、后溪、中渚。

肱二头肌长头腱鞘炎：阿是穴、合谷、三间、后溪、中渚。

肩峰下滑囊炎：肩髃。

肱骨外上髁炎：肘髎。

肱骨内上髁炎：阿是穴。

桡侧腕伸肌腱周围炎：阿是穴、合谷、三间。

三角软骨盘损伤：阿是穴。

桡骨茎突部狭窄性腱鞘炎：阿是穴。

腱鞘囊肿：阿是穴。

屈指肌腱狭窄性腱鞘炎：阿是穴。

髋关节一过性滑膜炎：髀关、环跳、居髎、足三里、阴陵泉。

膝关节韧带损伤：阿是穴、阳陵泉、阳关、阴陵泉、阴谷、膝关、曲泉。

膝关节骨性关节炎：阿是穴、阳陵泉、阳关、血海、梁丘、足三里、阴陵泉、阴谷、膝关、曲泉、委中、委阳。

半月板损伤：阿是穴、血海、梁丘、足三里、阴陵泉。

髌骨软化症：阿是穴、血海、梁丘、足三里、阴陵泉。

胫骨结节骨骺炎：阿是穴。

踝关节软组织损伤：阿是穴。

跟痛症：阿是穴。

二、内科病证

心血管系统疾患：内关、膻中、心俞、督俞、厥阴俞、至阳、夹脊。

呼吸系统疾患：中府、膻中、天突、鱼际、风门、肺俞、定喘。

消化系统疾患：上脘、中脘、下脘、梁门、章门、足三里、脾俞、胃俞、胃脘下俞、夹脊、内关、公孙。便秘、便溏者加天枢、大横、上巨虚。腹胀者加气海。胃下垂者加百会。

泌尿系统疾患：中极、关元、气海、大赫、阴陵泉、三阴交、太溪、足三里、肺俞、脾俞、肾俞、夹脊。

三、其他病证

妇科疾患：关元、气海、中极、子宫、地机、血海、三阴交、太溪、肾俞、八髎、夹脊。子宫下垂者加百会。

失眠：百会、四神聪、神庭、印堂、太阳、神门、内关、三阴交。

昏厥：人中。

各种痛证：合谷。

心绞痛：内关。

心律失常：内关。

呕吐：内关、涌泉。

腹痛胃痛：足三里、中脘。

腰痛：委中、绝骨。

第十章 踩跷疗法

踩跷疗法是我国古老的按摩疗法之一。该疗法简单方便，无不良作用，且有省力、易深透、可持久等特点，且对某些疾病具有特殊的疗效，所以越来越受到人们的重视，特别在医院的推拿科得到广泛使用，并逐渐成为保健推拿的一种常用方法。

踩跷有狭义和广义之分。狭义之踩跷单指一种脚法，即通过医生双足在患者腰背部节律性的踩跳达到治疗疾病目的的一种推拿方法。广义之踩跷则包括了一切以脚为治疗工具，在病人躯干或肢体表面进行各种操作达到治疗目的的技巧和方法，古称跷摩。为了与手法相区别，现在也称脚法按摩。

第一节　踩跷疗法的基本原理

一、调整脏腑

脏腑是化生气血、通调经络、主持人体生命活动的主要器官。脏腑功能失调后，所产生的病变，通过经络传导反映在外，可出现精神不振，情志异常，食欲改变，二便失调，汗出异常，寒热，四肢疼痛以及肌肉强直等各种不同的症状，即所谓“有诸内必形诸外”。踩跷疗法具有调整脏腑功能的作用。在踩跷治疗中背部腧穴是操作的重点部位，五脏六腑均有背腧穴与之相联系，通过踩跷疗法刺激相应的背腧穴、痛点（或疼痛部位），并通过经络的连属与传导作用，对内脏功能进行调节，达到治疗疾病的目的。

二、疏通经络

经络是人体内经脉和络脉及孙络、浮络等分支的总称，是人体气血运行的通路，它内属脏腑，外连肢节，通达表里，贯穿上下，像网络一样分布全身，将人体的脏腑、组织、器官各部分联系成一个统一协调而稳定的有机整体，具有

“行血气而营阴阳，濡筋骨，利关节”之功能，所以有“经络者，所以决生死，处百病，调虚实，不可不通”之说。人体就是依赖它来运行气血，发挥营内卫外的作用，使脏腑及其与四肢百骸之间保持动态平衡，使机体与外界环境协调一致。当经络的正常生理功能发生障碍时，外则皮、肉、筋、脉、骨失养不用，内则五脏不荣，六腑不运，气血失调，不能正常地发挥营内卫外的生理作用，则百病由此而生。踩跷疗法通过对经络的刺激，可以使经络气血通畅，从而达到内治脏腑、外治肢节的作用。

三、行气活血

气血是构成人体和维持人体生命活动的基本物质，是脏腑、经络、组织器官进行生理活动的基础。血具有营养和滋润作用，气血周流全身运行不息，促进人体的生长发育和新陈代谢。人体一切疾病的发生、发展都与气血的失调相关。气血调和能使阳气温煦，阴精滋养，则可以正气存内，邪不可干，机体处于健康的状态；气血失和则皮肉筋骨、五脏六腑均失去濡养，以致脏腑组织等人体正常的功能活动发生异常，而产生一系列的病理变化。《素问·调经论》说：“血气不和，百病乃变化而生”。踩跷疗法可以对人体气血失和进行调整，如通过对脾胃功能的调整加强人体气血生成，对经络的调整纠正气血瘀滞的状态，从而使人体气血充盛，脉络畅通，消除疾病。

四、理筋整复

中医学中所说的筋，又称经筋，“宗筋主束骨利机关也”，泛指与骨相连的肌筋组织，类似于现代解剖学的四肢和躯干部位的软组织，如肌肉、肌腱、筋膜、韧带、关节囊、腱鞘、滑液囊、椎间盘、关节软骨盘等软组织。因各种原因造成的有关软组织损伤，统称为筋伤或伤筋。筋伤后由筋而连属的骨所构成的关节，亦必然受到不同程度的影响，产生“筋出槽、骨错缝”等有关组织解剖位置异常的一系列病理变化，出现诸如小关节紊乱、脱臼、滑脱、不全脱位、关节错缝、椎间盘突出、肌肉或韧带、筋膜等部分纤维撕裂等病证，造成一系列的症状，通过踩跷疗法的直接力学作用，可以纠正生物力学的失衡，配合其他手法治疗，重新恢复正常的解剖关系，达到治疗目的。

第二节　踩跷疗法使用的器具

踩跷疗法必备的器具包括踩跷床、专用袜和垫子。

一、踩跷床

踩跷床的基本结构由病人躺卧的床和用于支撑医生体重的附属器械组成。其设计与制作应满足两大基本要求，其一患者俯卧时感觉舒适，其二踩跷医生操作时方便、灵活与省力。踩跷床可以与一般的按摩床相同，包括床垫和呼吸孔（简易式踩跷床多无呼吸孔）。呼吸孔的大小应特别注意，太大则无法固定头部，头垂颈屈而感不适；太小则面部受到刺激，口鼻易被堵塞。一般可以在呼吸孔周围以有弹性的软垫围绕，如此更适应患者头颅大小，并避免头部受到挤压。由于踩跷床用于踩踏，所以应做得结实，考虑到患者和医生的体重，以及医生踩跷时的冲量等因素，必须保证踩跷床承载重量至少在400kg以上，床垫也应较普通按摩床厚。为防意外，临床上踩跷床最好置于屋角或靠墙面，或在地面处加以固定。对医生的支撑，可以通过医生双手直接扶持墙面，或手抓住从天花板上下垂的吊环，或专门为踩跷床设计一个与之相连的支撑架而实现。以最后一种最为常用，已经被广泛应用于各医院和健身中心。

二、专用袜

可以对医生的脚进行保护，同时避免了医患之间的直接接触，其材质可为毛线、棉麻或丝织品。专用袜质地要结实、耐磨且光滑，所以织线不能太细，织的密度也要较大。袜子要合脚，否则容易在操作过程中滑脱。

三、垫子

垫子的使用是为了对特殊的部位起支撑作用，并增大接触面积，减小压强。如俯卧位时常垫于患者胸、腹、小腿等处，起保护作用，防止大力踩踏时髌骨、髋骨、胸肋骨与床面之间产生挤压而造成疼痛，并增加患者的舒适感。每个踩跷床都相应配备2～4个软垫，垫子有厚有薄，或圆或方，其填充物宜选用棉、麻、海绵等软性材质。如俯卧治疗腰椎间盘突出症时，多在胸部及大腿前部各垫一个垫子，使腰部悬空，便于治疗。

第三节　踩跷疗法的基本操作技术与部位

一、踩跷的基本方法

踩跷的基本方法是临床踩跷治疗与保健的基础。基本脚法的熟练是获得良好踩跷疗效的基础，必须予以高度重视并反复练习。

目前临床常用的基本脚法主要有：

（一）脚揉法

【定义】

以单足或双足跟、前足掌、脚弓或拇趾吸定于治疗部位，以臀及大腿发力，通过髋、膝关节的左右、前后的摆动或旋转带动踝关节及吸定部位，在吸定点下产生和缓节律性的摆动或旋转运动的方法称为脚揉法。

【技术要领】

1. 手揉法在接触面上为回旋运动，脚揉法可与之同。但脚之操作以左右或前后摆动较为自然与方便。因此有左右、前后与回旋三种运动方式。左右摆动以坐式踩跷常用，最为省力；前后摆动应有明显的膝关节的伸屈。

2. 接触面上必须吸定，不得有摩擦。“肉动（深层）皮不动”为揉法的特征。

3. 小腿与脚踝应尽量放松，防止动作僵化。

4. 频率以80～120次/分为宜。操作时间应长，一般为3～5分钟。

5. 单足揉，为医生一足站于床上，支撑身体，另一足置于踩跷部位节律运动。双足揉为双足同时踩踏一定部位，可双足并拢，如揉大腿后侧、单臀等，或双足分开，一左一右，对称揉患者左右两侧。

【作用】

该法深沉、柔和，长于舒筋通络、益气活血、缓解疲劳与镇痛。

【临床运用】

脚揉法是重要的放松脚法，常用于治疗开始时的放松，或缓解疲劳或痛点治疗，用于肌肉丰厚之处最宜。各种揉法中，足跟揉力量最强，多用于脊柱两侧与腰骶；前掌揉面积较大且力量轻柔，用于背部最佳；拇趾揉面积小而深透，适宜于穴位的点揉；脚弓揉主要用于臀与大腿等圆弧表面的操作。

（二）脚压法

【定义】

双足足掌或足跟垂直用力下压称压法。

【技术要领】

1. 先以上肢支撑体重，全脚踩踏于一定部位，重心逐渐前移并踮脚（前掌压）或重心后移而脚尖上翘（足跟压）。然后上肢的支撑力逐渐减小，体重的力量逐渐增大，并配合小腿主动发力。

2. 以单足按压时，如另一足抬起（屈膝屈髋）名为“金鸡独立”。如两脚重叠于按压脚的上方，逐渐用力称沉压法。

3. 用力方向一定要垂直，压力由轻到重，以酸胀为度。

【作用】

舒筋通络，解痉镇痛，理筋整复。

【临床运用】

脚压法为重要的整脊与理筋脚法，多用于疼痛面积较大的部位或沿经络操作。如用于脊柱两侧，可疏理膀胱经脉，外治腰背疼痛，内调理脏腑。前掌压，力量缓和，作用稍浅，宜站式操作，适用于筋经及肌肉等病变，对于肌肉酸胀、局部麻痹者可采用按压与放松交替进行治疗，但压时长，放松短，可提高神经肌肉的敏感性；一般舒筋则节律按压，压时较短。足跟压，力量沉稳、深透，常用于痛点治疗或整复骨与关节的错缝以及椎间盘突出等，对于严重骨质疏松者及孕妇禁用。

（三）脚切法

【定义】

以脚外侧或足趾静止性或节律性地垂直向下按压称切压法。

【技术要领】

1. 先全脚踩踏于施术部位，然后以脚外侧（外侧切压）或足趾趾端（趾切法）垂直作用于该部位。

2. 切似刀锋，用力作用于一个狭长的条状部位，此为切法的特点，也是与压法的主要区别。

3. 上身保持直立，充分利用身体的重量。

4. 得气后，宜保持恒力持续一定时间。

【作用】

活血化瘀，疏通经脉。

【临床运用】

较压法面积小而力大，成条形作用于施术部位，有阻断血脉经络之功，一般用于四肢八溪（腋、肘、髋、膝）、关节处穴位或动脉搏动之处，如趾切腰眼、切大腿根部、切急脉、切腘动脉等。临床运用时当切压得气后，多保持该压力，持续作用 1～2 分钟，待患者觉所切压局部或其远端出现麻木、蚁行、冷热或刺痛时方移开，通过对经脉的反复阻断与再通，形成血流的脉冲波，改变气血原有的流体状态，有较好的活血化瘀、疏通经脉的作用。多用于肢端循环障碍、脉管炎、肢肿、血栓形成等。

（四）脚蹬法

【定义】

以足跟垂直或斜向突然冲击性向下用力的方法称为脚蹬法，又称脚顿法。

【技术要领】

1. 先行按压患者至最大限度，再发力蹬踏。

2. 蹬时瞬间发力，力大而突然。

3. 嘱患者张口或配合呼吸，多于呼气末顿（蹬）之。

【作用】

整复关节，镇痛镇静，吐故纳新。

【临床运用】

用于整复关节时，多利用该法的爆发力强、深透与振动的特点，促使紊乱的关节结构得以改变，如用于脊柱小关节的错缝时，常在蹬踏动作结束时，可感到患处小关节的错动，闻及“咔哒”声。当在肌肉丰厚处有节奏地蹬踏时，间隙期辅以振颤法，具有良好的镇痛及镇静的作用，多用于机体深部的疼痛，也用于高血压、糖尿病、神经官能症等。嘱患者深呼吸，吸气时医生以上肢支撑体重，两脚渐上抬，呼气时双足逐渐下压，且在呼气末于腰或胸背部用力蹬之，有助于肺内余气排出，对肺功能尤其是肺的通气功能有较好的促进作用，有增强吐故纳新之效，多用于感冒、哮喘等内科病证。

（五）脚点法

【定义】

以足拇趾趾端垂直向下着力于一定部位称脚点法。

【技术要领】

1. 以双臂支撑身体，站立于欲点部位，全脚平置于病处，拇趾端对准腧穴或痛点，然后双足上踮，由全脚平置逐渐过渡到拇趾端着力于穴位，并保持20～30秒。

2. 点穴的力度大小由拇趾或足跟与作用部位的角度和上肢的支撑力量决定。

3. 因该法对局部压强较大，操作时应得气为度，不可太过，防止医源性损伤出现。操作时应密切观察或询问患者，在其能忍受的范围内操作。

【作用】

通络镇痛，激发经气。

【临床运用】

该法深透力强，刺激强度很大，多用于腰、臀、大腿等处穴位。用于腰背部常规操作时多以双足同时在人体左右两侧对称地沿一定经线，如足太阳膀胱经从上至下点压，长于疏通经络。用于某部位病证，尤其是压痛点时，可一足置于患处，另一足对称置于健侧，逐渐将身体重心转移到点穴之脚，待得气后，保持其力度片刻，两脚交替进行，有良好的镇痛作用。

压法与点法都是垂直向下用力，其区别主要在于二者的接触面积不一样。压法用足掌、全脚或足跟，接触面积大，较为柔和；点法接触面积小，以趾代针，力量大，刺激量大。

（六）脚推法

【定义】

单方向地直线运动谓之推。

【技术要领】

1．患者俯卧，医生以支撑脚前足掌着于一定部位，膝微曲，重心下移，另一侧下肢腘窝紧贴于支撑脚的髌前，以足跟或全脚接触欲推部位。推脚以膝为支点，小腿向下向前发力，带动足跟或全脚缓缓向前移动。路径短时，多以足跟推，膝腘相贴；路径长时，膝腘方才离开，并逐渐过渡到全脚推。分推法为医生在上肢支撑体重的前提下，双足平行踩踏于脊柱正中两侧，然后双足同时外旋，全脚紧贴皮肤，自然向两侧滑下。

2．纵推时路径要直，频率应缓，用力深沉，每个部位推3～5次为宜，推动的方向应与局部肌纤维方向一致。分推时，应轻快、自然，一般从上到下，依次分推完为一遍，可操作2～3遍。

3．直接接触皮肤时，为防止皮肤破损，应使用介质。

【作用】

理筋整脊，通经活络。

【临床运用】

纵推力沉而缓，是重要的镇痛与理筋（脊）方法，也可作为其他治疗完毕后的结束方法，多用于沿脊柱两侧及臀腿部的推动，如急慢性腰肌损伤、坐骨神经痛等。分推则多用于理筋，是重要的放松脚法。

（七）滑溜法

【定义】

依靠自身重力，身体倾斜，带动双足在体表滑动的方法。

【技术要领】

1．上身斜靠墙面或扶手，双足紧贴一定部位，逐渐下滑。

2．下肢一定要保持平直，滑动要缓慢而自然。

3．一般从上向下滑溜，以减少阻力。

4．滑溜的路径可以是直线也可以是曲线。

【作用】

舒筋活络，伸展肌肉。

【临床运用】

本法为重要的放松与舒筋脚法，多用于腰肌劳损、下肢疲劳与酸痛等，也用于保健。本法与推法都是推进，但推法靠双足主动发力，常常一足固定某一端，另一足沿直线推向另一端，其力深沉，最能理筋与整复；而本法完全借医生斜向身体，自然地滑溜，故其力和缓，用于舒松肌筋踩跷较为适宜。

（八）脚抹法

【定义】

以全脚在一定的平面上左右对称，从一点到另一点成弧形或螺旋形运动的方法。

【技术要领】

1．左右脚一定要对称，置于正中线两侧，两脚应同时协调动作。

2．力度较轻，轻轻拂过，应以双臂支撑身体，双足快速地在作用部位滑过，频率80～120次/分。

3．一般脚成正“八”字和倒“八”字交替运动。

【作用】

消除疲劳，开窍醒脑，镇静安神。

【临床运用】

抹法力度很轻，作用层次较浅，患者感受非常舒服，踩跷开始时最为常用。轻柔的刺激对缓解肌肉及精神紧张有显著作用，可用于失眠、头昏、嗜睡、肩背疼痛、腰肌劳损以及脘痞腹胀等病的辅助治疗，对皮肤的异常感觉如麻木、蚁行、风湿痹证等也有一定疗效。

（九）脚拨法

【定义】

以足趾或足跟垂直于肌肉或肌腱，在同一平面上用力拨动的方法。

【技术要领】

1．以拇趾或足跟置于肌肉或肌腱的一侧，将其向对侧推动。

2．以足跟拨时，人的身体保持斜向，聚力于足跟向前推动；以拇趾着力时，一足立于床上，另一足的拇趾置于筋前，通过拇趾的屈曲将其向后拨动。

3. 拨动时，部位吸定，力量沉稳，皮虽不动，但所拨动的肌肉或肌腱却于皮下发生明显的位移，应防止力量虚浮造成皮肤破损。

4. 其方向应在肌肉或肌腱所在的平面上，垂直于肌肉或肌腱的走行用力，如拨动琴弦，频率60～80次/分。

【作用】

舒筋通络，松解粘连，解痉止痛。

【临床运用】

由于拨法能在筋腱起止点固定的基础上，使之向左右移动，从而增长了该肌肉或肌腱的长度，类似于被动牵拉，长于解除痉挛，广泛用于各种原因导致的肌肉、肌腱紧张度增高造成的痛症，尤其是寒湿、劳损、慢性伤筋、疲劳等所致之肢体胀痛、酸痛、麻木等。当筋与筋之间发生粘连时，拨法又是最直接的分离其粘连的方法。《医宗金鉴》论推之本意时指出："推者，谓以手推之，使还旧处也"。推法由此及彼，多平行纤维方向运动，使筋顺而归位。拨法则垂直于筋腱，使偏斜者复位，推与拨异法而同功也。临床经常将拨法和推法结合使用。

（十）踩跷法

【定义】

双足在患者腰背部同时节律性弹跳踩踏的方法叫踩跷法。

【技术要领】

1. 嘱患者全身放松并张口，医生双足分置脊柱两旁，双臂扶于踩跷床之横杠或扶手，然后开始小幅度弹跳。跳起时，足掌完全向上离开踩踏部位，但足拇趾尖始终与部位接触，不能完全腾空。然后蓄力于前掌或拇趾，向下踩踏（见图10－1、10－2）。

2. 踩跷的作用强度，由上肢的支撑和接触面积大小决定。欲大强度刺激时，尽量以拇趾端，甚至单足拇趾踩踏，而上臂基本不用支撑，靠扶手之臂不过起平衡身体的作用。反之，前足掌踩踏，上肢用力支撑，则刺激较缓和。

3. 踩跷节律性很强，频率快，作用时间短。多三轻一重，三次轻跳时，足跟微上翘，以前足掌做富有弹性的跳动，其频率一致，幅度很小，轻跳完毕，即大幅度跳动与踩踏一次。重踩腰部瞬间，患者头及双足可有明显的上翘，名之曰"摇头摆尾"。

4. 严格把握踩跷的禁忌证与适应证。对年老、体弱、孕妇、骨质疏松及内科、妇科病等所致之腰痛应慎用。踩踏的部位多局限于腰、骶、臀等处，切忌在胸廓部踩踏。

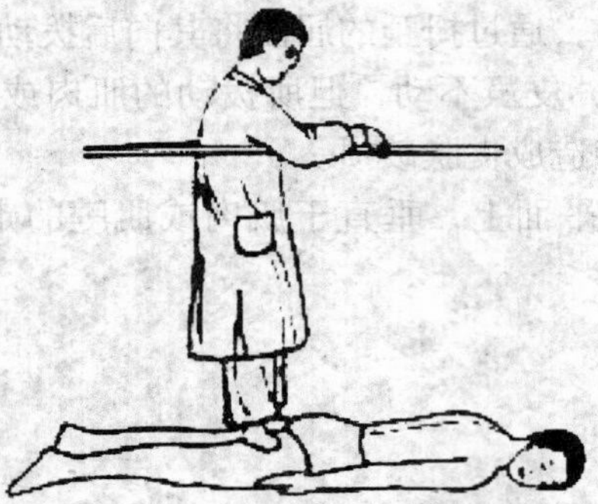

图 10－1　踩跷法一

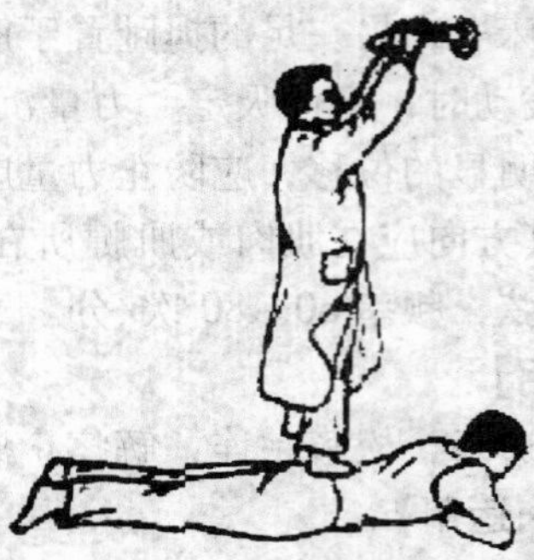

图 10－2　踩跷法二

5. 理论上，在踩跷时患者应配合呼吸运动。即当医生跳起时患者应吸气，而当踩踏时，则呼气，切忌屏气。但实践中，踩跷频率与呼吸频率难于统一，故多强调患者张口，使内外气压趋于一致，以免屏气造成内伤。

【作用】

整复关节，解除痉挛，促进椎间盘回纳。

【临床运用】

1. 用于椎间盘膨出、突出症，具有良好的整复作用。应先找准踩跷点，一般在突出的椎间隙处，行脚揉、压、搓等放松脚法之后，于患处踩跷，踩毕就势在其局部振颤片刻。踩跷次数不宜太多，3～5 天治疗 1 次。

2. 椎骨错缝的整复。椎骨错缝时，脊柱常因之而弯曲，踩跷应于其凸侧施之，力量由轻而重，切忌蛮力。

3. 骶髂关节错缝的整复。

4. 腰椎滑脱的整复。

5. 腰深部筋膜或肌肉的痉挛。

（十一）脚振法

【定义】

以脚高频率地在一定部位颤动的方法叫脚振法。

【技术要领】

1. 医生重心下移，膝微屈，以拇趾、足跟或前足掌吸定于一定部位，大腿与小腿同时强直性收缩，如痉挛状，发出极高频率的振颤，经小腿、踝部传达至接触面，频率 220～300 次/分。

2. 在大腿与小腿强直性收缩的同时，接触部位的抖动有利于增加其感应。

【作用】

解痉，止痛，散瘀，活血，柔筋。

【临床运用】

推拿的特点是直接接触皮部、经穴、神经与肌肉。上述部位客观存在着生物电现象，振法是在点按的基础上运用高频率颤动作用于人体，它也以波的形式出现，所以它在调节神经与肌肉的兴奋性方面具有特殊的效能，随着其振颤波的扩散与深入，它的治疗范围也相应扩大，治疗层次也更深入。所以它不仅较之单纯的点法与压法深透，而且赋予其柔性，易于为患者接受。广泛用于各种软组织痉挛所致之疼痛，胃肠痉挛之痛，真心痛等。趾振法主要用于穴位，前掌振用于腰背与腹，足跟振多在臀部操作。

（十二）脚摩法

【定义】

医生一足站于床上或患者腰骶部，承受自身体重，另一足掌置于一定部位，随着膝关节的运动，带动小腿和踝部做回旋摩动的方法称脚摩法。

【技术要领】

1. 摩擦面应平整，所用治疗巾应光滑并固定。
2. 摩动轨迹呈圆形。
3. 足掌应紧贴治疗面，不能上抬与中断。
4. 力度要轻，皮动肉不动为摩法的特征，频率 50～80 次/分。

【作用】

活血化瘀，消食导滞，安神镇静。

【临床运用】

摩法力度很轻，主要作用于人之皮毛及肌肤，具有导引气机、增强局部感应性和调理神志等功效。当于腰、背、胸、大腿内侧部或腹与头部的一些穴位摩动时，摩动的圆圈轨迹应小，类似手之指摩法，能调和气血，安神定志，配合患者自身的守神，效果更佳。于整个脘腹大范围摩动时，力度可重，且有顺时针和逆时针之分。顺时针，顺其肠蠕动方向，促进肠蠕动，临床谓之泻；逆时针，抑制肠蠕动，可用于虚证腹泻，谓之补。

（十三）脚搓法

【定义】

以单足或双足置于踩踏部位，快速地往返搓动的方法叫脚搓法。

【技术要领】

1. 搓动之脚一定要紧贴皮肤。

2. 可横向亦可纵向搓动。横向搓动时以床面为支撑，单足或双足朝同一方向运动。纵向搓动时，双足夹持欲搓部位，两脚同时向相反方向运动。

3. 搓动频率应快，80～120次/分，力度适中，透热为度。

4. 搓动时应循序左右或上下缓缓移动。

【作用】

温经活血，行气止痛。

【临床运用】

对皮肤刺激较强，易于产热和促进血液循环，多用于寒证、瘀证、皮肤感觉迟钝与异常感觉等症，也用于局部的放松。于四肢多用单足脚弓横向从上向下搓动，可放松四肢、消除疲劳。于胁肋、腰、腹等部，则多用双足来回搓动，活血温经最宜。对于皮肤弹性较差患者，为防止皮肤破损，可用介质涂于患处。

（十四）脚擦法

【定义】

以单足快速来回摩擦运动的方法叫擦法。

【技术要领】

1. 一足立于床上，另一足抬起，全脚平置于治疗部位，通过快速伸屈膝关节，带动小腿及脚面在接触部位来回擦动。

2. 频率要快，120～150次/分，力度要强，距离要短，透热为度。

3. 线路要直，不能随意弯曲。

【作用】

温经散寒，活血化瘀，产热消脂。

【临床运用】

与搓法比较，对皮肤的刺激与产热作用更显著，多用于寒证、瘀证、皮肤感觉迟钝与异感等症。在腰部多沿脊柱两侧竖擦与在腰骶处横擦，能温肾壮阳，温经止痛。在腹部横擦与竖擦，又是重要的减肥方法。此外，由于擦之产热能深透皮下，使患者保持一种刺激感，故不论何部，多用于踩跷结束之时，以延长其推拿效应，擦法也就成了重要的收功方法。为防止皮肤破损，可用介质涂于患处。

（十五）击打法

【定义】

以足跟快速节律性击打一定部位的方法。

【技术要领】

1. 医生取坐位，双腿伸直，两足跟后部置于击打部位，通过大腿伸肌肌群的收缩，使膝关节微曲与小腿上抬，带动足跟离开放置部位，然后自然落下，形成击打。亦可取立位，医生以上肢支撑体重，身体腾空，两脚自然下垂，然后屈膝收小腿，两脚交替以足跟从后上向前下击打。腾空后，亦可微微屈髋，带动小腿前移，以足跟后部击打一定部位。

2. 双足落下时要自然，一般借助其下落之惯性击打，而非主动发力。两脚多交替击打。

3. 频率要快，节奏感强，120～150 次/分，力度适中，以患者能忍受为度。

【作用】

放松肌肉，活血化瘀，调整脏腑。

【临床运用】

在脊柱节律性击打，有助于调整椎间关节和改善脊柱的力学平衡，并通过脊柱对内脏产生影响，是重要的调脊方法，临床除用于椎骨错缝、椎间盘突出等骨伤病证外，还广泛用于高血压、失眠、眩晕、咳喘、胸痹等内科病证。于肩、髋、骶髂等关节处施术，亦有较好的调理关节作用，可用于相应关节的病证。于臀、腰、肩井、四肢等处击打，则是重要的放松脚法，多用于收功。

（十六）脚拍法

【定义】

以两脚足掌交替拍打一定部位的方法称为脚拍法。

【技术要领】

1. 以大腿及小腿运动带动踝关节、足掌自然抬起落下。

2. 接触拍打面后应迅速抬起，踝关节要自然放松，不可僵硬，防止因踝关节僵硬成为脚踏。

3. 拍打连续不断，保持较快的频率，每分钟 120～150 次。

【作用】

舒筋通络，活血化瘀，振奋经气。

【临床运用】

拍法较击法面积大而作用表浅，感受最为舒适，故主要用于各种治疗结束之后的放松，能提神醒脑，振奋气血，改善循环，提高神经肌肉的兴奋性。同时，连续不断、富有节律性的拍打对人体的浅感觉有较好的调节作用，对于患者局部皮肤的感觉障碍或异常如麻木、刺痛、冷酸、瘙痒、虫行等有一定的疗效。

（十七）蹬腰提腿法

【定义】

为医生双手提患者脚踝，脚蹬患者腰部的方法，别名“牛犁地”，是重要的腰过伸扳法。

【技术要领】

1. 患者俯卧位，身体放松。医生一足立于床上，一足跟踏于腰部痛处或需整复的椎骨处，膝关节屈曲约90°，双手将患者两脚踝提起，两手突然同时向上用力，而蹬踏之脚与手配合同时用力蹬踏，使腰部处于过伸位。

2. 力度适中，应在患者能忍受的范围内。

3. 手脚动作要协调，相反方向力的交汇点应在患处，作用时间应短暂。

4. 每处可操作3~5次。

【作用】

整复关节。

【临床运用】

用于下位腰椎或腰骶关节的整复。该法使腰椎处于过伸位，故对于腰椎生理弧度变直或反张等有一定的调整作用，对于引起其异常改变的疾病，如椎间盘突出、小关节紊乱等也有疗效。

（十八）蹬腰拉手法

【定义】

为医生双手提患者手腕，脚蹬患者腰部的方法，别名“鸭儿凫水”，是重要的腰过伸扳法。

【技术要领】

将“牛犁地”之提脚改为医生双手紧拉患者双腕。在两手突然向后上用力拉提时，蹬踏之脚反向在患处尽力蹬踏。其余操作与蹬腰提腿法同。

【作用】

整复关节。用于上位腰椎或下位胸椎的整复。

【临床运用】

临床用于整复时，要求手脚协调，作用时间短暂；但用于一般恢复生理曲度，则可根据具体情况分别将脚的踩踏部位置于某一椎（可选择下位胸椎或五个腰椎中的任何一椎）或骶部，或双足立于两臀，或双足立于大腿根部后侧等。

（十九）跪腰晃肩法

【定义】

在固定腰部的情况下，晃动双肩，使脊柱左右旋转，而达到整复腰椎与局部放松的方法。

【技术要领】

1. 患者俯卧，医生位于其左侧，左腿跪于床面，右脚屈曲，右膝关节跪于腰部正中或需整复处的下位椎骨，医生两手从患者腋下插入肩前，用力将其双肩抱起，然后两手交替，一上一下快速晃动肩。

2. 医生右膝应牢牢地抵住腰部或治疗部位，使晃动之旋转力量作用于患处。

3. 两手晃动要快，晃动的最大幅度应在患者能忍受的范围内。

【作用】

整复关节，纠正小关节紊乱。

【临床运用】

用于脊柱及其深部软组织的放松，纠正脊柱旋转畸形。

（二十）对角提拉法

【定义】

手持患者一侧腕部及对侧踝部同时向上提拉的方法。

【技术要领】

1. 患者俯卧，医生以单足置于其背部或腰部正中，一手握其腕，另一手抓其对侧踝，两手同时向上提拉。

2. 脚踏之处应固定不移，力度以患者胸腹不离开床面为佳。

3. 手脚应协调，提拉的幅度在患者能忍受的范围内。

【作用】

整复关节，纠正移位。

【临床运用】

用于脊柱旋转畸形、慢性腰肌劳损、坐骨神经痛等。

所谓对角提拉指的是一手拉一侧的腕部，另一手拉对侧的踝部。但临床运用时，也有同侧提拉法，即拉提同侧的腕与踝，主要用于椎间盘突出、脊柱侧弯等。

（二十一）骨盆调整法

【定义】

通过下压与摇动髋、腿而达到调整骨盆的操作方法。

【技术要领】

1. 患者仰卧，屈膝屈髋。医生两脚分开置于患者腋下，面其脚而立，以两手按住患者两膝上，先顺时针与逆时针方向各旋转 5 ~10 圈，再向左、右侧压 3 ~5 次。最后，医生重心下移与前倾，尽力沿患者大腿纵轴推压 3 ~5 次。

2．骨盆的运动为最终目的，膝与髋为运动的杠杆，故操作时应注意其角度、力度与幅度。

【作用】

整复骨盆，纠正错位。

【临床运用】

可用于腰骶关节、骶髂关节、耻骨联合等损伤。也用于腹腔与盆腔部分脏器病变，如尿失禁、小便余沥、遗精、阳痿、泄泻等。对下肢痹痛、痿软、腰膝无力等也可作辅助治疗措施。

（二十二）跪颈仰头法

【定义】

通过压颈与拔头使颈椎前凸的方法。

【技术要领】

1．患者俯卧，身心放松。医生左脚跪于其左侧，支撑体重，右脚屈膝屈髋，以膝盖顶住患者枕后，向下跪压，与此同时，两手托住患者下颌，用力向后上拔伸，使颈部处于过伸位。

2．跪颈时，小腿平置于脊柱正中，膝盖一定要紧贴枕后，下压之力应适中。

3．膝盖下压与两手拔伸要协调。

【作用】

恢复颈椎前凸。

【临床运用】

用于颈椎病、落枕、头痛等病证。

（二十三）调脊法

【定义】

两脚一前一后分别踏于脊柱上下，交替用力，调整脊柱的方法。常用于颈腰椎同病，或调整脊柱生物力学。

【技术要领】

1．临床有两种方法。第一种：医生一足站于患者腰骶部，承受自身重力，另一足快速地平踏于患者颈部或胸部脊椎，此时，重心前移；下踏一定幅度后，迅速上抬，重心重新回到腰骶部支撑脚。第二种：医生一足仍然位于患者腰骶部，另一足从患者颈椎起，从上至下，逐个椎体踩踏，踩踏时，主要运用前后脚之间身体重心的变化来完成。

2．踩踏颈、胸椎时，力度不宜过猛，作用时间要短。

3. 位于腰骶部的脚为主要支撑脚，医生重心可以完全落下，而当重心转换至颈、胸椎的踩踏时，不能完全落下，需以上肢支撑部分体重。

4. 操作时节律感要强，前、后脚配合要协调。

【作用】

调整脊柱，通理督脉，温中散寒。

【临床运用】

1. 用于踩踏部位的整复和治疗，如胸椎椎间关节紊乱、胸胁屏伤、颈椎病、颈椎椎间盘突出、腰椎退行性改变、腰椎椎骨错缝、腰椎椎间盘突出等，都可酌情参考运用。

2. 由于其作用的结果是使脊柱呈波浪式运动，有利于整个脊柱的功能协调和各生理弧度的恢复，因而该法成了重要的调理脊柱方法。

3. 也用于胸痹、心悸、高血压等内科病证的治疗，亦有提高免疫力和身体抵抗能力之功，在咳喘缓解期多配合运用。

（二十四）小步走

【定义】

是压法的一种特殊形式，但因其式与小碎步走动相似，故传统以“小步走”命名。

【技术要领】

1. 双足对称置于脊柱两旁，两脚交替，以足掌行小碎步踩踏。

2. 踩踏力度应轻，频率要快，120～150 次/分。

3. 一般多从腰骶部走向肩部，再从上至下回到腰骶。

【作用】

疏经活络，放松腰背。

【临床运用】

用于治疗前的放松或结束后的整理。

（二十五）鸡啄米

【定义】

脚点加叩拨并移动的方法，因其式与鸡啄米相似，故而得名。

【技术要领】

双足对称平置于脊柱两旁，足拇趾发力，由平置开始屈曲，最后垂直下点并抓附于一定部位，以拇趾的屈曲与抓附带动整个脚向前运动。两脚常交替由下至上进行操作。

【作用】

理脊疏经，通络止痛，活血化瘀。

【临床运用】

该法综合了脚点法、脚揉法和脚推法的部分特点，运动过程中，又几乎可以啄遍足太阳膀胱经在腰背部的一线（脊柱正中旁开 1.5 寸）和二线腧穴（旁开 3 寸），因而功效全面，不仅能缓解腰背疼痛，还广泛用于多种内伤杂证的治疗，如头昏、头痛、失眠多梦、心悸气短、振颤麻痹、下肢痿软、遗尿遗精等。

（二十六）伸筋法

【定义】

是纵向牵拉肌筋的常用脚法，又名分推法。

【技术要领】

1．患者取卧位，医生两脚一前一后分立于需伸展的肌筋的两端，前臂支撑体重。施术时，医生膝关节保持伸直，大小腿处于同一轴线，靠身体下沉，使左右两脚同时向前后发力，带动皮下组织向两端伸展，从而使肌筋得以拉长。

2．两脚接触面应吸定，不得有摩擦。

3．力度应适中，太轻则伸其皮毛，太重则摩擦太大，不易吸定，而成为推法。临床以带动深层肌肉组织运动为佳。

【作用】

伸筋和络，行气活血，缓解痉挛。

【临床运用】

用于急性腰肌痉挛、慢性腰肌劳损等有效。急性腰扭伤或椎骨错缝时，局部肌筋多处于挛缩状态，伸筋法伸其肌筋，使痉挛得解，利于其康复和镇痛，但其力度应轻，幅度要在患者能忍受范围内。慢性腰肌劳损、退行性脊柱炎等慢性病证，局部肌筋多有位置、结构、形态等异常改变，伸筋法既理其筋，又行气活血而镇痛，可标本兼治，力度宜重，幅度可大。此外在风湿腰痛、肾虚腰痛、腰部保健时也多加运用。该法用于臀、大腿甚至整个坐骨神经（大小腿）的牵拉时，一足置于坐骨结节处，一足置于同侧根骨处，两侧同时缓慢用力。

第四节 踩跷疗法的优点及注意事项

一、踩跷疗法的优点

由于脚与手之间存在的解剖差异及功能差异，踩跷疗法也有其自身的特色，运用范围与手法推拿有较大的不同。同手法相比，踩跷法的最大特点主要表现在省力、可持续、易深透三方面，可与手法相得益彰，互相配合补充。

（一）省力

各种推拿手法，均是由上肢的某一部分主动发力，如摆动类手法发力主要在前臂，点按法以上臂和前臂发力，以手指做点按，虽然医生姿势正确、取穴准确，但也常因臂力及指力有限而不能取得很好的效果，如在点按环跳、承扶、殷门等处肌肉比较丰厚部位的穴位时，由于手指力度有限，力量不能深入至有效部位，医生虽竭尽全力，但患者仍无得气之感，而医生如急于求成，反而容易导致自身的损伤。而踩跷的优点正在于此，医生的整个体重常常在60～80kg之间，身体的重力作用通过两脚或单足或足趾作用于治疗部位，患处所受压力很大，加之医生有目的节律性地主动弹压，力量就更大，所以就非常容易产生得气的感觉，“气至而有效”，“气速至则效速至”，故会取得良好的疗效。踩跷医生本身的体重压力往往大于患者所能承受刺激的最大限度，所以运用踩跷时，出于安全方面的考虑，还必须用手臂牵拉于踩跷床上横杆，以适当减少对患者的作用力。所以，对于推拿医生来说，手法更容易疲劳，而踩跷则相对省力得多；手法之力主要来自医生肩臂部及腰部的运动，是主动发力的过程，踩跷之力则来自全身重量通过接触面积的变化，如双足足掌、单足足掌或足大趾的变化而改变压强即对治疗部位产生的刺激量，只需配合有节律的全身协调运动，而无需额外发力，故相对为被动过程。所以踩跷法对体重较轻、女性及体力较差的按摩医生更为适合。

（二）易持久

踩跷利用医生的体重，在自然状态下运用，而体重本身对医生而言并无负担，人类的站立是最能持久的姿势之一；踩跷过程中的技艺也大多与日常活动的走、跑、跳、滑动等动作相关，人类在做这些动作时，并不费力，踩跷方法相对简单，类似于这些自然活动的方法，故使用踩跷的医生在一定范围内不容易感觉到疲劳，可以说这些动作是人类最原始、最基本、最省力的运动形式之一，踩跷是将人类的日常动作运用于临床治疗，所以踩跷可以长时间地持续使用。

（三）易深透

踩跷中深透的治疗可以避免对外层组织的反复刺激，减少了对皮肤和外层肌肉的损伤，而直达患处。其中，有力与持久体现出阳刚之性；均匀与柔和则反映出阴柔之性。只有这样才能在推拿操作的一招一式中体现出内力与深透。踩跷除了有力与持久，在操作过程中也注重通过运用不同的频率、方向、力度变化和脚法搭配等；应注重功法的练习和修养；也强调传统的辨证论治、因人施法等，所有这些无不与均匀和柔和相关。

（四）强烈的被动运动

关节被动运动的幅度与强度取决于力度大小和由此产生的振幅。由于踩跷的力度普遍大于手法，下压时的幅度较大，因而它使踩踏局部的被动运动显著增强。加之其持续时间又相对较长，可深透到人体深层组织，因而它的刺激量是一般手法难于达到的。例如：在对腰椎间盘突出症的治疗中，使用手掌或手指对病变椎间隙进行点按，对腰椎不易引起大幅度的被动运动，而踩跷利用医生的体重，再加之有节律的跳跃式运动则可使腰椎间盘产生很大的弹性形变，从而改变椎间盘与神经根之间的结构关系，解除压迫，松解粘连，达到治疗作用。

附：手法与脚法的比较

踩跷长于治疗某些疾病，脚法能部分替代某些手法，在某些方面还优与手法治疗。但同其他治疗方法一样，它不是万能的，有其适用范围。手法推拿和踩跷各自有其不同的特点，手法多变细腻，踩跷刚猛有力，在临床治疗疾病时可以相互补充，扬长避短，了解与正确对待这种差别，并合理运用，是对临床推拿医生的基本要求。

脚法与手法比较，二者的主要区别在于：

1. 脚法用力方向较为单一，手法则多样化：脚的主要生理功能在于对整个人体的支撑，当其发挥支撑功能时脚底所产生的力的方向一般是直指地面或被踩踏物体的，即垂直向下的踩踏为其长处与特色，故在踩跷过程中，多以按压（踩踏）类脚法运用最多、最自然，操作者也得心应手；但不论单足还是双足一般都不能合拢而夹持，勉强合拢与夹持也显得别扭。单一的力向决定了具体脚法不可能像手法那样丰富多彩。而两手则既能垂直下压（力向向下），又能相对合拢与挤压（力向相对），且能捏而提起（拿）使力指向体外，手法的用力方向呈现多元化，尤其是拿捏之法在解除气血阻滞和放松牵拉肌肉方面远非踩跷可比，故临床踩跷宜配合拿捏法，使刚柔相济，阴阳协调。

2. 脚法感应性不及手法：在进行推拿时，手不断对患者的局部进行动态检查，特别是手指尖端的感应性较好，在推拿过程中，对所推部位与穴位下面的各种状态可以做到了如指掌，如硬结、条索、张力、冷热等，诚如《医宗金鉴》所言："骨之截断、碎断、斜断，筋之弛纵、卷挛、翻转、离合，虽在肉里，以手扪之，自悉其情"，只有如此才能在治疗的动态变化之中不断调整手法的类型和力度，达到良好的效果。而脚的皮肤粗糙，角质层厚，感应性较差，尤其是对精细触觉感应更差。故手在对软伤和腹腔脏器病变的诊断和判断预后方面的作用非踩跷可及。所以必须手脚配合使用，充分使用手的精细触觉，进行有效的触诊，然后在此基础之上进行踩跷治疗，方能做到有的放矢，同时达到精确和有效的目的。

3. 脚之灵活性、技巧性较手差：手是人体最灵活的肢体部位，其运动有指间关节、掌指关节、腕掌关节、掌骨间关节、腕骨间关节、桡腕关节等共同参与，所以手的动作是多关节协调运动的有机组合，灵活性很好，且手指较长，指与指之间分合自如；拇指与其他四指长短差别很大，除可作屈伸、外展、内收外，还能与其他四指对指，以及同手掌对掌，这是手可以进行各种精细动作的解剖结构基础。手的运动还常常有前臂的旋转、肘关节的屈伸、肩关节的旋转等其他邻近关节的协调运动，这进一步加强手的灵活运动。对比起来，下肢因其主要的功能为支撑躯体和直立行走，所以下肢各关节的稳定性较强而灵活度较差，脚踝的活动度不及手腕，足趾之间的展收不灵巧，配合欠协调。所以踩跷虽较手法面积大，但灵活性差，若要进行精确定位，弹筋拨络，扳摇关节，或压痛点的治疗，应以手法为主，或酌情配合手法治疗。

基于踩跷的诸多优点及特点，所以今天踩跷疗法在临床已广为运用，它不仅成了腰骶部病证治疗的重要手段，而且在保健方面，在减肥、四肢及腹部等病证的防治中都发挥着积极的作用。所以，对于从事推拿与保健康复之职业者而言，如果只会手法，而不会用脚与踩跷将是一大缺陷。

二、踩跷疗法的注意事项

踩跷疗法在疾病的防治方面确有其独特的作用，在临床上的运用已越来越受到重视。而且只要我们严格遵守操作规程，一般也少有意外发生。但由于踩跷毕竟不同于手法推拿，作用于患者身上的毕竟是医生整个身体的重量，所以，在实践中，为了做到万无一失，确保患者安全，防止医源性损伤的出现，我们还必须了解踩跷法的注意事项。

（一）技术上的注意事项

踩跷是以脚为主的运动，脚手协调性很强，因此在技术上，除了按具体脚法的要求操作外，还可注意下面几点：

1. 根据压强原理，一定的力作用于一定的部位，作用面积越大，单位面积所受压力越小。踩跷时，医生自身的重量相对恒定，踩踏时的习惯动作也基本统一，即医生施加的外力是相对恒定的，而具体踩跷时，既可用双足整个脚底、双足掌、双足跟、双拇趾，也可只用单足全脚、单足掌甚至单足拇趾等部位，接触部位的面积不同，力度也就不同，通过不断变换接触面积以调节刺激量是踩跷的基本功之一。由于这种变换只发生于脚部，上身相对不动，因而它使踩跷显得更沉稳。医生应当根据患者的体质和疾病的性质灵活运用，以确保有效和安全。

2. 踩跷时有双足同时操作的动作，如双足合揉、双足下压、鸡啄米、小步走等，因为双足同时在踩踏，因而多以双手用力支撑身体，以免整个身体下压而出现意外，此种情况对上肢的要求较高。而大多数踩跷脚法都可用单足，用单足时，可用一足作支撑，另一足施术。支撑脚可置于床面或患者的某一部位，如骶部、臀部或大腿后部，当踩跷脚和支撑脚都位于患者身上时，医生可通过人体重心的变化，即踩踏重心逐渐由支撑脚向施术脚转移，待得气而止，以使踩跷动作看起来更柔和，同时也更省力、更安全。

3. 一般而言，揉、摩、搓、压等放松脚法操作时间可长些，如每式3~4分钟；点、振、击打及整复关节类脚法操作时间则应短些，有些只做一次即可。在推拿与踩跷临床上，大多是根据病情与辨证、根据患者体质和耐受程度综合确定踩跷方案和具体的操作，这样方能体现因人制宜的原则，体现个体化治疗的优势。大凡患者出现或发热，或汗出，或面红、或呃气与矢气，或头昏等表现时，说明踩跷的总刺激量已经达到上限。在具体运用某一脚法时，由于力对肌肉的血液循环的加强作用及对痉挛的抑制作用，将在局部产生透热感或肌肉柔软感，这可作为判定某一脚法是否已达到刺激量的参考标准。

4. 传统踩跷多配合患者的呼吸，患者做深呼吸时，医生应随患者呼气而踩踏，于吸气时跳起。为避免因突然下压时，外力与胸腹因吸气而扩张相对抗产生诸如岔气、扭伤甚至脱位、骨折等严重的不良反应，故踩跷时一定嘱患者张口，避免出现因闭气造成的损伤。

（二）其他注意事项

踩跷前或踩跷过程中，做到下面几点，有利于提高治疗效果与避免意外。

1. 通过仔细的检查全面了解患者的病情及体质，做好记录，确定踩跷方案。

并将治疗方案，以及可能出现的情况告之患者，以期取得其良好的配合。

2．踩跷之初，特别是前5分钟内要密切观察并询问患者的感受，以随时调整力度。

3．遵循先轻后重、先慢后快、先单足后双足、慎胸廓的原则。如在初次进行踩跷时，要避免急于求成的心理，要给患者一个逐步适应的过程，在患者适应后逐步加大踩跷力度并进行总结。

三、可能出现的意外及处理

（一）晕厥

踩跷过程中，患者突感头晕、心慌、恶心、面色苍白、肢冷、冷汗，甚至昏迷不省人事的现象称为晕厥，与针刺产生的晕针现象相似。其主要原因为病人过于紧张、疲劳、饥饿或虚弱及敏感体质，也可能与踩跷时力度过大或对脊柱踩踏过久有关。如室内空调开启时间太长，室温较高，且通风不良，容易诱发晕厥。

晕厥发生时，医生切莫慌张。大多数晕厥者平卧休息后，一般能自行恢复。对晕厥的处理主要有立即停止踩跷，使患者平卧，饮温开水或葡萄糖水，掐揉或针刺合谷、人中、大鱼际等穴，或温灸百会、神阙等穴。必要时可给予输液或吸氧。

（二）岔气

所谓岔气即胸胁屏伤。指在踩跷过程中，当踩踏患者胸或背部时，患者突然感觉胸或背部疼痛，时如刀割，时如牵掣，甚至呼吸、咳嗽或转身、弯腰都十分困难。岔气的发生多由于用力不当，如用力过猛等（包括突然用力过大和用力过久），经验不足者尤易发生，为力量不当导致胸椎小关节紊乱所致，应特别注意。也可在正常用力情况下因为患者屏气而产生。

岔气发生后，应首先立即停止踩跷，改以手法治疗。并找准压痛点，以指揉法、指振法在岔气局部先行放松；继以扳法或掌按法或叩击法纠正紊乱的关节（应根据具体情况，分别整复椎间关节、肋脊关节、胸肋关节）；最后可嘱患者做深呼吸，医生两手置于胸或背相应部位，于吸气时两手随之上抬，呼气时两手下压，并于呼气末快速用力振按1~2次，常能闻及关节处“咔哒”声，症状明显减轻。

（三）骨折

踩跷时容易发生骨折的部位，多为胸胁部和腰椎。常由于用力过猛、过大，如踩跷时跳跃过高，或踩踏时患者屏气，或支撑之手意外滑脱，致使重量突然增加等所致。骨折发生后，患者常感局部疼痛，肿胀，皮色青紫。检查时可有明显压痛点、叩击痛，或胸廓挤压征阳性，必要时可拍X片以确诊。发生骨折后，应立即停止踩跷，并及时治疗。

应高度重视骨折的预防，其预防措施包括：①严格掌握踩跷禁忌证，对年老、体弱或骨质疏松者慎用此法。②踩跷时，嘱患者全身心放松。在施用踩踏类较重脚法时，一定让患者保持张口，以免屏气。③严格遵守技术操作规程，避免使用蛮力。

第五节　踩跷疗法的适应证与禁忌证

踩跷的实质是一种机械性的物理刺激，在一定的范围内是安全的。但由于每个人的体质、病情、年龄等方面的差异性，对它的安全性不能一概而论，很难对该疗法进行一个十分准确的安全范围的界定，所以，我们在进行踩跷治疗前，首先必须综合判断患者的体质情况和疾病情况，以确定能否踩跷；能踩，又该如何去踩。掌握和明了踩跷的适应证与禁忌证在临床有重要的意义，只有这样才能做到趋利避害，既达到踩跷的目的，又不发生医源性损伤。

一、踩跷的适应证

踩跷的适应证非常广泛。从部位上进行归纳起来主要有：

1. **腰背部：** 这是踩跷的重点部位。凡腰背部劳损、伤筋、风湿所致的疼痛、麻木、寒冷、感觉迟钝、肌肉肌腱变性、功能活动受限及椎间盘突出、脊柱小关节紊乱、骶髂关节紊乱、脊柱侧弯、骨质增生（退行性脊椎炎）等都是踩跷的适应证。此外，督脉又为阳脉之海，脏腑均有背俞穴位于膀胱经，背俞穴对内脏功能有良好的调整作用，从现代医学的角度上讲，通过对脊柱两侧的交感神经干的刺激，也可以调节胸腹腔内各个脏器的功能，所以，腰背部的踩跷也可用在许多内科、妇科疾病上，如失眠、心悸、胃痛、消化不良、腰痛、头痛、疲劳综合征、更年期综合征、偏瘫等。故临床有“疑难杂症取之脊”之说。

2. **腹部：** 肥胖、积聚、气痛气胀、高血压、消化不良、慢性腹泻、便秘、胃痛、糖尿病等。

3. **四肢：** 各种伤筋之症，骨折、脱位整复稳定后的康复，协助关节功能的恢复，神经损伤后肢体的功能恢复，保持损伤肢体的充足的血液供应及淋巴回流，各种痹证，全身疾病时需用四肢穴位等都可用踩跷疗法。

二、踩跷的禁忌证

踩跷的禁忌证主要反映在患者体表与体内是否适合于踩跷，是否利于操作，同时，踩跷对某些病证是否适宜。有些病证如腰椎滑脱，尽管可以踩跷，但可能存在风险，临床也应慎用。所以，踩跷疗法的禁忌证就一般而言，下列几种情况应禁用或慎用踩跷。

1. 皮肤破损，或皮肤病，如开放性创口、烧烫伤以及湿疹、银屑病、皮炎、疮疡痈疖等。

2. 急性扭挫挤压导致伤筋或有出血性倾向的病人，如急性软组织损伤 24 小时之内，局部出现肿胀、出血、疼痛者，严重的贫血，血小板减少性紫癜，白血病，血友病等。

3. 各种传染性或感染性疾病，如肝炎、艾滋病、肺炎、高热等疾病患者，以及骨髓炎、骨结核、化脓性关节炎等表现为局部的疼痛者。

4. 各种恶性肿瘤，如肺癌、肝癌、肾癌、卵巢肿瘤、膀胱癌等。

5. 关节脱位与骨折，或疑似脱位与骨折以及关节不稳，尤其是脊柱不稳。

6. 各种原因导致的心衰，心律严重紊乱，可能影响生命的其他心血管疾病，急腹症，急性胃肠炎，急性中风，急性关节炎（表现为关节红肿疼痛者）。

7. 大病初愈，年老体弱，骨质疏松严重者，妊娠，哺乳和经期妇女。

8. 剧烈运动之后、大汗之后、极度疲劳和极度饥饿之时都不宜立即踩跷，酒醉者、神经精神性疾病发作以及其他原因致神志模糊者也不宜运用。饭后最好休息半小时以上，再做踩跷治疗。

第六节　踩跷疗法的临床应用

一、腰椎间盘突出症

（一）踩跷治疗方法

1. 患者俯卧位，医者一足立于床面，另一足足掌沿骶棘肌从上至下揉动，两侧交替，每侧揉 5～10 遍；以脚拨法沿两侧骶棘肌自脊柱缘向外从上至下拨动 5～10 次；以足跟或脚尖置于患侧突出的椎间盘附近压痛点处行定点揉法，先轻后重，至局部肌肉松弛为度。

2. 患者俯卧，于胸腹部和大腿下各放置一软枕，使腰部悬空。医者双手抓住踩跷床横杆，双足踏于患者腰部，先以足跟置于突出椎间盘两侧（脊柱正中旁开约1~2寸），嘱患者深呼吸，深吸气时，以上肢支撑体重，两足跟逐渐抬起，深呼气时，上肢逐渐放松，两足跟逐渐下压，并于呼气末上肢完全离开支撑架，两足跟尽力振颤数下。此法呼吸配合尤为重要，常需医生指导或提醒其呼或吸。

3. 嘱患者张口，不可屏气，医者两拇趾趾间关节尽量屈曲，以趾端正对突出部痛点，垂直向下、向内用力，足后部有节奏适度起伏，像跳芭蕾舞一般，依靠医生自身重量有节律地踩颤，此法冲击力度可达120~200kg左右，反复操作持续约1~2分钟。

4. 医者一足立于患者两大腿之间，一足踏于突出椎间盘处，两手握住患者双踝，使其腰处于过伸状态，踏腰之脚先以足跟节律性轻叩患处，然后足跟吸定于痛点，做牛犁地3~5次；继作鸭儿浮水及跪背晃肩法各3~5次。

5. 做调脊法3~5遍。

6. 脊柱对角提拉法，左右各3~5次。

7. 以双足跟节律性叩击腰骶部10~20次，并以单足足掌横擦腰骶部，透热为度。

8. 患者双手抓住床沿，医者站于其脚后，双手握住两踝，用力向后牵拉，牵拉达极限位（医生最大力度）时做上下快速抖动，反复操作5~10次。亦可只做患肢，方法相同。

9. 医者一足拇趾抓扣于突出椎间盘下，另一足拇趾置于脊柱另一侧，两脚平行，两拇趾牢牢吸定，医者两腿快速地左右摆动，使踩踏之上部快速地横向晃动，操作1分钟左右。

10. 患者仰卧，作患侧直腿抬高法，其法为医者一足蹲于床面，一足大腿压于伸直的健侧大腿之上，双手抬起患肢，置于医者肩上，双手紧抱于膝前以使患肢保持伸直，逐渐上抬患肢至患者感放射性疼痛出现，并在该位置保持停留约30秒。

11. 患者仰卧，医者立于床面，两手握住患者两踝关节之上，在患者做屈膝屈髋的同时尽力将小腿压向其腹部，对于坐骨神经压迫明显，疼痛较重的患者，此法有良效。

12. 患者仰卧，腰部放松，医者双腿分开站于患者腰之两侧，双手从腰之两侧托起腰后部，节律性向上抖动腰部，三轻一重，轻时手不离腰，重的一次为双手用力向上将腰部抛起，使其离开床面（双手），反复操作约3~5次。

13. 患者俯卧，以患肢为重点，从上至下，沿坐骨神经分布区域或疼痛区域依次以拇趾或足跟点、揉、拨等共2~3分钟；双足脚弓并排踩于大腿根部，逐次下移至腘上；单足脚弓置于小腿之上快速来回搓揉；一足弓扣于跟腱处，一足跟蹬于坐骨结节，两脚反向做伸筋法2～3次；以单足跟后部节律性叩击下肢外侧，从上至下，两足交替，每侧叩2～3遍。

（二）辅助手法

1. **左右旋转斜扳法**：患者侧卧，嘱其贴床面下肢伸直，位于上位的下肢屈髋屈膝，医生一前臂外侧抵住肩前部，另一前臂内侧压按臀后部，两手作前后相反方向摆动，至其腰部肌肉松弛，后摆动至极限位时，双手突然同时做相反方向用力扳动，常可闻及弹响声。

2. **腰部后伸扳法**：患者侧卧，患侧在上，医生一手扶按腰部患处向前用力，另一手握住患踝向后方牵拉，当后伸至最大限度时，两手同时快速作相反方向扳动。

3. **拔伸推压法**：在助手配合拔伸牵引的情况下，用拇指顶推或肘尖按压患处（与突出物方向相反）。此法作用在于增加盘外压，降低盘内压，促使突出的髓核回纳。

（三）疗程

该疗法刺激量大，可根据患者病情及体质酌情每3～5天治疗一次，5次为一疗程。

（四）注意事项

1. 如患者神经炎性反应严重，疼痛不能忍受者，可酌情静滴消炎脱水药并进行卧位腰椎牵引。

2. 推拿治疗后可能出现疼痛加重现象，应平卧硬板床休息。

3. 用宽腰围保护腰部，尽量避免弯腰动作，并注意保暖。

4. 病情好转后，适当进行腰背肌肉功能锻炼，促进康复。

5. 病程长，经多次推拿治疗无效者，影响工作和休息者，可考虑综合治疗，严重影响日常生活，且有相应手术指征者，可考虑手术治疗。

二、梨状肌损伤

（一）踩跷治疗方法

1. 患者俯卧，医者一足立于床面，另一只足跟置于梨状肌体表投影处，由轻至重进行揉法约5～10分钟，以局部组织松软为度，充分放松患处肌肉。

2. 以足拇趾或足跟在压痛点处行揉法和振颤法，二者常交替运用，约3~5分钟。

3. 以足拇趾或足跟垂直于梨状肌走行方向先由外上向内下方拨3~5次，再相反方向拨动3~5次，拨动的力度以患者能忍受为度。

4. 医者坐于患者脚后，双手握其患肢踝部，一足跟置于坐骨结节，在双手用力拔伸患肢的同时，贴于坐骨结节之足跟尽力振颤与蹬揉，至局部有明显肌肉拉伸紧张感为度，并持续1~2分钟。

5. 局部点穴：以拇趾或足跟依次点环跳、承扶、居髎、殷门等穴位，得气后，保持该力度30秒。

6. 以足跟或全脚沿梨状肌纤维走行方向滑推3~5遍，并于局部行擦法，以透热为度。

7. 腰骶部操作：先双足对称揉1~2分钟，从上至下纵推脊柱两旁各3次，节律性叩击腰骶20~30下。

8. 顺捋下肢：分别于下肢大腿处施以双足并揉法、切压法、顺推法，于小腿施以搓法、滑推法，并对整个下肢进行伸筋法操作3~5次。

（二）辅助手法

1. 运用骨盆调节法调节骨盆1~3次，辅以髋关节屈伸、外展外旋等被动活动数次，并行髋关节摇法6圈左右，以充分活动髋部周围肌肉。

2. 下肢拔伸法，其法为患者俯卧，以双手抓持床头，医者立于床尾，以双手握住患者双踝，医者双足固定不动，身体后仰，靠体重牵拉其下肢约30秒至1分钟，然后在保持牵引的基础上，缓缓作下肢的内旋与外旋各3~5次。

3. 患者仰卧，健肢着床，患肢屈髋伸膝，医者握其踝部，向上用力使之完全上抬伸直，快速的上下抖动10~20次，然后极度屈膝屈髋，将小腿压向腹部；再快速伸展下肢牵抖，操作5~8遍。

（三）疗程

每日1次，10次为一疗程，一般一个疗程内可痊愈。

（四）注意事项

1. 梨状肌位置过深，治疗时不可因位置深而用暴力，避免造成新的损伤。

2. 急性损伤期，应卧床休息1~2周，以利损伤组织的修复。

3. 注意局部保暖，免受风寒刺激。

三、第三腰椎横突综合征

（一）踩跷治疗方法

1. 患者取俯卧位。医者一足立于臀部一侧床面，另一足足跟揉脊柱两侧的骶脊肌，从上至下缓缓揉动，两侧交替，每侧揉5~8遍。

2. 一足置于一侧臀部，另一足踏于对侧肩胛部，上下同时用力下压，以脊柱为支点使脊柱产生旋转，两侧交替，每侧5~6遍。

3. 以一足前掌置于第四腰椎平面，且固定不移，另一足足跟紧靠前足掌，双手支撑体重，以膝关节为支点，两脚同时发力，使足跟缓缓向前推动，要求推动之脚尽力朝前朝下用力，推至胸椎平面时，两膝分开，足跟变为全脚，从其胁肋部滑向腋下，病变侧推5~6遍，健侧推2~3遍。

4. 于病变腰椎横突外侧施以拇趾揉法或足跟拨揉法，力量垂直于肌肉纤维方向，约1分钟左右。

5. 医者背靠扶栏，双手伸展持握支撑杠，以一足大趾尖置于病变侧的腰三横突上，整个身体斜向但保持伸直，使作用力聚于大趾尖下的横突外侧，施以点法和振法30~40秒。

6. 运用跪腰晃肩法，两侧各晃动10~20次；在患者能忍受的范围内，做牛犁地与鸭儿浮水各1~3遍，但要求其蹬踏之脚置于第三腰椎水平，且反向提脚（牛犁地）和拉手（鸭儿凫水）至患者最大承受力时，保持该位置，停留约30秒左右。

7. 嘱患者俯卧，双手拉住床头，医者以双手握其病变侧踝部，行牵引并同时上下抖动下肢3~5次，使力传达至腰部。

8. 以单足足掌用沉稳力量从上至下推按两侧骶棘肌3~5次，并以足掌横擦腰骶部，以透热为度。

（二）辅助手法

1. 嘱患者仰卧。医生以双手掌重叠，于脊柱正中从上至下振按3~5遍。

2. 医者站于病变侧，双手张开，两拇指重叠，食、中、无名指交叉相贴于腰部行拿法（拿腰部两侧）约1~2分钟。每拿至病变侧第三腰椎横突压痛点时，重叠之拇指吸定于该点做上下、左右拨动片刻，力度以患者能忍受为宜。

3. 一指禅定点推揉痛处3~5分钟，继以指揉与指振法共1分钟。

4. 行腰部斜扳法左右侧各1次。

5. 患者仰卧位，两下肢并拢，自然屈膝屈髋。医者立于其右侧，一手从患者膝关节下方腘窝穿过，向上托起患者双下肢，另一手扶住患者膝关节前方，做顺时针或逆时针方向的摇动，要求带动腰部，然后托扶住膝关节，使患者极度屈膝屈髋半分钟，随即缓慢放下。

（三）疗程

每日1次，5次为一疗程，一般1～2疗程可愈。

（四）注意事项

1．腰部束宽皮带护腰，对防止过度损伤有一定作用。

2．治疗期间，避免腰部过多的屈伸和旋转活动。

3．注意局部保暖，防止过度劳累。

4．长期不愈者，可试用小针刀松解术治疗。

四、腰椎滑脱

（一）踩跷治疗方法

1．患者取俯卧位，医者坐式，双足分开置于脊柱两侧，对称地从上至下缓缓揉动8～10遍。

2．以足跟置于滑脱椎体旁行定点揉法3～5分钟。

3．以足跟或拇趾分别点揉督俞、三焦俞、肾俞、关元俞、腰阳关、命门等穴，每穴10～20次。

4．整复方法一：患者俯卧位，腹部垫一个软枕，全身放松，医者面向患者头部，一足置于骶部，拇趾扣住骶椎上缘，一足放于两肩胛骨正中，嘱患者做深呼吸，深吸气末，医者身体后倾，骶部脚用力向下踩，呼气末，医者身体前倾，背部脚用力向下踩，反复操作，常可有效整复。

5．整复方法二：一足踏于滑脱椎体的下一椎，或骶骨背面，另一足从第二胸椎起，逐渐下移至滑脱椎体的上一椎，每移动一椎两脚同时向相反方向蹬踩一次（一只脚向前上用力，另一只脚向后下用力），使前滑的椎体向后弓。可操作5～8遍。

6．两脚分别置于脊柱正中的上部和下部，以及左（右）臀部和右（左）侧肩胛部，沿两脚连线采用伸筋法，每处约10遍。

7．两手支撑体重，双拇趾并拢置于向前滑脱的椎骨的下一椎（相对后移），嘱患者深呼吸，深吸气时双拇趾上抬，随其呼气而逐渐下压，至呼气末端时，全身重力集于两趾，用力振按1～2下，连续操作5～10遍。第一次振按时，常可听到“喀咔”声，此法有助于复位。亦可于该处行踩跷法，常取三轻一重法，但应注意不要踩踏滑脱椎及其以上部位。

8. 患者侧卧，医者双手支撑体重，一足垂直踩于股骨大转子上方以固定之，另一足踩于其肩后部，用力使肩部朝前旋转，由此带动脊柱旋前。在旋转过程中也常能听到弹响声。

9. 患者屈膝，脚心向上。医者坐于其上，身体后仰，双手撑于患者小腿之上，双足跟则置于滑脱脊椎的下位椎骨并向上推顶，随着医生重心下移和双手下推（小腿）患者处于极度屈膝位，可停留30秒。

10. 患者仰卧。于脊柱胸段和骶尾处分别垫枕，使中部（滑脱部）悬空，患者屈膝屈髋，医者面脚而立，双足分开置于两髂骨旁，以双手按于膝上，尽力沿大腿轴线冲击性推按3~5次。然后面头而立，患者伸膝屈髋，医者手扶其小腿，两脚抵于其臀下，两膝紧靠患者两腘窝，屈膝并逐渐下压至极限位时停留约30秒。

11. 以双足跟节律性叩击腰骶部30秒。

（二）辅助手法

1. 患者取俯卧位，医者于脊柱两侧以㨰法治之，要求从上至下，紧㨰慢移，每侧约5~8遍；右手食、中指自然伸出并分开，左手掌垂直右食、中指并紧贴其上，两手同时向下用力从大椎至骶椎分别点按华佗夹脊穴3~5遍；双掌重叠，从上至下振按脊柱3~5遍。

2. 以滑脱椎为中心，施以定点㨰法、一指禅推法及指揉法，有下肢刺激症状者，着重点压神经根体表投影处。

3. 一手掌按于骶骨背面，另一手掌根蘸少许按摩油，以深沉之力，从下至上推脊柱两侧骶棘肌，每侧推5~8遍，以局部潮红为度。

4. 嘱患者仰卧，背部垫一垫子，屈膝屈髋，医者立于其右侧，左手前臂压住其小腿，右手掌从正后方插入其骶尾后，左手朝前下方，右手朝后上方同时用力，推至极限位。此法以背部为支点，双手同时用力时使骨盆旋转后倾，有助于滑脱椎体向后回位。

5. 单掌于局部使用擦法，以透热为度。

（三）疗程

3~5天治疗1次，3次为一疗程。

（四）注意事项

1．治疗完毕后，嘱患者暂时不要起身，在治疗床上去枕平卧20~30分钟。注意休息，滑脱得以纠正后要硬板床平卧3~5日，起床活动时要配戴腰围以固定腰部，防止再次出现滑脱现象。

2．治疗后1个月内避免腰部的过度负重，并加强腰腹肌肉的力量训练，提高脊柱外在平衡能力。

五、慢性腰肌劳损

（一）踩跷治疗方法

1．患者俯卧。医者先以单足掌沿脊柱两侧从上至下施以揉法，每侧5~10遍，力度不宜太大，以局部僵硬肌肉组织松软为度。然后，医者取坐位，以双足跟对称揉两侧腰部及骶部约2~3分钟。

2．医者双足分开置于脊柱两侧，从上至下依次以前掌按压足太阳膀胱经两线。其法为先全脚着力，上肢支撑体重，其后上肢支撑渐减，同时足跟上抬，蓄力于前掌，至患者最大耐受度时，每一部位停留3~5秒，上肢又用力支撑，双足下移。可沿整个膀胱经操作3~5遍。

3．找准痛点，以足跟或脚尖拨揉或弹拨，其法为在足跟定点揉动的同时，每揉3~5次，顺势于痛点局部拨动1次，可操作1~2分钟。该法轻重交替，柔中带刚，有较好的解痉镇痛作用。继则足跟上抬，以拇趾着力于痛点，行振揉法1分钟。

4．以拇趾或足跟分别点按肾俞、大肠俞、气海俞、腰阳关、命门等腰部穴位，每穴点10次左右。

5．双足并拢，脚长轴垂直于脊柱，以脚弓或脚外缘着力于脊柱腰段，有节奏地进行踩压，操作时力度要适中，以脚下感知腰椎发生弹性形变为度，移动要缓慢，逐椎踩压。该法有较好的调整腰椎曲度的作用。

6．推抹法：以左侧为例，右脚踏于骶骨左侧，足掌吸定不动，左足跟紧贴右足掌，左腘窝紧贴右髌骨，以膝为支点，左足跟向前向下发力，缓缓地沿脊柱一侧向上推动，至胸椎时，两膝分开，左脚全脚从肩胛骨下滑下。该法有较好的理筋功能，其力度与深透性是手法所不及的。

7．医者面向患者双足而坐于腰部，两腿分开置于腰之两侧，双手从大腿两侧抄入，抱起大腿，逐渐向上抬举使腰处于过伸位，至极限位时停留约10秒后放下，反复操作5~8次。

8. 医者双膝跪于两承扶穴上，双手拉住患者双手，身体尽力后仰，利用体重将患者胸部拉离床面，至极限位时停留约 10 秒后两手松开。反复操作 3 ~ 5 次。

9. 沿脊柱两侧做纵向伸筋法，每侧 5 ~ 6 次。

10. 患者俯卧，双手交叉置于颈后。医者一足立于床面，一足拇趾点于委中或承山之上，得气时，嘱患者胸部离开床面，尽力使腰部过伸，操作 3 ~ 5 次，至患者身热微汗出为佳。

11. 从臀部起以单足向下滑推至腘，两侧交替，各推 3 ~ 5 遍，力量宜沉稳而深透。

12. 以双足拇趾踩于患者两涌泉穴，得气后停留约 30 秒。

（二）辅助手法

1. 腰部旋转侧扳法：患者侧卧，下面下肢伸直，上面屈曲。医者一手扶住患者肩前部，另一手抵住患者臀后部，双臂相反方向活动患者腰部，当达最大限度时，双臂突然相反方向用力，常能听到患者腰部关节的弹响，左右各做 1 次。

2. 屈膝摇髋法：患者仰卧，屈膝屈髋。医者以一手扶住患者一侧膝部，另一手握住患者踝部，双手配合摇转患者髋部，左右各 3 ~ 5 圈。

3. 腰部后伸扳法：患者侧卧，患侧在上。医者一手扶按腰部患处，另一手握其踝部向后拉伸，当至最大限度时，同时用力向相反方向扳动。

4. 被动屈膝屈髋法：患者仰卧位。医者站立于患者一侧，以一手扶住患者双膝部，嘱患者屈膝屈髋，以该手固定双膝部，另一手从下托起患者腰骶部，两手配合用力使患者腰骶部缓缓离开床面，托起、放下反复 5 ~ 6 次。

5. 以大鱼际或掌根蘸少许按摩油，于痛点及其附近行擦法，透热为度。

（三）疗程

每日治疗 1 次，10 次为一疗程。

（四）注意事项

1. 慢性腰肌劳损是一种静力性损伤，主要由于腰肌疲劳过度。大多发生于姿势不良或长期从事弯腰和负重劳动者，引起腰背部肌肉和筋膜劳损。也可因先天畸形和肾虚而致。踩跷治疗本病有较好疗效，但关键是要消除致病因素，即改变原来的腰部超负荷现象，才能达到满意的治疗效果。

2. 患者可依据中医辨证适当内服六味地黄丸、桂附地黄丸等药物辅助治疗。

六、减肥

（一）踩跷治疗方法

1. 患者取仰卧位。医者（坐式）先以双足掌分推腹部阴阳5遍；单足掌顺时针摩腹3～5分钟；全脚置于腹部揉动至局部透热；双足一左一右对称放于肚脐两侧，先同时用力缓缓向下按压至患者最大忍受限度时逐渐松开，反复操作5～8次，后交替用力（左脚用力按压时，右脚松开；右脚用力时，左脚放开）操作1～2分钟；医者以双臂支撑身体，双足并拢垂直于中轴线，从剑突下起，两脚交替逐渐向下切压至耻骨联合；最后双足分置于中轴线两侧，左右脚交替快速地从上到下抹动约10次。

2. 以拇趾分别点按承满、梁门、关门、太乙、滑肉门、天枢、中注、四满、腹结、府舍、关元、气海、建里、中脘、上脘等穴共5分钟，多加以振颤。

3. 于耻骨联合附近，以足跟施以揉法，且揉中有蹬与拨（一般揉3～5下蹬拨1次），力度稍大，在患者最大忍受范围内操作3～5分钟。传统中医谓此为"拨宗筋"，对减肥有良效。

4. 于四肢行脚搓法、脚揉法、伸筋法及滑推法共5～6分钟。

5. 患者取俯卧位。医者先以单足或双足揉脊柱及其两侧3～5分钟；以足掌于两侧膀胱经行按压法3～5遍；以拇趾从大椎起逐椎推捋至腰骶关节1～2遍；以拇趾点按肝俞、胆俞、胃俞、肾俞等穴；以足跟拨双侧环跳穴3～5次；一足置于脊柱胸段正中，一足置于腰骶，两脚交替用力施以调脊法5～8次；振叩脊柱正中及其两侧；横擦与振叩腰骶部令热。

（二）局部消脂方法

以脂肪堆积或患者欲减部位作为治疗重点，一般为腹、臀、腰背、大腿、肩与颈部，可参考下述操作。

1. 腹部：先行全足掌顺时针揉患者腹部50圈，以足掌顺时针摩全腹50圈，然后以双臂支撑体重，双足踩于肥胖部位，逐渐用力下压，至患者得气时，双足跟缓缓外旋达极限时开始内旋，反复操作8～10次，最后以足拇趾点按中脘、气海、天枢、腹结、腹哀等穴。一般多配合呼吸，即吸气时拇趾上抬，呼气时逐渐向下点按。后以擦法收功。

2. 臀部：先行双足并拢合揉臀部50次，足跟拨环跳5～8次，双足跟分置两臀部踩压之，得气后行脚振法振颤20～30秒。然后医生双手握杠，重心下移，双下肢伸直，以双足跟抵于患者两坐骨结节之上，尽力向上蹬揉，多三轻一重，至患者臀部麻木为佳，最后叩击双臀并擦之，以透热为度。

3．大腿部：以足掌从大腿外侧至膝、膝内侧至大腿根部反复搓揉15次，然后以足弓从膝向上推挤至大腿根部15次，再以足掌外侧缘在大腿外侧进行切压15次，最后用足拇趾尖点按环跳、风市、伏兔、阴包等穴，并施以擦法于其四周，以透热为度。

（二）辅助手法

多用于局部消脂。

1．挤碾消脂法：一手掌贴于脂肪堆积处一侧，另一手握拳以拳背面在另一侧，手掌向桡侧旋转，而拳面则向相反方向旋转，两手对所夹持之脂肪施以挤碾，每处操作约1～2分钟。

2．拿捏消脂法：患者仰卧，医者立于其右侧，以右手食、中、无名指置于堆积脂肪一侧，左手拇指置于另一侧，两手同时对称用力将脂肪推向中央，然后双手将突起的脂肪拿起并揉捏，以患者能忍受为度，约5～10次。

3．推荡消脂法：两手合拢围住脂肪，在肉动皮不动的前提下做上下左右推荡1～3分钟。

4．抓抖消脂法：以单手或双手抓起脂肪，逐渐上提并抖动约1分钟。

5．刮擦消脂法：上述手法结束后，宜用手蘸按摩油或减肥油施以局部擦法。

（三）疗程

每日治疗1次，15次为一疗程。

（四）注意事项

1．踩跷主要适用于单纯性肥胖，对于继发性肥胖应积极治疗原发病。

2．踩跷对中度与重度肥胖效果较佳，平均每次可减体重0.1～0.5kg，对局部脂肪异常堆积的消脂效果更为明显。而对轻度肥胖疗效较差，无明显减轻体重之效。

3．治疗后，要注意适当节制食欲，避免高脂食物，多吃蔬菜与水果，并加强运动。

第十一章 捏脊疗法

捏脊疗法是推拿疗法的一种，是用双手捏拿脊柱部皮肤，以防治疾病的一种治疗方法。常用于治疗小儿“疳积”之类病证，所以又称“捏积疗法”。

晋代葛洪《肘后备急方·治卒腹痛方》有“拈取其脊骨皮，深取痛引之，从龟尾至顶乃止，未愈更为之”的描述，是目前见诸文献的最早纪录。经后世医家不断的临床实践，逐渐发展成为捏脊疗法。

捏脊疗法历史悠久，广泛应用于临床，具有操作简便，适应证广，疗效明显，经济安全等优点。

第一节 捏脊疗法的基本原理

1. **调节阴阳，调理脏腑功能**：疾病的发生、发展，无一不是破坏了人体阴阳的相对平衡，使脏腑气机升降失常，气血功能紊乱产生一系列病理变化的。《素问·阴阳应象大论》说：“阴阳者，天地之道也，万物之纲纪，变化之父母，生杀之本始，神明之府也。”人体内部的一切矛盾斗争与变化均可以阴阳概括。脏腑有阴阳，经络有阴阳，气血营卫、表里升降均可分阴阳，所以阴阳失调是疾病的内在根据。

捏脊能平衡阴阳，调理脏腑功能，主要是通过运用捏、拿、推、按等手法刺激脊背的有关腧穴来完成的。因背部正中线为督脉，督脉为阳经之海；两侧旁开0.5寸为华佗夹脊穴；旁开1.5寸为足太阳膀胱经的循行路线，五脏六腑的背俞穴都在足太阳膀胱经循行线上。如：腹泻常由肠蠕动亢进所致，用较强手法刺激脾俞、胃俞、大肠俞、小肠俞等背俞穴，亢进的肠蠕动可被抑制，腹泻减轻或消失；便秘常由肠蠕动减弱所致，用轻柔的手法刺激脾俞、胃俞、大肠俞等背俞穴，可促进肠蠕动，便秘减轻或消失。这说明捏脊疗法可以改善和调整脏腑功能，使脏腑阴阳得到平衡。

2. **扶正祛邪，增强体质**：扶正，即扶助正气，增强抗病能力；祛邪，就是祛除致病因素。《内经》说："正气存内，邪不可干"。又说："风雨寒热，不得虚，邪不能独伤人"。说明疾病的发生、发展与正气的盛衰有直接的关系。

捏脊疗法可以促进脏腑功能，增强人体抗病能力。能振奋督脉阳气，督脉为阳脉之纲，诸阳之会。通过捏、拿、推、按等手法刺激脊背的经络腧穴，使经络脏腑的气血畅通，加强各脏腑的功能活动，促进消化吸收和营养代谢，增强人体抵抗力。如：有学者报道对20名健康人，做背部膀胱经的手法刺激10分钟，发现受试者的白细胞吞噬能力均有不同程度的提高，补体效价也有增高，红细胞总数不变；对营养不良贫血儿进行捏脊，一疗程后发现患儿血红蛋白、血浆蛋白、血清蛋白酶均有增加。表明捏脊疗法通过神经、体液等机制提高了机体某些防御功能，增强了人体的抗病能力。

总之，本疗法主要是以中医学的经络、脏腑、气血等理论为基础，通过手法刺激经络腧穴，调节气血的循行，作用并影响于脏腑，从而调整人体内在的不平衡状态，以达到维持生理功能的协调，消除疾病，使机体得以康复。

现代医学证实，人体的自主神经节主要分布于脊柱两侧，且有兴奋与抑制的双重功能，对心血管系统、消化系统、神经系统、泌尿系统、生殖系统、造血系统均有很强的调节作用。通过捏脊可以达到恢复各系统、器官功能的作用，从而起到防病、治病的效果。临床研究结果表明：捏脊能有效地增加胃液分泌，增强胃肠蠕动，增强胃肠对蛋白质和淀粉酶的消化吸收功能，增进食欲，提高人体的防卫免疫功能。

第二节　捏脊疗法的操作规程

一、体位

患者俯卧位或半俯卧位，背、腰、骶部充分暴露；婴幼儿俯卧于母亲怀中或大腿的前侧，务使卧平卧正，以背部平坦松弛为宜。

医者宜站立，亦可坐于患者的正后方或侧后方，以操作方便为宜。

二、操作方法及常用手法

（一）操作方法

1. 三指捏法：用拇指桡侧缘顶住皮肤，食、中指前按，三指同时用力提拿皮肤，双手交替捻动向前（见图11－1）。

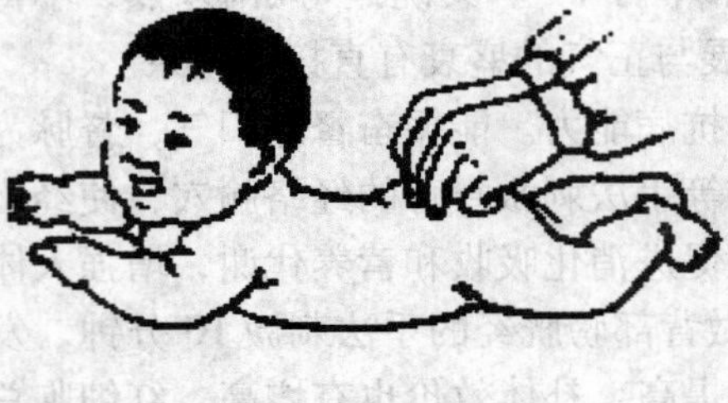

图 11－1　三指捏法

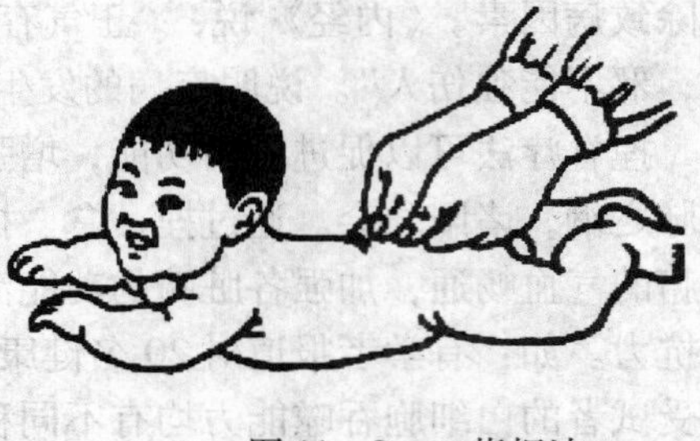

图 11－2　二指捏法

2. **二指捏法：**食指屈曲，用食指中节桡侧顶住皮肤，拇指前按，两指同时用力提拿皮肤，双手交替捻动向前（见图 11－2）。

操作时捏起皮肤多少及提拿用力大小要适当，而且不可拧转，捏得太紧不易向前捻动推进，太松则不易提起皮肤，捻动向前时，应作直线前进，不可歪斜。

临床应用时，从骶尾捏至大椎为一遍。一般病证，每次捏脊 3～5 遍，其中在2、4 遍时，每捏三下双手用力将皮肤向上提一下，称为“捏三提一法”。

3. **补泻的操作：**补法：从长强捏至大椎，手法轻柔缓和；泻法：从大椎捏至长强，手法稍重；平补平泻法：从长强捏至大椎，再从大椎捏至长强，交替进行。

（二）常用手法

捏脊疗法是多种手法有机结合的复式操作法，其中包括捏、拿、推、捻、提、放、按、揉八种。

1. **捏法：**是捏脊的主要手法之一。用双手拇、食二指或拇、食、中三指将皮肤捏起，所捏皮肤多少要适宜，捏得过多不易推进，捏得过少易于滑脱。

2. **拿法：**拿是捏的进一步操作，捏而提之谓拿，拿捏是相互配合、相辅相成的。

3. **推法：**将提捏起来的皮肉向前推动，拇、食指协调，边捏拿边推进，推进速度要适当，过快则容易滑脱，过慢则不易推进。

4. **捻法：**拇、食二指或拇、食、中三指相对用力搓动叫捻。捻法与推法要结合而作，推时边推边捻，使皮肤从手中不断地通过。

5. **提法：**捏起皮肤后，拇、食指或拇、食、中三指同时向上牵拉用力，一般用于“捏三提一法”。提起时往往就在“腧穴”的部位。

6. **放法：**在捏、拿、提、捻动作中，都有“放”的动作，没有放，就没有捏；没有放，就没有进。一放一捏，一放一进，使捏脊手法呈波浪形推进。

7. **按法：**拇指指端或罗纹面对准一定穴位，适当地按压，以增强刺激。

8. **揉法：**拇指按压之后，可用指腹在腧穴上揉动，按揉结合，相辅相成。

三、捏脊疗法常用的腧穴

常用腧穴有督脉腧穴，华佗夹脊穴，膀胱经腧穴及推拿特定穴。

（一）督脉腧穴

长强、腰俞、腰阳关、命门、悬枢、脊中、中枢、筋缩、至阳、灵台、神道、身柱、陶道、大椎。

（二）华佗夹脊穴

自第一胸椎至第五腰椎各脊椎棘突下左右旁开0.5寸，左右共34穴。

（三）膀胱经腧穴

大杼、风门、肺俞、厥阴俞、心俞、督俞、膈俞、肝俞、胆俞、脾俞、胃俞、三焦俞、肾俞、气海俞、大肠俞、关元俞、小肠俞、膀胱俞、中膂俞、白环俞、八髎。

（四）推拿特定穴

1．脊柱

定位：从大椎直下至尾骨端呈一直线。

主治：疳积，腹泻，便秘，恶心，呕吐，夜啼，发热，惊风。

操作：用捏脊法从骶尾捏至大椎；用食、中二指指腹从大椎直下推至龟尾。

2．天柱骨

定位：从后发际正中至大椎呈一直线。

主治：呕恶，项强，发热，惊风，咽痛。

操作：用拇指或食、中指自上而下直推之。

3．七节骨

定位：从尾骨上端至第4腰椎呈一直线。

主治：泄泻，便秘，痢疾，腹胀满。

操作：用食、中二指指腹，自尾骨端直上推至第4腰椎，称推上七节骨；用食、中二指指腹，自第4腰椎直下推至尾骨端，称推下七节骨。

4．龟尾

定位：尾椎骨端。

主治：泄泻，便秘，脱肛，痢疾，遗尿。

操作：食指或中指端揉之。

第三节　捏脊疗法的适应证及禁忌证

一、适应证

本疗法有疏通经络、调整阴阳、促进气血运行、改善脏腑功能以及增强机体抗病能力等作用。在健脾和胃方面的功能尤为突出。临床常用于治疗小儿疳积、食积、厌食、腹泻、呕吐、便秘、咳喘、夜啼等症；对成人失眠、神经衰弱、胃肠病证以及月经不调、痛经等也有一定效果。此外，也可作为保健按摩的方法使用。

二、禁忌证

1. 脊柱部皮肤破损、损伤、烧伤或患有疖肿、皮肤病者禁用。
2. 高热、心脏病患者禁用或慎用。
3. 肿瘤、结核、骨折及严重骨质疏松症禁用。
4. 急性传染病及某些感染性疾病，禁用或慎用。
5. 血液病患者或有出血倾向者，禁用或慎用。
6. 极度疲劳、饥饿或饱食半小时内者、精神不正常者慎用。
7. 孕妇、妇女经期禁用或慎用。

第四节　捏脊疗法的临床应用

施术时可根据脏腑病证，在相应的背俞穴部位上用力提捏，以加强针对性治疗作用。如厌食提大肠俞、胃俞、脾俞；呕吐提胃俞、肝俞、膈俞；腹泻提大肠俞、脾俞、三焦俞；便秘提大肠俞、胃俞、肝俞；多汗提肾俞、厥阴俞、肺俞；尿频提膀胱俞、肾俞、肺俞；烦躁提肝俞、厥阴俞、心俞；夜啼提胃俞、肝俞、厥阴俞；失眠提肾俞、脾俞、肝俞；月经不调提关元俞、脾俞、膈俞；呼吸系统病证提肾俞、肺俞、风门等。

一般每天或隔天捏脊一次，6 次为一疗程。慢性疾病在一个疗程后可休息 1 周，再进行第二个疗程。

本疗法一般在空腹时进行，饭后不宜立即捏脊，需休息 2 小时后再进行；施术时室内温度要适中；体质较差的患者，每次操作时间不宜太长，以 3 ~ 5 分钟为宜；小儿和年老体弱者手法宜轻，体质较好的年轻人手法可略重；在应用此法时，也可配合药物、针刺、敷脐等疗法，以提高疗效。

常见病治疗举例如下：

一、疳积

1. 脾胃虚弱型

治则：消食导滞，调理脾胃。

操作方法：常规捏脊3~5遍，重提脾俞、胃俞、大肠俞、大椎。肝疳者，捏至风府穴，重提脾俞、肝俞、风府；肺疳者，重提脾俞、肺俞、大椎。

2. 气血虚弱型

治则：消食化滞，健脾助运。

操作方法：常规捏脊3~5遍，重提脾俞、肝俞、肾俞，并按揉之，也可结合摩腹、按揉足三里、中脘等穴。

二、腹泻

1. 湿热泻

治则：清热利湿，调中止泻。

操作方法：从大椎捏至长强3~5遍，重提大肠俞、脾俞、胃俞、肾俞、大椎等穴，并按揉之，约2~3分钟。

2. 伤食泻

治则：消食导滞，和中助运。

操作方法：常规捏脊3~5遍，重提脾俞、胃俞、大肠俞，并按揉之，约3~5分钟。

3. 脾虚泻

治则：健脾益气，温阳止泻。

操作方法：常规捏脊3~5遍，重提脾俞、胃俞、肾俞、大肠俞，并推上七节骨，揉龟尾约5分钟。

三、便秘

1. 实热

治则：清热通便，顺气行滞。

操作方法：常规捏脊4~6遍，指力宜重，并重提胃俞、大肠俞、大椎，可配清大肠、退六腑、摩腹、推下七节骨等手法。

2. 气虚

治则：健脾胃，和气血，温阳散寒。

操作方法：常规捏脊 3～5 遍，指力宜轻，并按揉脾俞、胃俞、大肠俞、命门约 3～5 分钟。

四、呕吐

1. 伤食吐

治则：消食导滞，和中降逆。

操作方法：常规捏脊 4 遍，重提脾俞、胃俞、膈俞。可配揉中脘、分腹阴阳、横纹推向板门等手法。

2. 寒吐

治则：温中散寒，和胃降逆。

操作方法：常规捏脊 3 遍，重提脾俞、胃俞、大肠俞，并按揉之，约 2～3 分钟。也可配横纹推向板门、推三关、补脾经等手法。

3. 热吐

治则：清热和胃，降逆止呕。

操作方法：从大椎捏至长强 4 遍，指力稍重，重提脾俞、心俞、大椎。可配清脾经、清胃经、清大肠、横纹推向板门等手法。

五、小儿厌食症

治则：消食化滞，健脾和胃。

操作方法：常规捏脊 3～5 遍，重提脾俞、胃俞、肝俞、大肠俞，按揉 3～5 分钟，并配合揉中脘、摩腹、按揉足三里、补脾经等手法。

六、小儿夜啼

1. 脾寒

治则：温经散寒。

操作方法：常规捏脊 4～6 遍，手法稍用力，每捏至脾俞、肾俞、命门处重提 3～5 下，捏脊后对上述诸穴以顺时针方向按揉 1～2 分钟。

2. 心热

治则：清热除烦。

操作方法：先推脊 5 遍，捏脊从大椎至长强 3～5 遍，并揉心俞、小肠俞3～5 分钟。

3. 惊恐

治则：镇静安神。

操作方法：常规捏脊 3～5 遍，重提肝俞、心俞、肾俞，并按揉 5 分钟。

七、胃脘痛

1. 肝气郁结

治则：疏肝理气。

操作方法：从大椎捏至长强 3～5 遍，指力要重，并按揉肝俞、脾俞、胃俞，约 2～3 分钟。

2. 脾胃虚寒

治则：温中散寒。

操作方法：常规捏脊 3～5 遍，指力宜轻，并按揉肾俞、脾俞、胃俞、三焦俞、足三里，约 5 分钟；横擦命门透热为度。

3. 瘀血内停

治则：活血化瘀。

操作方法：常规捏脊 3～5 遍，重提肝俞、脾俞、胃俞、三焦俞、膈俞，约 1～2 分钟。

八、月经不调

1. 实证

治则：理气活血。

操作方法：从大椎捏至长强 4～6 遍，指力要重，重按揉肝俞、脾俞、肾俞，约 5 分钟。

2. 虚证

治则：补益脾肾。

操作方法：常规捏脊 3～5 遍，按揉肝俞、脾俞、肾俞 2～3 分钟；横擦八髎以透热为度。同时，配合按揉气海、关元、中极、血海、足三里、三阴交，摩小腹等方法，约 6 分钟。

九、痛经

1. 实证

治则：疏肝解郁，活血化瘀，温经散寒。

操作方法：从大椎捏至长强 4～6 遍，指力要重，并按揉肾俞、肝俞、气海俞 3 分钟，擦八髎以透热为度。

2. 虚证

治则：补脾肾，温元阳。

操作方法：常规捏脊 3～5 遍，指力要轻柔，按揉肾俞、肝俞、气海俞，约 3 分钟。横擦八髎、命门，以透热为度。

十、失眠

1. 心脾血虚

治则：健脾安神。

操作方法：常规捏脊 3～5 遍，指力要重，重按揉心俞、脾俞、肾俞，推督脉及膀胱经，按揉膀胱经诸穴，约 6 分钟。

2. 胃中不和

治则：消食和胃。

操作方法：从大椎捏至长强 1 遍，再从长强捏至大椎 2 遍，指力要重，重提并按揉脾俞、胃俞、肝俞，同时，配合按揉气海、点揉中脘，约 5 分钟。

第十二章　刮痧疗法

刮痧疗法是我国劳动人民长期在同疾病作斗争的过程中总结出来的一套独特的且行之有效的治疗方法。它以中医基础理论为指导，施术于皮肤、经络、穴位和病变部位，使阻滞在人体内的病理代谢产物通过皮肤排泄出来，使病变的器官、组织及细胞得到氧气的补充而被活化，从而预防疾病及促进机体康复。

刮痧疗法是指应用光滑的硬物器具（如手指、瓷匙、古钱、玉石片等），蘸上食油、凡士林、白酒或清水，在人体表面特定部位，反复进行刮、挤、揪、捏、刺等物理刺激，造成皮肤表面瘀血点、瘀血斑或点状出血，通过刺激体表皮肤及经络，改善人体气血流通状态，从而达到扶正祛邪、调节阴阳、活血化瘀、清热消肿、软坚散结等功效。

刮痧疗法同针灸疗法一样，起源于远古时期，已有几千年的历史。砭石是大家所熟悉的针灸发展史上最原始的针具，能在人体表面进行压、刮、划、刺等操作，所以它也是刮痧治疗的最原始的工具。在刮痧疗法中有刮痧、放痧、扯痧、焠痧、拍痧等不同治疗方法，有些方法至今仍被应用于临床实践，或广泛流传民间。

由于历史上的各种原因，刮痧这种实用技术常常被看作是医道小技，难登大雅之堂。但是近几年来，这种无毒副作用、易于被人们接受和有效性的绿色疗法引起了人们的重视，受到社会的青睐，成为一种开展自我保健、家庭医疗的济世良法，并且逐步发展成为一门独特的临床保健治疗学科。

第一节　刮痧疗法的作用原理

“痧”是民间对疾病的一种形象叫法，又称“痧胀”、“痧气”，北方称“青筋”，福建、广东一带又叫做“瘴气”等。从广义上讲，指痧象，它不仅是一个独立的病，而且是一种毒性反映的临床综合征，痧是临床许多疾病的共同表现，临床许多疾病都可出现痧象，故有“百病皆可发痧之说。”从狭义上讲，是指痧疹的形态外貌，即皮肤出现红点如粟，以指扪皮肤，稍有阻碍的疹点，它是疾病在发展变化过程中反映在体表皮肤的一种表现。清代邵新甫在《临证指南医案》中讲：“痧者，疹之通称，有头粒如粟”。

中医学认为，四时不正之气，侵袭人体肌肤、经络，阳气不得宣通、透泄而发痧证。一年四季都有发生痧证的可能。如夏日暑气炎蒸，燥气炙灼，间或淫雨绵绵，或烈日蒸晒，所酿不正之疫气、秽浊之气，流于天地间，当人体正气虚弱时，就容易感受不正之邪，出现头昏、脑胀、心胸烦闷、全身酸胀、四肢无力等症状。这种邪气若隐现在皮肤上，则出现如麻疹样的红点，称为“红痧”；若邪毒蕴于肌肉血分之间，全身胀痛且出现黑斑，称为“乌痧”；若在夏秋之间，人体感受秽浊之邪，阻塞于内，出现腹痛，称为“痧胀”；冬春两季，疫毒之气蕴于肺胃，出现咽喉溃疡，称为“烂喉痧”。总之，痧证为感受四时不正之气，毒气外发所致，见于多种传染性疾病和感染性疾病。其主要特征为有痧点和酸胀感。

第二节　刮痧的治疗作用

一、中医学对刮痧治疗作用的认识

1. 调节阴阳：刮痧调节阴阳的作用，基本上是通过腧穴配伍和刮痧手法来实现的。例如：病在经络、在皮肉者属表，刮痧宜轻刮；病在脏腑、在筋骨者属里，宜重刮。刮痧对阴阳平衡的调节是呈双向性的，如血压不稳者，经刮拭躯干、四肢腧穴后，偏低的血压可升高，偏高的血压亦可降低。

2. 活血化瘀：人体肌肉、韧带、骨骼一旦受到损伤，在局部产生瘀血，使经络气血流通不畅，若瘀血不消，则疼痛不止。这时在局部或相应腧穴刮拭，可使瘀血消除，经络畅通，气血运行，达到通则不痛之目的。这就是刮痧活血化瘀的作用。

3. 清热消肿：根据中医治法中“热则疾之”的原理，通过放痧手法的刺激，使热邪疾出，以达清热之目的，使内部阳热之邪透达体表，最终排出体外，以清体内之瘀热、肿毒。

4. 祛痰解痉，软坚散结：由痰湿所致的体表包块及风证，通过刮痧、放痧治疗，使腠理宣畅，痰热脓毒外泄，有明显的止痉散结效果。

5. 扶正祛邪：刮治病变相应腧穴的皮肤，使之出现青紫、充血的痧痕，使腠理得以开启疏通，将滞于经络腧穴及相应组织、器官内的风、寒、痰、湿、瘀血、火热、脓毒等各种邪气从皮毛透达于外，使经络得以疏通。

另外，当人体正气虚时，外邪易乘机而入，通过补虚泻实之法刮拭相关腧穴部位，可使虚弱的脏腑功能得以增强，可与外邪相抵抗，使机体恢复正常状态。

二、现代医学对刮痧作用的认识

1．镇痛：肌肉附着点和筋膜、韧带、关节囊等受损伤时，若不及时治疗，或是治疗不彻底，损伤组织可形成不同程度的粘连、纤维化或疤痕化，加重疼痛、压痛和肌肉收缩紧张。刮痧是消除疼痛和肌肉紧张、痉挛的有效方法，主要机理有：一是加强局部循环，使局部组织温度升高；二是在刮痧板直接刺激作用下，提高了局部组织的痛阈；三是紧张或痉挛的肌肉通过刮痧板的作用得以舒展，从而解除其紧张痉挛，以消除疼痛。

2．排除毒素：刮痧过程可使局部组织的血管扩张及黏膜的渗透性增强，淋巴循环加速，细胞的吞噬作用加强，使体内废物、毒素加速排除，组织细胞得到营养，从而使血液得到净化，增加了全身抵抗力，可以减轻病势，促进康复。

3．自身溶血：刮痧出痧的过程是一种血管扩张渐至毛细血管破裂，血流外溢，皮肤局部形成瘀血斑的过程，出痧不久即能溃散，起自体溶血作用，这样可使局部组织血液循环加快，新陈代谢旺盛，营养状况改善，同时使机体的防御能力增强，从而起到预防和治疗疾病的作用。

4．对各个系统的影响

（1）循环系统：刮拭能使血液和淋巴液的循环增强，使肌肉和末梢神经得到充分的营养，从而可促进全身的新陈代谢。

（2）呼吸系统：对呼吸中枢具有镇静作用。

（3）神经系统：通过刮拭刺激神经末梢而增强人体的防御机能。

（4）免疫系统：通过刮拭刺激可增强细胞的免疫能力。

第三节　刮痧的种类和操作

一、刮痧疗法的种类

刮痧方法包括持具操作和徒手操作两大类。持具操作又包括刮痧法、挑痧法、放痧法。徒手操作又叫撮痧法，具体为揪痧法、扯痧法、挤痧法、焠痧法、拍痧法。

1．刮痧法：刮痧法又分为直接刮法和间接刮法两种：

直刮法：指在施术部位涂上刮痧介质后，然后用刮痧工具直接接触患者皮肤，在体表的特定部位反复进行刮拭，至皮下呈现痧痕为止。具体操作为：病人取坐位或俯伏位，术者用热毛巾擦洗病人被刮部位的皮肤，均匀地涂上刮痧介质。术者持刮痧工具，在刮拭部位进行刮拭，以刮出出血点为止。

间接刮法：先在病人将要刮拭的部位放一层薄布，然后再用刮拭工具在布上刮拭，称为间接刮法。此法可保护皮肤。适用于儿童、年老体弱、高热、中枢神经系统感染、抽搐、某些皮肤病患者。

2. **挑痧法**：术者用针挑病人体表的一定部位，以治疗疾病的方法。具体方法为：术者用酒精棉球消毒挑刺部位，左手捏起挑刺部位的皮肉，右手持三棱针，对准部位，将针横向刺入皮肤，挑破皮肤约0.2～0.3cm，然后再深入皮下，挑断皮下白色纤维组织或青筋。有白色纤维组织的地方，挑尽为止。如有青筋的地方，挑3下，同时用双手挤出瘀血。术后碘酒消毒，敷上无菌纱布，胶布固定。

3. **放痧法**：放痧法又分为点刺法和泻血疗法。

泻血疗法具体操作为：常规消毒，左手拇指压在被刺部位下端，上端用橡皮条结扎，右手持三棱针对准被刺部位静脉，迅速刺入脉中0.5～1分深，然后出针，使其流出少量血液，出血停止后，以消毒棉球按压针孔。在出血时，也可轻按静脉上端，以助瘀血排出，毒邪得泄。此法适用于肘窝、腘窝及太阳穴等处的浅表静脉，用以治疗中暑、急性腰扭伤、急性淋巴管炎等病。

点刺法，即针刺前先推按被刺部位，使血液积聚于针刺部位，常规消毒后，左手拇、食、中三指夹紧被刺部位或穴位，右手持针，对准穴位迅速刺入1～2分深，随即将针退出，轻轻挤压针孔周围，使出血少量，然后用消毒棉球按压针孔。此法多用于手指或足趾末端穴位，如十宣穴、十二井穴或头面部的太阳穴、印堂穴、攒竹穴、上星穴等。

挑痧法及放痧法必须灭菌操作，以防止感染。针刺前消除患者紧张心理，点刺时手法宜轻宜快宜浅，出血不宜过多，以数滴为宜。注意勿刺伤深部动脉。另外，病后体弱、明显贫血、孕妇和有自发性出血倾向者不宜使用。为防止晕针，患者最好采取卧位，术后休息后再离开。

4. **揪痧法**：在施术部位涂上刮痧介质后，施术者五指屈曲，用自己食、中指的第二指节对准施术部位，把皮肤与肌肉揪起，然后瞬间用力向外滑动再松开，这样一揪一放，反复进行，并连续发出“巴巴”声响。在同一部位可连续操作6～7遍，这时被揪起部位的皮肤就会出现痧点。

5. **扯痧法**：扯痧疗法是医者用自己的食指、拇指提扯病者的皮肤和一定的部位，使表浅的皮肤和部位出现紫红色或暗红色的痧点。此法主要应用于头部、颈项、背部及面部的太阳穴和印堂穴。

6. **挤痧法**：医者用拇指和食指在施术部位用力挤压，连续挤出紫红痧斑为止。

7. **焠痧法**：用灯心草蘸油，点燃后，对准病人皮肤表面上的红点处灼烧，手法要快，一接触到病人皮肤，立即离开皮肤，往往可听见十分清脆的灯火灼烧皮肤的爆响声。适用于寒证，如见腹痛、手足发冷等。

8. **拍痧法**：　用虚掌拍打或用刮痧板拍打体表施术部位，一般为痛痒、胀麻的部位。

二、刮痧工具及操作方法

刮痧使用的工具很多，比较常用的为刮痧板和润滑剂。刮痧板可用水牛角或木鱼石制作而成，要求板面洁净，棱角光滑。润滑剂多选用红花油、液状石蜡、麻油或刮痧专用的活血剂。(见图 12－1)。

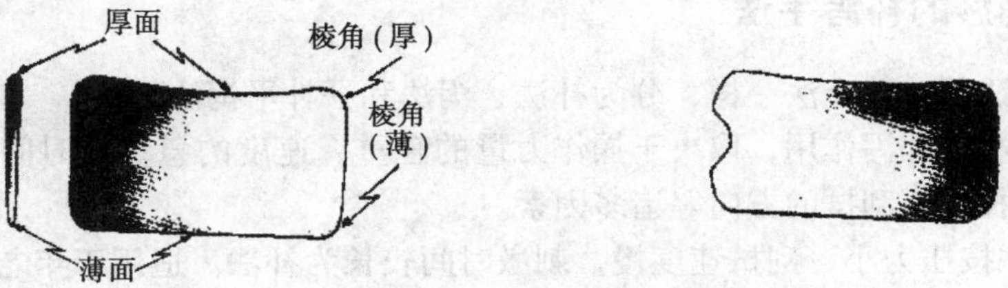

图 12－1　刮痧板

操作时手持刮痧板，蘸上润滑剂，然后在患者体表的一定部位按一定方向进行刮拭，至皮下出现痧痕为止。刮痧时要求用力要均匀，一般采用腕力，同时要根据病人的病情及反应调整刮动的力量。刮痧疗法的操作手法有平刮、竖刮、斜刮、角刮。

平刮：就是用刮板的平边，着力于施术部位，横向进行较大面积的平行刮拭。(见图 12－2)

竖刮：就是用刮板的平边，着力于施刮的部位上，竖直上下而进行的大面积刮拭。(见图 12－3)

斜刮：就是用刮板的平边，着力于施术部位上，进行斜向刮拭。适用于人体某些部位不能进行平、竖刮者。

角刮：用刮板的棱角和边角，着力于施术的部位上，进行较小面积或沟、窝、凹陷地方的刮拭，如鼻沟、耳屏、神阙、听宫、听会、肘窝、关节等处。

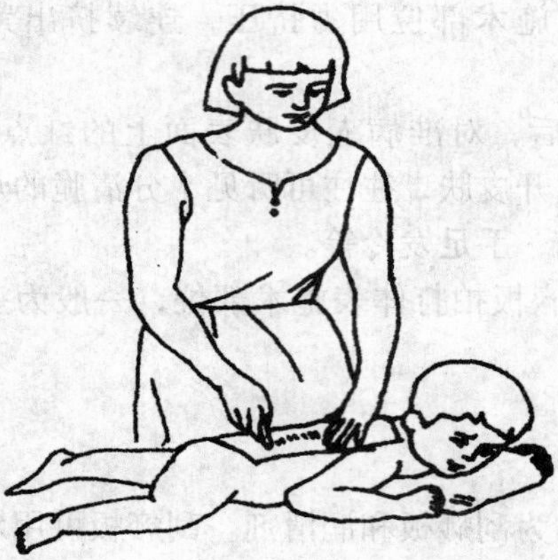

图 12－2　平刮

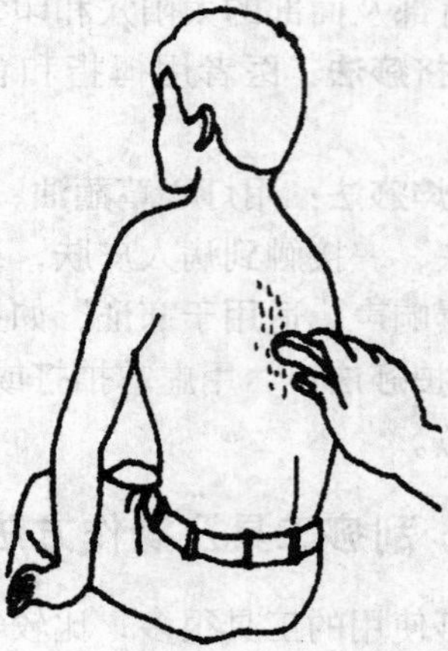

图 12－3　竖刮

三、刮痧的补泻手法

刮痧疗法同针治疗法一样，分为补法、泻法和平补平泻法。

刮痧疗法的补泻作用，取决于操作力量的轻重、速度的急缓、时间的长短、刮拭行程的长短、刮拭的方向等诸多因素。

1. 刮拭按压力小，刮拭速度慢，刺激时间较长为补法。适用于年老、体弱、久病、重病或体形瘦弱之虚证患者。刮拭按压力大，刮拭速度快，刺激时间较短为泻法。适用于年轻体壮、新病、急病、形体壮实的患者。

平补平泻法介于补法和泻法之间。有三种刮拭方法。第一种为按压力大，刮拭速度慢；第二种为按压力小，刮拭速度快；第三种为按力中等，速度适中。常用于正常人保健或虚实兼见证的治疗。

2. 痧痕点个数少者为补法，痧痕点数量多者为泻法。

3. 顺经脉运行方向刮者为补法；逆经脉运行的方向刮者为泻法。

4. 刮痧后加温灸者为补法；刮痧后加拔罐者为泻法。

第四节　人体各部位的刮拭方法及顺序

一、人体各部位的刮痧方法

（一）头部的刮法

头部有头发覆盖，须在头发上面用刮板刮拭，不必涂刮痧润滑剂。为增强刮拭效果可使用刮板边缘或刮板角部刮拭。每个部位刮30次左右，刮至头皮发热为宜。手法采用平补平泻法，医者一手扶患者头部，以保持头部稳定。

1．循行路线

（1）刮拭头部两侧，从头部两侧太阳穴开始至风池穴，经过穴位为头维穴、颔厌穴等。

（2）刮拭前头部，从百会穴经囟会穴、前顶穴、通天穴、上星穴至头临泣穴。

（3）刮拭后头部，从百会穴经后顶穴、脑户穴、风府穴至哑门穴。

（4）刮拭全头部，以百会穴为中心，呈放射状向全头发际处刮拭。经过全头穴位和运动区、语言区、感觉区等。

2．适应证：有改善头部血液循环，疏通全身阳气之作用。可预防和治疗中风及中风后遗症、头痛、脱发、失眠、感冒等病证。

（二）面部的刮法

因为面部出痧影响美观，因此手法要轻柔，以不出痧为度，且面部不需涂抹活血剂，通常用补法，忌用重力大面积刮拭。由内向外按肌肉走向刮拭。可每天一次。

1．循行路线

（1）刮拭前额部，从前额正中线分开，经鱼腰穴、丝竹空穴朝两侧刮拭。

（2）刮拭两颧部，由内侧经承泣穴、四白穴、下关穴、听宫穴刮至耳门穴等。

（3）刮拭下颌部，以承浆穴为中心，经地仓穴、大迎穴、颊车穴等刮拭。

2．适应证：有养颜祛斑美容的功效。主治颜面五官的病证，如眼病、鼻病、耳病、面瘫、雀斑、痤疮等。

（三）颈部的刮法

颈后高骨为大椎穴，用力要轻柔，用补法，不可用力过重，可用刮板棱角刮拭，以出痧为度。肩部肌肉丰富，用力宜重些，从风池穴一直到肩髃穴，应一次到位，中间不要停顿。一般用平补平泻手法。

1．循行路线

（1）刮督脉颈项部分，从哑门穴刮到大椎穴。

（2）刮拭颈部两侧到肩，从风池穴开始经肩井穴、巨骨穴至肩髃穴。

2．适应证：人体颈部有六条阳经通过，颈部是必经之路，所以经常刮拭颈部，具有育阴潜阳，补益人体正气，防治疾病的作用，可主治颈项病变，如颈椎病、感冒、头痛、近视、咽炎等病。

（四）背部的刮法

背部由上向下刮拭。一般先刮后背正中线的督脉，再刮两侧的膀胱经脉和夹脊穴。背部正中线刮拭时手法应轻柔，用补法，不可用力过大，以免伤及脊椎，可用刮板棱角点按棘突之间。背部两侧可视病人体质、病情选用补泻手法，用力要均匀，中间不要停顿。

1．循行路线：刮督脉和足太阳膀胱经及夹脊穴，从大椎刮至长强。足太阳膀胱经位于后正中线旁开1.5寸和3寸处，夹脊穴位于后正中线旁开0.5寸。

2．适应证：刮拭背部可以治疗全身五脏六腑的病证。如刮拭胆俞可治疗黄疸、胆囊炎、胆道蛔虫、急慢性肝炎等，刮拭大肠俞可治疗肠鸣、泄泻、便秘、脱肛、痢疾、肠痈等。背部刮痧还有助于诊断疾病。如刮拭心俞部位出现压痛或明显出痧斑时，即表示心脏有病变或预示心脏即将出现问题，其他穴位类推。

（五）胸部的刮法

刮拭胸部正中线用力要轻柔，不可用力过大。宜用平补平泻法。用刮板棱角沿胁间隙刮拭。乳头处禁刮。

1．循行路线

（1）刮拭胸部正中线，从天突穴经膻中穴向下刮至鸠尾穴。用刮板角部自上而下刮拭。

（2）刮拭胸部两侧，从正中线由内向外刮，先左后右，用刮板整个边缘由内向外沿肋骨走向刮拭。中府穴处宜用刮板角部从上向下刮拭。

2．适应证：胸部主要有心、肺二脏，故刮拭胸部，主治心、肺疾患，如冠心病、慢性支气管炎、支气管哮喘、肺气肿等。另外可预防和治疗妇女乳腺炎、乳腺癌等。

（六）腹部刮痧

空腹或饱餐后禁刮，急腹症忌刮，神阙穴禁刮。

1．循行路线

（1）刮拭腹部正中线，从鸠尾穴经中脘穴、关元穴刮至曲骨穴。

（2）刮拭腹部两侧，从幽门穴刮至日月穴。

2．适应证：腹部有肝、胆、脾、胃、膀胱、肾、大肠、小肠等脏腑，故刮拭腹部可治疗以上脏腑病变，如胆囊炎、慢性肝炎、胃及十二指肠溃疡、呕吐、胃痛、慢性肾炎、前列腺炎、便秘、泄泻、月经不调、不孕症等。

（七）四肢的刮法

刮拭四肢时，遇关节部位不可强力重刮。对下肢静脉曲张、水肿应从下向上刮拭。皮肤如有感染、破溃、痣瘤等，刮拭时应避开。急性骨关节创伤、挫伤之处不宜刮痧，但在康复阶段做保健刮痧可提前康复。

1．循行路线

（1）刮拭上肢内侧部，由上向下刮，尺泽穴可重刮。

（2）刮拭上肢外侧部，由上向下刮，在肘关节处可作停顿，或分段刮至外关穴。

（3）刮拭下肢内侧部，从上向下刮，经承扶穴至委中穴，由委中穴至跗阳穴，委中穴可重刮。

（4）刮拭下肢外侧部，从上向下刮，从环跳穴至膝阳关穴，由阳陵泉穴至悬钟穴。

2．适应证：四肢刮痧可主治全身病证。如手少阴心经主治心脏疾病，足阳明胃经主治消化系统病证，四肢肘膝以下五输穴可主治全身疾病。

（八）膝关节的刮法

膝关节结构复杂，刮痧时宜用刮板棱角刮拭合适的部位，并掌握正确方向，而不致损伤关节。刮拭关节动作应轻柔。膝关节内积水者，局部不宜刮，可取远端穴位刮拭。膝关节后方及下端刮痧时易起痧疱，宜轻刮，遇曲张静脉可改变方向，由下向上刮。

1．循行路线

（1）刮拭膝眼，刮拭前先用刮板的棱角点按膝眼。

（2）刮拭膝关节前部，膝关节以上部分从伏兔穴刮至梁丘穴，膝关节以下部分从犊鼻穴刮至足三里穴。

(3) 刮拭膝关节内侧部，从血海穴刮至阴陵泉穴。

(4) 刮拭膝关节外侧部，从膝阳关穴刮至阳陵泉穴。

(5) 刮拭膝关节后部，委中穴可重刮。

2. 适应证：主治膝关节的病变，如风湿性关节炎，膝关节韧带损伤、肌腱劳损等。另外对腰背部疾病、胃肠疾病有一定的治疗作用。

二、挑痧法的常用部位

1. 头颈项部：印堂、太阳穴。

2. 胸腹部：华盖穴、中脘穴、肚脐两侧、关元穴左右。

三、放痧法的常用部位

1. 上肢：曲池穴、十宣穴、少商穴、尺泽穴。

2. 头面颈项：大椎穴、百会穴、太阳穴、人中穴、金津穴、玉液穴。

3. 下肢：委中穴。

四、刮痧的整体顺序

整体刮拭的顺序是自上而下，先头部、颈、背、腰部或腹部，后四肢、背腰部及胸腹部，可根据病情决定刮拭的先后顺序。每个部位一般先刮阳经，再刮阴经，先刮拭身体左侧，再刮拭身体右侧。

五、刮痧的体位及步骤

(一) 刮痧的体位

刮痧时对体位的选择，应以医者能够正确取穴，施术方便，患者感到舒适自然，并能持久配合为原则。常用的体位有以下几种：

1. 仰卧位：适用于胸腹部、头部、面部、颈部、四肢前侧的刮痧。

2. 俯卧位：适用于头、颈、肩、背、腰、四肢的后侧刮痧。

3. 侧卧位：适用于侧头部，面颊一侧，颈项和侧腹、侧胸以及上下肢该侧的刮痧。

4. 仰靠坐位：适用于前头、颜面、颈前和上胸部的刮痧。

5. 俯伏坐位：适用于头顶、后头、项背部的刮痧。

6. 侧伏坐位：适用于侧头、面颊、颈侧、耳部的刮痧。

（二）刮痧的操作步骤

1. 选择工具： 准备齐全刮痧器具与用品，应仔细检查刮痧板边缘是否光滑，边角要钝圆，厚薄要适中，有无裂纹及粗糙，以免伤及皮肤。

2. 消除患者紧张心理： 应向病人介绍刮痧的一般常识，以消除其紧张恐惧心理，以便取得病人的信任、合作与配合。

3. 选择体位： 根据患者的病情，确定治疗部位，选择合适的体位。

4. 涂刮痧润滑剂： 在刮拭部位上均匀涂布刮痧润滑剂，用量宜少不宜多。因为刮痧润滑剂过多，不利于刮拭，还会顺皮肤流下，弄脏衣服。保健刮痧和头部刮痧可不用介质，亦可隔物刮拭。

5. 刮拭： 右手持刮痧工具，灵活运用腕力、臂力，忌用蛮力，刮具一般与皮肤之间角度以45°为宜。用力要均匀，适中，由轻渐重，不可忽轻忽重，以病人能耐受为度。刮拭的按压力要深透深层组织。刮拭行程要尽量拉长。刮痧时要顺一个方向刮，不要来回刮，以皮下出现轻微紫红或紫黑色痧点、斑块即可。

6. 刮拭后： 刮完后，擦干皮肤，让病人穿好衣服，适当饮用一些姜汁、糖水或白开水，促进新陈代谢。

7. 刮拭后的反应： 一般刮拭后半小时左右，皮肤表面的痧点会逐渐融合成片，刮痧后24～48小时出痧表面的皮肤触摸时有痛感或自觉局部皮肤有微微发热，这些都属于正常反应，几天后即可恢复正常。

8. 刮痧时限与疗程： 一般每个部位刮20次左右，以使病人能耐受或出痧为度，每次刮拭时间以10～15分钟为宜。初次刮痧不宜过长，手法不宜过重，不可一味片面求出痧。第二次应间隔5～7天后或患处无痛感时再实施。通常连续治疗7～10次为一个疗程，间隔10天再进行下一个疗程。

第五节　刮痧适应证、慎用症与禁忌证及注意事项

一、刮痧适应证

刮痧疗法临床应用广泛，适用于内、外、妇、儿、五官等各科和各系统疾病，如消化系统、循环系统、呼吸系统等，刮痧疗法不但适用于疾病的治疗，还适用于预防疾病和保健强身。

1. 呼吸系统疾病： 如感冒、咳嗽、气管炎、哮喘、肺炎等。

2. 消化系统疾病： 如胃病、反胃、呃逆、吐酸、呕吐、急性胃炎、胃肠神

经官能症、胆道感染、肠道预激综合征、便秘、腹泻、腹痛等。

3. **泌尿系统疾病**：如泌尿系统感染、尿失禁、膀胱炎等。

4. **神经系统疾病**：如眩晕、失眠、头痛、多汗症、神经衰弱、忧郁症、坐骨神经痛等。

5. **心血管系统疾病**：如心悸、高血压等。

6. **运动系统疾病**：如腱鞘炎、腕管综合征、网球肘、落枕、肩痛、肋间神经痛、腰痛、肥大性脊柱炎、急性腰扭伤、慢性腰肌纤维炎、梨状肌综合征等。

7. **妇科系统疾病**：如月经不调、痛经、闭经、经期发热、经期头痛、经前紧张综合征、更年期综合征、产后缺乳、急性乳腺炎等。

8. **五官系统疾病**：如牙痛、咽喉肿痛、急性鼻炎、鼻衄、耳鸣、失音等。

9. **内分泌系统疾病**：糖尿病等。

10. **其他**：如中暑、水肿、保健等。

二、刮痧疗法慎用症和禁忌证

刮痧疗法尽管可以用于多种病证治疗，但它也有慎用症和禁忌证。

1. 有出血倾向的疾病，忌用本法治疗或慎用本法治疗。如血小板减少性紫癜、过敏性紫癜、白血病等，不宜用泻法刮疗，宜用补法或平补平泻手法刮疗。

2. 凡危重病证，如急性传染病、重症心脏病等，应立即住院观察治疗。如果没有其他办法，可用本法进行暂时的急救措施，以争取时间和治疗机会。

3. 新发生的骨折患部不宜刮痧，须待骨折愈合后方可在患部刮疗。外科手术疤痕处亦应在两个月以后方可局部刮痧。恶性肿瘤患者手术后，疤痕局部处慎刮。

4. 传染性皮肤病如疖肿、痈疮、瘢痕、溃烂、性传染性皮肤病及皮肤不明原因的包块等，不宜直接在病灶部位刮拭。

5. 年老体弱者、空腹及妊娠妇女的腹部、妇女经期下腹部、女性面部忌用大面积泻法刮拭。

6. 对刮痧恐惧或过敏者，忌用本法。

7. 孕妇、妇女经期，禁刮下腹部及三阴交、合谷、足三里等穴位。

三、刮痧疗法的注意事项

（一）术前注意事项

1. 刮痧疗法须暴露皮肤，且刮痧时皮肤汗孔开泄，如遇风寒之邪，邪气可从开泄的毛孔直接入里，影响刮痧疗效，而且易引发新的疾病，故刮痧前要选择一个好的治疗场所，空气流通清新，并注意保暖，注意避风，夏季不可在有过堂风的地方刮痧。尽量少暴露皮肤。

2. 选择舒适的刮痧体位，以利于刮拭和防止晕刮。

3. 刮痧工具要严格消毒，防止交叉感染。刮拭前须仔细检查刮痧工具，以免刮伤皮肤。

4. 施术者的双手也应消毒。

5. 刮拭前一定要向患者解释清楚刮痧的一般常识，消除其恐惧心理，取得患者配合，以免晕刮。

6. 勿在病人过饥、过饱及过度紧张的情况下进行刮痧治疗。

（二）术中注意事项

1. 刮拭手法要用力均匀，以能忍受为度，达到出痧为止。

2. 婴幼儿及老年人，刮拭手法用力宜轻。

3. 不可一味追求出痧而用重手法或延长刮痧时间。出痧多少受多方面因素影响。一般情况下，血瘀之证出痧多；实证、热证出痧多；虚证、寒证出痧少；服药过多者，特别服用激素类药物不易出痧；肥胖者与肌肉丰满的人不易出痧；阴经较阳经不易出痧；室温低时不易出痧。

4. 刮拭过程中，要经常询问病人感受。如遇到晕刮，出现精神疲惫，头晕目眩，面色苍白，恶心欲吐，出冷汗，心慌，四肢发凉，或血压下降，神志昏迷时，应立即停止刮痧。安慰患者勿紧张，帮助其平卧，注意保暖，饮温开水或糖水。如仍不缓解，可用刮板角部点按人中穴，力量宜轻，避免重力点按后局部水肿。对百会穴和涌泉穴施以泻法。患者病情好转后，继续刮内关、足三里穴。

（三）术后注意事项

1. 刮痧治疗使汗孔开泄，邪气外排，要消耗体内部分津液，故刮痧后饮温水一杯，休息片刻。

2. 刮痧治疗后，为避免风寒之邪侵袭，须待皮肤毛孔闭合恢复原状后，方可洗浴，一般约 3 小时左右。

3. 对于某些复杂危重的病人，要采取综合治疗措施，以免延误病情。

第六节 刮痧的临床应用

一、感冒

1. 风寒证

取穴：风池、大椎、风门、肺俞及肩胛部、少商、中府及前胸、足三里。

刮拭顺序：先刮后头部风池，再刮颈部大椎及背部肺俞、肩胛部，然后刮中府及前胸，放痧少商，最后刮拭足三里。

刮拭方法：泻法，少商、大椎可放痧。

方义：寒邪外束，用足少阳胆经与阳维脉交会穴之风池可疏风散寒；督脉之大椎穴可退热；刮拭中府、前胸、肺俞及肩胛部属俞募配穴，可宣肺祛邪散寒；刮拭足三里可扶助正气；少商、大椎放痧可解热止痛。

2. 风热证

取穴：曲池、尺泽、外关、合谷、风池、大椎。

刮拭顺序：先刮后头部风池，再刮颈部大椎，然后刮拭上肢内侧曲池、尺泽，最后刮外关、合谷。

刮拭方法：泻法，大椎重刮或放痧。

方义：风热犯表，肺受热灼，清肃失司，故取手太阴肺经的尺泽清肺止咳利咽，曲池、大椎、外关解表泻热，大椎重刮以泻热邪。

3. 暑湿证

取穴：孔最、合谷、中脘、足三里、支沟、膻中。

刮拭顺序：先刮胸部的膻中，再刮腹部中脘，然后刮上肢内侧孔最，刮拭上肢外侧支沟和合谷，最后刮拭足三里。

刮拭方法：平补平泻。

方义：暑湿伤表，肺卫不和，故取孔最、合谷宣肺解表；暑湿内蕴，升降失权，故取中脘、足三里和中健胃，化湿降浊；膻中可理气化痰，解胸闷；支沟可调三焦气机，祛暑化湿。

二、颈椎病

1. 经脉闭阻

取穴：风池、肩井、天柱、大椎、昆仑。

刮拭顺序：先刮肩颈部的风池、肩井、天柱、大椎，再刮足部昆仑穴。

刮拭方法：泻法。

方义：风池、肩井、天柱、大椎近部取穴，以活血通络；远处昆仑有舒筋活血通络之功。

2．气滞血瘀

取穴：风池、肩井、天柱、大椎、昆仑、血海、膈俞、三阴交。

刮拭顺序：先刮肩颈部的风池、肩井、天柱、大椎，再刮背部膈俞，最后刮下肢的血海、三阴交。

刮拭方法：泻法。

方义：局部痛点取穴，以疏通颈部气血；而血海、膈俞、三阴交相配伍则调理气血，活血化瘀。

3．肝肾不足

取穴：风池、肩井、天柱、大椎、肾俞、太溪、太冲。

刮拭顺序：先刮肩颈部的风池、肩井、天柱、大椎，再刮腰部的肾俞穴，最后刮下肢的太溪、太冲。

刮拭方法：补法。

方义：局部取穴，以疏通颈部的气血，肾俞、太溪、太冲相配伍补肝益肾。

三、咳嗽（支气管炎）

1．急性咳嗽

取穴：大椎、风门、肺俞、身柱、膻中、中府、肺俞、太冲。

刮拭顺序：先刮颈部大椎，再刮背部风门、肺俞、身柱，然后刮胸部中府、膻中，最后刮足背部太冲。

刮拭方法：泻法，太冲、肺俞可放痧。

方义：大椎为诸阳经交会穴，可疏泄阳邪而退热；肺俞、中府相配可调补肺气，止咳化痰；风门主上气喘气；膻中理气化痰，止咳平喘；太冲可泄肝火止咳；身柱配肺俞可清热宣肺，治疗咳嗽喘疾。

2．慢性咳嗽

取穴：大椎、风门、肺俞、身柱、膻中、中府、肾俞。

刮拭顺序：先刮颈部大椎，再刮背部的风门、肺俞、身柱、肾俞，最后刮胸部中府、膻中。

刮拭方法：补法。

方义：大椎为诸阳经之会，可疏泄阳邪而退热；中府与肺俞相配，可调补肺气，止咳化痰；风门主上气喘气；膻中可理气化痰，止咳平喘；身柱与肺俞相配可清热宣肺，治疗咳嗽喘疾；肾俞治咳喘少气。

四、哮喘

1. 发作期

取穴：大椎、定喘、肺俞、天突、膻中、中府及前胸、尺泽、曲池及上肢内侧、列缺。

刮拭顺序：先刮颈部大椎，背部定喘、肺俞，然后刮天突、中府、膻中及前胸，再刮上肢内侧，重刮尺泽、曲池，最后重刮列缺。

刮拭方法：泻法。

方义：大椎、曲池疏表散热；定喘穴为治疗哮喘经验效穴；肺俞、列缺、尺泽可宣肃手太阴肺经经气；中府与肺俞为俞募配穴，可调补肺气，止咳化痰。

2. 缓解期

取穴：定喘、风门、肺俞、脾俞、肾俞、志室及腰部、太渊及前臂内侧、足三里。

刮拭顺序：先刮背部定喘、风门、肺俞、脾俞、肾俞、志室及腰部，再刮前臂内侧，重刮太渊，最后刮下肢足三里。

刮拭方法：补法。

方义：定喘穴为治疗哮喘病的经验效穴；风门主上气喘气；肺俞可调节肺气，脾俞、肾俞可补脾肾之气，治疗脾肾虚弱；志室可补肾益精，强壮腰膝；太渊为交会穴，可以宣肺止咳；足三里为胃经合穴，可调理脾胃。

五、呃逆

1. 胃中寒冷

取穴：膈俞、脾俞、胃俞、天突、中脘、章门、关元、气海、内关、足三里。

刮拭顺序：首先刮颈部天突，其次刮背部从膈俞刮至胃俞，重刮膈俞、脾俞、胃俞，再刮腹部中脘、章门、关元、气海，然后刮前臂内关，最后刮下肢足三里。

刮拭方法：泻法。

方义：膈俞有利膈镇逆之功；中脘、章门与胃俞、脾俞相配属俞募配穴，可调理脾胃气机；天突为任脉和阴维脉之会，能和中降逆；内关宽胸利膈，关元、气海补元气，以助温中散寒。

2. 胃火上逆

取穴：天突、膈俞、内关、天枢、合谷、足三里、内庭、公孙。

刮拭顺序：先刮颈部天突，然后刮背部膈俞，再刮腹部天枢、前臂内关、合谷，最后刮下肢公孙、足三里、内庭。

刮拭方法：泻法。

方义：天突、膈俞、内关、足三里如前所述，手阳明经穴合谷与足阳明经荥穴内庭、大肠募穴天枢相伍，以泻阳明胃火；公孙属足太阴脾经穴，通于冲脉，与内关相配，可降胃气。

3．气机郁滞

取穴：天突、膈俞、内关、足三里、侠溪、期门、太冲。

刮拭顺序：先刮颈部天突，然后刮背部膈俞，再刮胁部期门，接着刮前臂内关，最后从下肢足三里刮至侠溪、太冲。

方义：方中前四穴如前所述，配足厥阴经原穴太冲及募穴期门以疏调肝之气机；配足少阳胆经穴侠溪，以助顺气解郁之力。

4．脾胃阳虚

取穴：天突、膈俞、内关、足三里、中脘、脾俞、胃俞、气海。

刮拭顺序：先刮颈部天突，再从背部膈俞刮至胃俞，重点是膈俞、脾俞、胃俞，然后刮腹部中脘至气海，再刮前臂内关，最后刮下肢足三里。

刮拭方法：补法。

方义：前四穴如前所述，配胃募穴中脘、脾胃背俞穴以健补脾胃；气海可益气助阳。

5．胃阴不足

取穴：天突、膈俞、内关、足三里、胃俞、中脘、太溪。

刮拭顺序：先刮颈部天突，再从背部膈俞刮至胃俞，然后刮腹部中脘，再刮前臂内关，最后刮下肢足三里、太溪。

刮拭方法：补法。

方义：前四穴如前所述，取胃募穴中脘与胃俞相配乃俞募配穴，以益胃气，生津濡润；再配太溪以滋阴生津。

六、便秘

1．热秘

取穴：大肠俞、小肠俞、天枢、肾俞、大椎、内庭。

刮拭顺序：先刮颈部大椎穴，然后刮背部肾俞至大肠俞、小肠俞，再刮腹部天枢穴，最后刮内庭。

刮拭方法：泻法。

方义：大肠俞、小肠俞、天枢助大肠传导之力；肾俞补益肾气；大椎可清热泻火；内庭为胃经荥穴，荥主身热，可助清胃肠之热。

2. 虚秘

取穴：大肠俞、小肠俞、天枢、肾俞、足三里、气海、三阴交。

刮拭顺序：先刮背部肾俞至大肠俞、小肠俞，然后刮腹部天枢至气海，再刮下肢三阴交，最后刮下肢外侧足三里。

刮拭方法：补法。

方义：大肠俞、小肠俞、天枢、肾俞如前所述；气海补元气，益脾气；足三里、三阴交益脾胃，健中气。

七、面瘫

取穴：翳风、地仓、颊车、合谷、太冲、风池。

刮拭顺序：先刮头部两侧翳风至风池，再刮颊车至地仓，然后刮手背合谷穴，最后重刮太冲穴。

刮拭方法：泻法。

方义：风池、翳风可疏散风邪，翳风又可祛风止痛；颊车、地仓疏通局部气血；合谷、太冲祛风通络，善治头面诸疾。

八、偏头痛

取穴：翳风、头维、太阳、合谷、列缺、阳陵泉、足三里、血海。

刮拭顺序：点揉翳风、头维、太阳，然后刮前臂合谷、列缺，再刮下肢阳陵泉至足三里，最后刮血海。

刮拭方法：补泻兼施。

方义：翳风活血祛风通络；头维、太阳祛风活血，通络镇痛；合谷行气活血；列缺祛风解表；阳陵泉活血通络，疏调经脉；足三里、血海健脾补肾，益气养血。

九、高血压病

取穴：风池、肩井、头后部、肩部、背部、膀胱经、曲池、足三里、三阴交。

刮拭顺序：先刮风池、头后部、肩井及肩部，再刮背部膀胱经，然后刮手臂曲池穴，最后刮下肢的三阴交、足三里。

刮拭方法：平补平泻。

方义：风池、肩井行气活血，主治高血压、耳鸣、头痛、眩晕等；足三里、三阴交调理气血；曲池调和营卫，可对脑血流有不同程度的改善作用。

十、中风病

（一）中经络

1．肝阳暴亢

取穴：水沟、三阴交、环跳、阳陵泉、极泉、曲池、外关、太冲。

刮拭顺序：先指按面部水沟穴，然后刮腋窝极泉，再刮上肢曲池至外关，刮臀部环跳、下肢内侧三阴交及下肢外侧阳陵泉，最后刮足部太冲。

刮拭方法：泻法。

方义：督脉“入属于脑”，水沟属督脉，开窍醒神；三阴交既可疏通经络，又可滋补肝肾之不足；太冲平肝潜阳，清泻肝火；曲池、极泉、环跳、阳陵泉、外关，疏通经络。

2．风痰阻络

取穴：水沟、三阴交、环跳、阳陵泉、极泉、曲池、足三里、阴陵泉、外关、丰隆。

刮拭顺序：先按面部水沟，刮腋窝极泉，然后刮下肢曲池至外关，再刮臀部环跳及下肢内侧阴陵泉、三阴交，最后从下肢外侧阳陵泉刮至丰隆。

刮拭方法：泻法。

方义：水沟、三阴交、环跳、阳陵泉、极泉、曲池、外关如前所述；足三里、阴陵泉、丰隆相配，健脾利湿化痰。

3．痰热腑实

取穴：水沟、三阴交、环跳、阳陵、极泉、曲池、上巨虚、丰隆、风市、劳宫。

刮拭顺序：先点按面部水沟穴，然后刮腋窝极泉，刮上肢曲池，并点按劳宫穴，再刮下肢内侧三阴交，然后刮臀部环跳及下肢风市、上巨虚、丰隆。

刮拭方法：泻法。

方义：水沟、三阴交、环跳、曲池、极泉、阳陵泉如前所述；上巨虚为大肠的下合穴，配通便要穴丰隆，可通腑清热；风市疏通经络；劳宫开窍泄热，清心安神。

4．气虚血瘀

取穴：水沟、三阴交、环跳、阳陵泉、极泉、曲池、气海、足三里、关元、中脘。

刮拭顺序：先点按面部水沟穴，然后从腹部中脘刮至气海，再刮上肢极泉、曲池，刮下肢臀部环跳及下肢内侧三阴交，最后从下肢外侧阳陵泉刮至足三里。

刮拭方法：平补平泻。

方义：气海、关元补益元气；足三里补后天之本以益气血；中脘健脾益气；其他穴如前所述。

5. 阴虚风动

取穴：水沟、三阴交、环跳、极泉、曲池、阳陵泉、肾俞、太溪、照海、太冲。

刮拭顺序：先点按面部水沟，刮背部肾俞，然后刮上肢极泉、曲池，再刮下肢内侧三阴交、太溪、照海，刮臀部环跳及下肢外侧阳陵泉，最后刮足部太冲。

刮拭方法：补法。

方义：肾为先天之本，故以肾俞、太溪补肾阴而治其本；太冲为肝经原穴，可潜降上亢之风阳以治头晕耳鸣；照海可滋肾水；其他穴如前所述。

（二）中脏腑

1. 闭证

（1）风火闭窍

取穴：水沟、合谷、内关、风池、太冲、涌泉。

刮拭顺序：先用力点按水沟穴，然后重刮后头部风池，再刮上肢内关、合谷，最后重刮太冲、涌泉。

刮拭方法：泻法。

方义：水沟属督脉，可开窍醒神；内关为心包经络穴，心包为心之外卫，心主神明，可醒神开窍，使心神复明；太冲、风池可清肝熄风；涌泉、合谷镇静止痛。

（2）痰火闭窍

取穴：水沟、十宣、丰隆、合谷、天突。

刮拭顺序：先重手法点按水沟，然后刮颈部天突，再刮手部合谷，放痧十宣，最后重刮下肢丰隆。

刮拭方法：泻法，十宣放痧。

方义：水沟、合谷如前所述；十宣通关开窍，泻热；丰隆豁痰开窍，通便清热；配天突可增强豁痰之功。

（3）痰湿蒙窍

取穴：水沟、十宣、足三里、气海、丰隆、天突。

刮拭顺序：先点按水沟，刮颈部天突，然后刮腹部气海，放痧十宣，最后重刮下肢足三里至丰隆。

刮拭方法：平补平泻，十宣放痧。

方义：水沟、十宣如前所述；足三里健运脾胃，以温化痰浊；气海温通阳气以治四肢不温，又可助脾胃之气而化痰；丰隆、天突豁痰开窍。

2. 脱证

取穴：水沟、关元、气海、足三里、内关、四神聪。

刮拭顺序：先点按头顶四神聪，再点按面部水沟，然后刮关元、气海，刮前臂内关，最后刮下肢足三里。

刮拭方法：补法。

方义：气海、关元回阳救逆而救虚脱；足三里益气养血；水沟、内关开窍醒神；四神聪除烦安神。

十一、肩周炎

1. 外邪内侵

取穴：肩髃、肩贞、臂臑、曲池、外关、手三里、阿是穴。

刮拭顺序：先刮肩部的肩髃、肩贞及阿是穴，再刮上臂三角肌下臂臑穴，然后刮上臂的曲池、手三里、外关。

刮拭方法：泻法。

方义：本方以患部穴祛风散寒，活血通络；外关、曲池疏导少阳、阳明经气，祛风除湿。

2. 气滞血瘀

取穴：肩髃、肩髎、肩前俞、阿是穴、阳陵泉。

刮拭顺序：先刮肩部的肩髃、肩髎、肩前俞、阿是穴，再刮下肢阳陵泉穴。

刮拭方法：泻法或肩部放痧。

方义：取肩部各穴以活血化瘀，筋会阳陵泉消肿止痛。

3. 气血虚弱

取穴：肩髃、膈俞、肩贞、足三里、气海、关元。

刮拭顺序：先刮肩部的肩髃、肩贞，再刮背部膈俞，然后刮腹部的气海、关元，最后刮下肢的足三里。

刮拭方法：补法。

方义：局部穴位行气活血，足三里、气海、关元、膈俞相伍以补益气血。

十二、落枕

1. 气滞血瘀

取穴：颈百劳、阿是穴、后溪、悬钟。

刮拭顺序：先刮颈部颈百劳、阿是穴，再刮手掌后溪，最后刮下肢悬钟穴。

刮拭方法：泻法，悬钟放痧。

方义：局部的颈百劳、阿是穴可疏通疼痛部位的经气；后溪、悬钟分属小肠经和胆经，其经脉、经筋会布于项背部，可从远端疏导项背部的经气。

2. 风寒外袭

取穴：大椎、天柱、肩外俞、悬钟、后溪、列缺。

刮拭顺序：先刮肩颈部的大椎、天柱、肩外俞，然后刮手臂部的后溪、列缺，最后刮下肢悬钟。

刮拭方法：泻法。

方义：悬钟、后溪疏通少阳、太阳经脉，舒筋活络；取大椎、天柱、肩外俞、列缺以助祛风散寒。

十三、颈椎病

1. 经脉闭阻

取穴：风池、肩井、天柱、大椎、昆仑。

刮拭顺序：先刮肩颈部的风池、肩井、天柱、大椎，再刮足部昆仑穴。

刮拭方法：泻法。

方义：风池、肩井、天柱、大椎为近部取穴，以活血通络；远处昆仑有舒筋活血通络之功。

2. 气滞血瘀

取穴：风池、肩井、天柱、大椎、昆仑、血海、膈俞、三阴交。

刮拭顺序：先刮肩颈部的风池、肩井、天柱、大椎，再刮背部膈俞，最后刮下肢的血海、三阴交。

刮拭方法：泻法。

方义：局部痛点取穴，以疏通颈部气血；而血海、膈俞、三阴交相配伍则调理气血，活血化瘀。

3. 肝肾不足

取穴：风池、肩井、天柱、大椎、肾俞、太溪、太冲。

刮拭顺序：先刮肩颈部的风池、肩井、天柱、大椎，再刮腰部的肾俞穴，最后刮下肢的太溪、太冲。

刮拭方法：补法。

方义：局部取穴，以疏通颈部的气血；肾俞、太溪、太冲相配伍补肝益肾。

十四、腰痛

1. 寒湿腰痛

取穴：阿是穴、委中、肾俞、腰阳关、风府。

刮拭顺序：先刮颈后风府，再刮腰部的阿是穴、肾俞、腰阳关，最后刮腘窝部的委中穴。

刮拭方法：平补平泻。

方义：局部阿是穴配委中疏通足太阳经气；肾俞、腰阳关、风府助阳散寒化湿，使寒湿得祛，气血畅行。

2. 劳损腰痛

取穴：阿是穴、水沟、阳陵泉、委中、膈俞、次髎、夹脊。

刮拭顺序：先刮面部水沟穴，再刮腰背部的夹脊、阿是穴、膈俞、次髎，最后刮下肢的委中、阳陵泉。

刮拭方法：平补平泻，委中放痧。

方义：局部阿是穴和次髎以疏通足太阳腰部经气，舒缓筋脉；水沟可疏通督脉经气；筋会阳陵泉配委中、膈俞及腰部夹脊，共奏舒筋通络，活血止痛之功。

3. 肾虚腰痛

取穴：肾俞、志室、太溪、委中。

刮拭顺序：先刮背腰部的肾俞、志室，再刮腘部委中，最后刮足部太溪穴。

刮拭方法：补法。

方义：取委中调和足太阳的经气治其标；取肾俞、志室、太溪补肾填精，治其本。

十五、痹证

1. 行痹

取穴：风池、膈俞、血海、大椎、合谷、外关。

肩部　肩髃、肩髎、臑俞。

肘部　曲池、天井、尺泽。

腕部　阳池、阳溪、腕骨。

脊背　身柱、腰阳关、后溪。

髀部　环跳、居髎、悬钟。

股部　秩边、承扶、阴陵泉。

膝部　犊鼻、梁丘、阳陵泉。

踝部：申脉、照海、昆仑、解溪。

刮拭顺序：先刮拭后头部风池，然后刮颈部大椎、背部膈俞，最后刮前臂外关、合谷，再刮局部穴位。

方义：风池属胆经与阳维脉交会穴，阳维主一身之表，大椎属督脉，为诸阳交会穴，两穴相配可祛风散寒；膈俞、血海可活血散瘀以祛风；合谷祛风止痛；外关疏散风邪；各局部穴位可疏通局部经脉。

2. 痛痹

取穴：肾俞、关元、大椎、合谷、风门。

刮拭顺序：先刮颈部大椎，然后刮背部风门、肾俞，再刮腹部关元，最后刮手部合谷。

刮拭方法：补法。

方义：肾俞、关元为补肾壮阳的要穴，两穴配伍，可温阳散寒，理气止痛；大椎可振奋阳气而祛寒；风门专攻散风；合谷止痛。

3. 着痹

取穴：大椎、膈俞、脾俞、足三里、阴陵泉。

刮拭顺序：先刮颈部大椎，再刮膈俞至脾俞，重刮膈俞、脾俞，然后刮下肢内侧阴陵泉，最后刮足三里。

刮拭方法：平补平泻。

方义：大椎祛风散寒；膈俞活血通络；阴陵泉、足三里、脾俞健脾利湿，通络止痛。

4. 热痹

取穴：大椎、曲池、合谷。

刮拭顺序：先放痧颈部大椎，然后刮前臂曲池，最后重刮合谷。

刮拭方法：泻法，大椎放痧。

方义：大椎清热散风；曲池、合谷可清热解表。

十六、牙痛

1. 风火牙痛

取穴：合谷、颊车、下关、外关、风池。

刮拭顺序：先点揉下关穴、颊车，再刮后头部风池，然后刮前臂外关，最后挤按合谷穴。

刮拭方法：泻法。

方义：手阳明之脉入下齿中，足阳明之脉入上齿中，手足阳明相接，故取合谷、颊车、下关等阳明经穴通经止痛；配风池、外关疏风解表。

2. 实火牙痛

取穴：颊车、下关、合谷、内庭、二间。

刮拭顺序：先点揉下关、颊车，再刮前臂合谷、二间，最后刮足背部内庭。

刮拭方法：泻法。

方义：颊车、下关、合谷皆属阳明经，通经止痛；二间、内庭分别为荥穴，清热泻火止痛。

3．虚火牙痛

取穴：太溪、合谷、颊车、下关、行间。

刮拭顺序：先点揉头面部下关、颊车，再刮手部合谷，然后刮太溪至合谷。

刮拭方法：补法。

方义：合谷、颊车、下关皆属于阳明经，是治疗牙痛效穴；太溪是足少阴经原穴，可滋阴补肾，以治其本；行间为足厥阴经荥穴，用以清热降火。

十七、小儿高热

取穴：大椎、曲池、风门、前胸、合谷及前臂、印堂、复溜。

刮拭顺序：挤按印堂，放痧颈部大椎，然后刮风门，刮前胸，再刮曲池、前臂及合谷，最后刮下肢复溜。

刮拭方法：泻法，大椎放痧，介质用酒精。

方义：大椎、曲池解表退热；合谷可清热开窍镇惊；风门配合谷解表清热；刮痧前胸可解表；印堂清热宣肺，利鼻窍；复溜滋肾阴，清虚热。

第十三章 离子导入疗法

在物理疗法中，利用直流电场、音频脉冲场内同性电荷相斥、异性电荷相吸原理，使药物离子通过皮肤、黏膜或伤口导入体内，发挥直流电、音频脉冲和药物的综合作用谓之离子导入法。中药离子导入法由我国理疗工作者首创，已有百余年历史，近年又发展到低、中频脉冲电流以及加温的离子导入，是一种是结合中药、穴位及电流物理作用的疗法，是中医外治法的重要组成部分。

第一节 离子导入法的基本原理

在药物溶液中，一部分药物离解成离子，在直流电场的作用下，带有阴离子和阳离子电荷的药物可产生定向移动，使在阴极衬垫中含有带负电荷的药物离子或者阳极衬垫中含有带正电荷的药物离子向人体方向移动而进入体内组织。

1. 根据同性电荷相斥、异性电荷相吸原理，利用直流电能将药物离子经完整皮肤导入体内。

2. 由直流电导入体内的药物保持原有的药理性质。

3. 阳离子只能从阳极导入，阴离子只能从阴极导入。

4. 药物离子主要经过皮肤汗腺管口和毛孔进入皮内或经过黏膜上皮细胞间隙进入黏膜组织。汗腺导管内径 15 ~ 80μ，所以蛋白质（1 ~ 100mμ）等大分子物质的离子也能经过汗孔导入体内。

5. 直流电直接导入药物一般只能导入 1 ~ 1.5cm 深。药物进入皮肤组织后，主要堆积在表皮内形成“离子堆”，以后通过渗透作用逐渐进入淋巴和血液。进入血液循环后，有的药物选择性地停留在某器官组织内，如碘主要停留在甲状腺；磷蓄积在中枢神经系统和骨骼中等。药物离子在体内可停留数小时至十余天，故药物离子导入法的药物维持时间比其他给药途径维持时间长。

6. 药物离子导入的数量与很多因素有关，溶液浓度越大，导入数量越多。药物在电场中最容易的转移是在蒸馏水中；向溶液加酒精是一种增加有效导入的办法，但酒精对那些易导致沉淀变性的药物并不适用；不溶解的药物不能导入皮肤。在一般情况下，导入的药物为衬垫中药物总量的2%～10%，所以总的说来，导入体内的药量是很少的。通电时间长导入量多，大的电流强度导入药物也增多。不同部位导入的数量也有差别，以躯干导入最多，上肢次之，下肢特别是小腿最少。

7. 药物离子导入的极性。根据化学结构式可以判定有效离子导入的极性。通常，金属离子、生物碱带正电荷从阳极导入，非金属离子、酸根带负电荷从阴极导入。但是，氨基酸、肽及酶类蛋白质是两性电解质，其极性与溶剂的pH值有密切关系。不同的两性电解质有不同的等电点，当溶液接近或相当于等电点时，物质在电场中的移动实际上等于弥散，即直流电不起作用。这是因为在等电点时溶质是电中性，而只有当溶剂的pH值远离等电点时，才能使药物带正电荷或负电荷。

第二节　离子导入法的操作规程与部位

一、离子导入法的操作规程

1. 接入220V的电源。

2. 将“输出调节”旋钮转到最小处，再打开电源至指示灯亮。

3. 选择适当大小的铜片或铜丝网（铅、锡或铝片均较差）作为电极，包上用药物浸湿的10cm×5cm电极衬垫或纱布，安放在病变或病变部位的周围，用橡皮带扎好或用鳄鱼嘴夹子（用橡皮管套好）夹好，固定无误后缓慢地转动“输入调节”旋钮，电流强度以局部有明显的麻木跳动感为宜，治疗时当患者感觉电流减弱可随时调整。每日1次，每次20分钟，10次为一个疗程。两疗程间不需休息，直至达到治疗目的。病情缓解时，可隔1～2天治疗1次。

二、离子导入法的部位

（一）衬垫法

与作用电极面积相同的滤纸或纱布用药液浸湿后，放在治疗部位的皮肤上，其上面再放衬垫和金属电极板；非作用电极下的滤纸或纱布用普通温水浸湿即可，导入的极性要正确（见图13－1）。

尽量减少作用电极上的寄生离子。药物溶剂一般用蒸馏水、酒精或葡萄糖溶

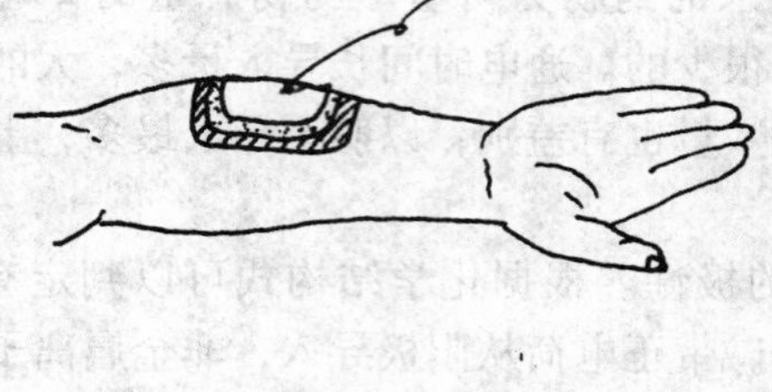

图 13－1

液；每个衬垫（包括纱布）最好只供一种药物使用。

有的药物为防止被电解而破坏，需采用非极化电极，即在用药液浸湿的纱布上面依次放置衬垫、缓冲液浸湿的滤纸、衬垫和铝片。

衬垫法常用的治疗方法举例：

1. 眼－枕法：先向眼内滴入药液，将两个 3cm×4cm 椭圆形电极置于闭合的两眼上，用分叉线连一极，另一极 6cm×10cm 电极置枕项部位（见图 13－2）。

图 13－2 眼－枕法

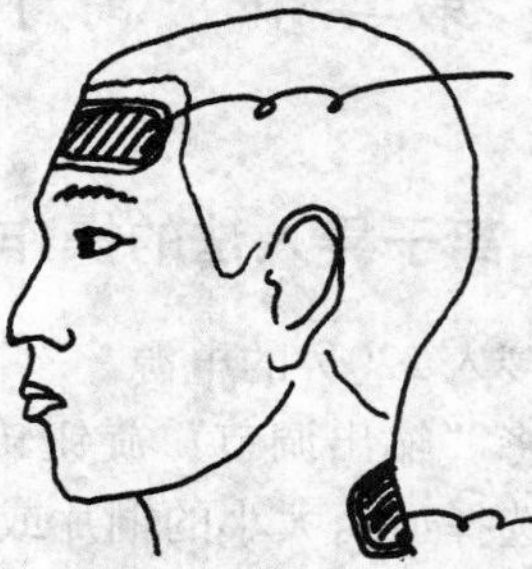

图 13－3 额－枕法

2. 额－枕法：一个 5cm×10cm 大小的电极置于额部，另一个 7cm×10cm 大小的电极置于枕部（见图 13－3）。

3. 面部治疗法：一个 E 形电极置于患侧面部，另一个 150～200cm^2 大小电极置于肩胛间区（见图 13－4）。

4. 心前区治疗法：两个 10cm×15cm 大小的电极分别置于心前区及左背部（见图 13－5）。

5. 乳腺区反射治疗法：两个直径 12cm 的圆形电极（中央有一圆孔使乳头露出）置于两侧乳房区（见图 13－6），用分叉导线连一极，另一极（10cm×

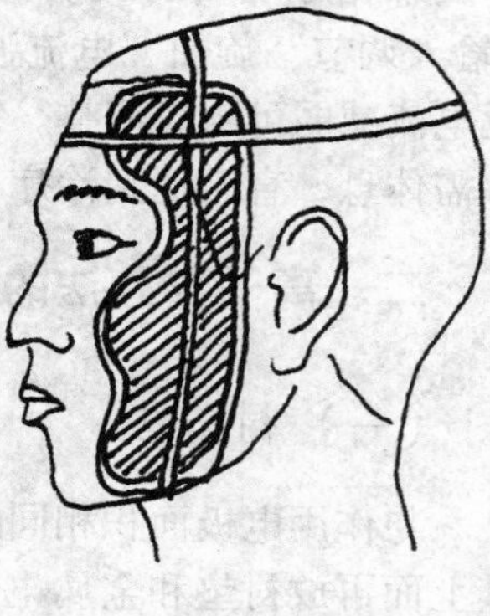

图 13－4 面部治疗法

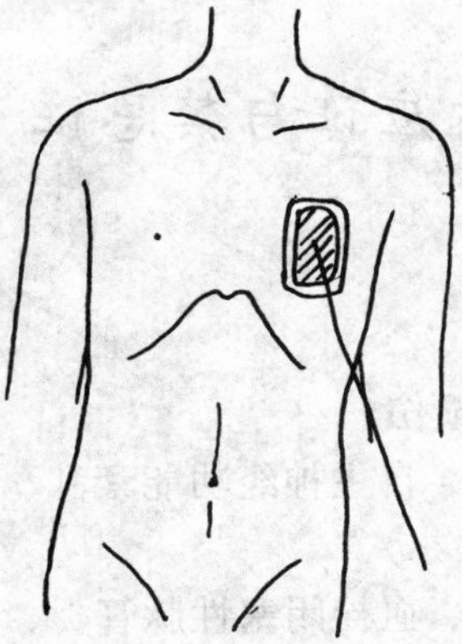

图 13－5　心前区治疗法

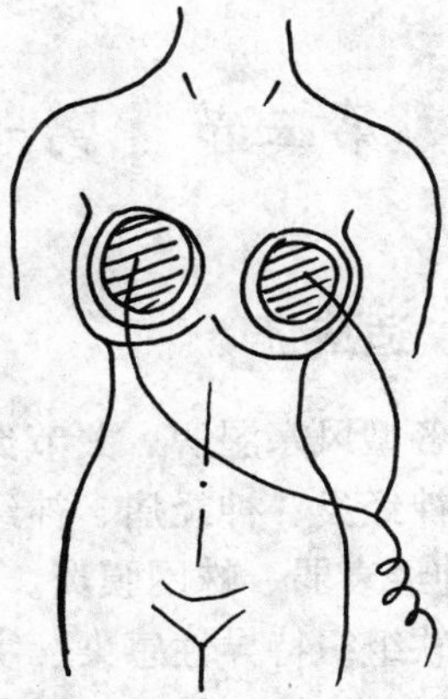

图 13－6　乳腺区反射治疗法

25cm）置肩胛间区或耻骨联合上。

6. 领区反射治疗法：一个 $1000cm^2$ 披肩式电极置于领区，另一电极 $400cm^2$ 置于腰骶部（见图 13－7）。从 6mA、6 分钟开始，每隔一日增加 2mA、2 分钟，至 16mA、16 分钟为止。每日 1 次，12～16 次为一疗程。

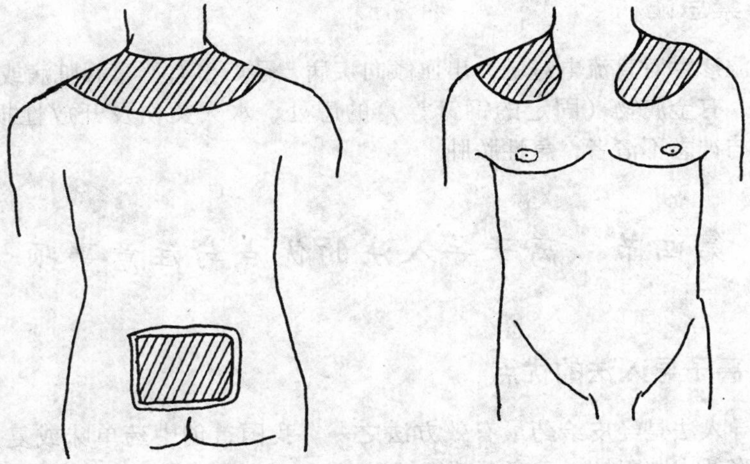

图 13－7　领区反射治疗法

（二）穴位导入法

将直径 2～3cm 的圆形电极放在穴位上，非作用极放在颈部或腰部。具有活血通经、祛风止痛之作用。

第三节　离子导入法的适应证与禁忌证

一、适应证

1. 各型风寒湿痹、关节炎、急慢性软组织损伤。

2. 神经炎、神经痛、神经根炎、神经损伤、自主神经功能紊乱、头痛、偏头痛、神经衰弱、蛛网膜炎。

3. 软组织特异性感染、窦道、缺血性溃疡、血栓闭塞性脉管炎、慢性静脉炎、淋巴管炎、注射后局部硬结、劳伤性腰腿痛、冻伤。

4. 放射线治疗后反应、过敏性紫癜、荨麻疹。

5. 高血压病、冠状动脉供血不足、胃及十二指肠溃疡、慢性胃炎、胃肠炎、胃肠痉挛、慢性结肠炎。

6. 慢性前列腺炎、功能性子宫出血、附件炎、痛经、闭经、外阴及体表多汗症。

二、禁忌证

急性湿疹，对直流电过敏，出血倾向疾病，孕妇，有严重心脏病或安有心脏起搏器者，有金属物（固定的钢钉等）的患处，水火烫伤及开放性损伤局部，急性热病与神志不清者，急性脓肿。

第四节　离子导入法的优点与注意事项

一、离子导入法的优点

离子导入法是经皮给药最有效方法之一。我国首创中药单味或复方透入疗法。具有降低皮肤阻抗，升高深部组织温度，电极下皮肤无明显刺痛感和可提高皮肤痛阈等特性。与传统的外治诸法相比较，离子导入法具有局部给药、药物吸收快、见效迅速、疗效高、无副作用、疗程短、易为患者接受、适应证广和无损伤、易掌握的特点。特别对全身及局部的风寒湿痹关节痛、软组织损伤、注射及术后结缔组织纤维增生之硬结、神经性疼痛及胃肠机能失调等症，疗效确切。该方法可以避免药物对消化道的直接刺激作用，减少消化道的不良反应，防止肝脏产生首过效应，而且疗效高，无副作用，减轻了患者的痛苦。

1．**导入体内的是有治疗作用的药物成分：**大量没有治疗价值的溶剂和基质不进入体内。

2．**药物可直接导入较表浅的病灶内：**在局部表浅组织中药物浓度较高、作用时间长。直流电导入的药量是很少的，就全身来说，浓度是很低的；但是就局部表浅组织来说，比其他用药方法的浓度高。由于直流电导入在皮肤内形成“离子堆”，不像其他用药方法很快经血液循环排泄，所以导入的药物在体内贮存时间长，疗效持久。

3．**直流电和药物的综合性作用：**直流电药物离子导入除药物作用外，同时有直流电的作用，两者互相加强，其疗效比单纯的药物或直流电的疗效好。目前很少单用直流电疗法，多用直流电药物导入疗法。

4．**神经反射治疗作用：**直流电药物导入疗法可有神经反射性的治疗作用。直流电药物导入治疗时，将一定面积的电极放置在身体某些部位，由于直流电引起组织内理化性质变化和药物在表层组织内存留，构成了对内外感受器的特殊刺激因子，通过反射途径引起机体的一定反应。特别是电极放置在某些神经末梢分布丰富的部位，通过感觉－自主神经节段反射机理而影响相应节段的内脏器官和血管的功能。例如，0.5%普鲁卡因直流电鼻黏膜反射疗法治疗血管性头痛，5%普鲁卡因直流电导入节段反射疗法治疗放射疗法后的反应等。

二、离子导入法注意事项

离子导入法具有消炎、消肿、镇痛、抑制结缔组织的纤维增生、促进血液循环和神经系统功能的改善和恢复等功能。但最大的缺点是直流电有刺痛感，故电流量不可太大。施术时应注意以下几点：

1．体弱、空腹时不宜做离子导入治疗，以饭后2小时左右为佳。

2．全身调治时，防止出汗过多导致虚脱。高血压患者在接受导入治疗前后，要测血压，防止降得过快，发生低血压昏厥。施泻法不宜太久，否则太过则丧失元气，不利康复，泻后应补气。

3．离子导入疗法中，使用较多的直流电，其极性单一，产生的极化效应和电解作用会降低药物导入的效率，甚至引起局部化学烧伤，而且一些实验研究也证明，直流电离子导入疗法适用的药物有限，不能随意配制中药使用。

4．有导致过敏的报告，应询问是否有过敏病史。

5．注意治疗药物所带电荷的正负性。

6．药物是否溶于水是影响导入效果的重要因素。

7．电疗机工作状态不稳定时，不能使用。

8. 治疗时患者宜保持在静止状态，不能随便活动。

9. 电极不能对准心脏，宜作前后左右安排。

10. 不要将电极扭曲或折叠，以免损坏电极。

11. 天热电极衬垫或纱布干燥时，宜滴上生理盐水以保证湿润导电。

12. 治疗场所宜通风，不使电疗机过热。

13. 不用时应切断电源，注意防尘、防潮、防震存放。

第五节 离子导入法的临床应用

离子导入法在临床中应用已有百余年历史。中药离子导入法，疗效显著，但在临床实践中，仍应遵循中医的整体观念，辨证论治，四诊合参。离子导入法走出了传统中医药与现代化科技设备接轨的新路，在中医外科、骨科、妇科、五官科中得到了充分的应用。

在临床应用过程中，所选择药物大部分是中药。这些药物大多数具有辛散温通之性，如川芎、红花、羌活、独活、乌头、威灵仙等药，以活血舒筋，祛风通络。尽管在治疗某些炎症中用了如败酱草、紫花地丁等苦寒清热之品，但仍然配伍了较多的辛温通络之药。

一、离子导入法在中医外科中的应用

离子导入法在中医外科中的应用堪称一大特色，其利用局部给药的方法，疗效高，无副作用，易为患者所接受，临床应用十分广泛。

（一）乳房囊肿

予以乳核消结汤加减（广州市中医医院经验方）内服。组方：生麦芽60g，山楂25g，茯苓15g，白术10g，猫爪草15g，路路通15g，柴胡10g，白芍10g，煅牡蛎20g，牡丹皮10g，玄参15g，浙贝母10g。疼痛明显者加延胡索10g，郁金10g。每日1剂，水煮两次约150ml，分2次内服，经期停药。

外用中药导入液，在上方基础上加荔枝核20g，芒果核20g，水煎后浓缩至30ml。取方形干净纱布，面积约10cm×10cm，放入导入液充分浸湿，置方纱布于乳腺囊肿处，上覆电极片，电极片与治疗仪连接，调整至中药离子导入功能，强度以病人能忍受为宜，每次20分钟。每天1次，每周6次，连续3周为一个疗程。每疗程结束后，停用1周，继续下一个疗程治疗。过敏者停用。

（二）慢性前列腺炎

用黄芪100g，丹参、黄连、黄柏各50g（经验方），加水1000ml，煎取浓液200ml，取纱布过滤后的药汁备用。嘱患者排尽大小便，取坐位。用ZGL－I型直流感应电疗机，作用极板68cm×10cm，外套以温水浸湿衬垫，用本品10ml浸透滤纸置会阴部，接直流电阳极；辅助电极板8cm×12cm，置耻骨联合上缘，接直流电阴极。每天1次，每次治疗20分钟，10天为一个疗程。

（三）静脉炎

临床上可以选用紫花地丁、蒲公英、连翘、秦艽各10g，赤芍、红花、桃仁各15g等。上药用45%酒精浸泡1周备用（酒精过敏者用煎剂）。

具体步骤：先将4块纱布垫放在锅内煮热，拧半湿半干。取泡好的药液6ml，均匀注到6层纱布垫上，将纱布垫盖在患部。将电极板插入12层纱布垫（纱布垫做成口袋式），盖在注有药物的纱布垫上，外盖塑料薄膜，在塑料薄膜上压一砂袋，使药物尽量与皮肤接触。另一侧依同法放好。接离子导入机，疼痛较重的一侧接正极，轻的一侧接负级，然后接通电源，调节电流量，电流量大小以患者出现轻微麻热感为宜，一般5～20mA，20分钟1次，上、下午各做1次。

（四）丹毒

可选用乳香、没药、川芎、当归、赤芍、川乌、威灵仙、元胡、白蔻、蒲公英共煎汤剂备用。应用KE－I型骨质增生治疗机离子导入，每日1次，每次20分钟，电泳量在10～20mA，以患者能忍受为度。

（五）乳腺增生症

用桔梗、瓜蒌、枳壳、丹参等中药合剂进行音频导入，配合超声治疗，此法疗效高，无痛苦，无副作用。

（六）硬皮病

可取复方丹参注射液，均匀地涂在滤纸上，将滤纸盖于皮损部位，进行药物导入，效果尚可。

二、离子导入法在骨科中的应用

本方法在骨科中的应用更是可圈可点，尤其是在基层医院，更是费用低廉，操作简便，不具创伤性，颇值得推广。

（一）骨质增生症

鹿角片15g，金毛狗脊、鹿衔草、仙灵脾、鸡血藤各20g，红花、千年健、川芎、白芷、炮山甲各10g，白芥子、制乳没各6g。颈椎增生加桂枝10g，葛根20g；腰骶椎增生加杜仲、川断各10g；膝、足跟增生加川牛膝、防己各10g；兼风寒者加羌活、独活、生草乌各10g；夹寒湿者加苍白术、生草乌各10g；兼湿热者本方去白芥子、仙灵脾，加忍冬藤30g，黄柏10g。

将上药加水1500ml浸泡2小时后煮沸，继予文火煮1小时滤出药液。再加水1000ml煮沸后继煮30分钟，滤出药液。两液混合煮沸后浓缩，装瓶置冰箱备用。根据增生部位，先用TDP照射30分钟后，将加温40℃药液20～30ml均匀洒在电极衬垫上，敷于患处，压迫固定，再用电离子导入治疗机治疗20～30分钟，每日1次，12次为一疗程，每疗程间隔1周。

（二）膝关节骨性关节炎

伸筋草40g，透骨草、路路通各30g，威灵仙25g，川芎30g，乳香、没药各20g，莪术15g，加水2500ml煎成500ml，取药汁放入冰箱备用。采用中风痿痹治疗仪，患者仰卧位，暴露膝部，将正极药垫用中药汁浸湿，负极浸以食醋，每次通治疗30分钟，每日2次，15天为一个疗程，疗程中间休息10天，共进行3个疗程。

（三）髌骨软化症

以杜仲、骨碎补、狗脊、鹿含草、乳香、没药、三七、两面针、桂枝、威灵仙、川芎水煎制成导入液。第一阶段作膝关节导入，以改善膝关节血液循环，增加供氧，促进代谢产物排泄，从而消除关节炎症水肿；第二阶段作患侧股内侧肌导入，使经脉畅通以促进局部血液循环，营养支配肌肉的神经，使股内侧肌肌力得以加强，关节正常结构得以恢复和改善。

（四）腰椎间盘突出症

采用离子导入治疗仪，将电极板正、负极分别装入浸有煎好的药液吸附垫上并放置在腰、骶椎相应部位，即可开机治疗，治疗电量为10～20mA，每日20分钟。其中正极中药：草乌、川乌、马前子、细辛、红花、牛膝、木瓜、透骨草、杜仲、狗脊、豨莶草。负极中药：海桐皮、川芎、仙灵脾。同时配合电针取穴：秩边、环跳、承扶、风市、委中、阳陵泉、足三里、绝骨、昆仑。每日1次，20天为一疗程。

三、离子导入法在妇科的应用

（一）慢性盆腔炎

方一：以当归、赤芍、川芎、桃仁、乳香、没药、香附、双花、紫花地丁、丹参、土鳖虫、皂刺、元胡制成透入液，阳极置下腹部，阴极置腰骶部，双极置药。

方二：赤芍、牡丹皮、穿山甲、皂角刺、紫花地丁、黄柏、牛膝各等分，煎汤后灌肠，电极板分置腰骶部和腹部，阴、阳极板隔日交替使用，于月经净后1周开始治疗。

（二）输卵管阻塞

急性感染型用通管Ⅰ号方：败酱草、紫花地丁、丹参、赤芍各15g，三棱、莪术、路路通、穿山甲、橘核、元胡各10g。

慢性粘连型用通管Ⅱ号方：Ⅰ号方去地丁、元胡，加三七6g，地龙、桃仁各10g，蒲公英15g。

将药垫并置于小腹双附件对应部位，双极置药，治疗3~5个疗程。

第十四章 磁疗法

磁疗法就是用应用磁场作用于人体而治疗疾病的方法。磁场主要有永磁与电磁两大类，这两类磁体在疗效、适应证和应用方法上，各有不同特点。以较普遍的小型永磁体为例，它是根据患者不同疾病，将不同场强、体积、数量的磁片，外敷于患者体表的不同腧穴，并根据疾病的变化，及时予以调整的一种疗法。

能产生磁场的磁体除永磁体外，还有能产生交变磁场、脉动磁场、脉冲磁场、直流恒定磁场的电磁体和利用机械能使永磁体产生旋转、振动的动磁体及动磁场。由于这种电磁场和动磁场作用于患者时磁通量都较大，患者受益面积多是患部整个区域，因此，一般每日或间日治疗 1 次，每次治疗一定时间，若干次为一个疗程。这种治疗方法，一般称作“磁场疗法”。

“磁穴疗法”与“磁场疗法”都属于磁疗，都是利用磁场治疗疾病。但严格地讲. 这两者是有区别的，磁穴疗法主要是应用永磁体，按循经取穴法贴敷磁片，可以贴敷半小时，也可以连续贴敷 1 小时、4 小时、8 小时，甚至 24 小时或 1 周以上，因而可以对人体产生持久的治疗作用。电磁体、动磁体就难以持久地对人体进行治疗，但电磁体与动磁体见效快、作用面积大的特点，如应用正确，同样能产生较好疗效。另外，脉冲电加磁与毫针加磁，也各有特点。近几年来为了提高疗效，在电磁场或动磁场等方法治疗后，再加贴磁片，使多种磁疗方法有机地结合起来，协同治疗，这种方法，一般称作“综合磁疗”。

应用磁场治病，是在应用磁石基础上逐步发展起来的。它的发展历史概括起来，共经历了三个阶段。

第一阶段是人类认识自然界存在有磁石及磁现象，并开始内服治病。应用自然界存在的磁石治病，有文字记载的，最早见于汉代司马迁《史记·扁鹊仓公列传》：“齐王侍医遂病，自炼五石服之……中热不溲者，不可服五石。”五石据《抱朴子》载，是指丹砂、雄黄、曾青、白矾石、磁石五石而言。说明早在 2000 多年前就已发现可将磁石与其他矿物质混合在一起煎煮内服治病，并知道了磁石的一些宜忌。

公元前 2 世纪，我国第一部中草药专著《神农本草经》将磁石正式入药，并加以说明："磁石主治周痹风湿，肢节肿痛，不可持物，洗洗酸痟，除大热烦满及耳聋。"公元6世纪，陶弘景在《名医别录》中进一步扩大了磁石的治疗范围，提出："养肾脏，强筋骨，益精除烦，通关节，消痈肿鼠瘘，颈核喉痈，小儿惊痫。炼水饮之，亦令人有子。"《千金方》中还记载有磁石渍酒饮，治阳事不举。《直指方》中记载磁石火煅酒淬七次为末，每空心时米汤引服一钱治脱肛，等等。此外，磁石还被正式列入《中华人民共和国药典》。与此同时，磁石还用于多种中成药如磁珠丸、磁石丸、磁石六味丸、紫雪散等，充分说明了磁石在内服药中的作用。

第二阶段是用磁石研末成混合其他药物外敷保健治病。利用磁石上的微弱磁场保健治病，最早见于唐代冯贽所著《云中杂论》，其中记有："益精者，无如磁石，以为益枕，可老而不昏，宁王宫中多用之。"可见当时的宫廷贵族就在利用磁石上的磁场进行保健防病。宋代严用和在《济生方》中治肾虚耳聋，"真磁石，一豆大，新棉裹塞耳中，口含生铁一块，觉耳中如风雨声，即通。"杨士瀛在《直指方》中治耳卒聋闭，"吸铁石半钱，入病耳内，铁砂末入不病耳内，自然通透。"这对磁石外用治病，又有一些发展。在此前后，何希影在《圣惠方》中还提到："小儿误吞针，用磁石如枣大，磨令光，钻作窍，丝穿令含，针自出。"这些都很像现代的磁吸器，也可以说是我国最原始的磁疗器具。另外，在古代医籍中也有将磁石和其他药物混合在一起研末外敷治病的记载，如《乾坤秘韫》中提到用吸铁石三钱，金银花二两，香油一斤，如常煎膏贴之，治诸般肿毒。将磁石作用于腧穴进行治疗的记载，最早当推李时珍《本草纲目》中所引《简便方》的记载："大肠脱肛，磁石研末调涂囟上，人后洗去。"由于天然磁石不成形体，外敷使用不便，因而几千年来，磁石保健外用的记载和经验甚少。

第三阶段是人造磁体（即磁石）与电磁体的发明以及磁与经络、腧穴结合用于临床，从而逐步形成了磁疗法。整块磁石与经络腧穴结合的应用，在我国古代医籍中的记述并不多，但随着人造磁体和电磁体的发明这方面的应用才逐渐多了起来。如在20世纪50年代末，上海曾出现过"磁性降压带"，便是用内嵌永磁体的不锈钢制成手表带样形状，戴在右手、右脚的腕部来治疗高血压，但还并不是真正意义上的作用于穴位。20世纪60年代开始，陈植用不同形状的永磁体外敷不同腧穴进行临床治疗。此后类似的临床治疗逐步增多，在20世纪70年代，随着稀土磁疗磁体的发明，磁穴结合疗法更加广泛，因为这种磁体在同等体积的情况下比此前的铁氧磁体磁场强度高5倍以上，因而疗效大为提高，治疗范围相应扩大。北京、内蒙、上海、广东、江苏等地不仅用于临床治疗，而且还开展了一些动物实验。稀土永磁应用于临床，为制造多种磁疗机创造了条件，是磁疗发展中一次突破性进展。1979 年陈植、胡梅村出版了我国第一本全面介绍磁场治病的专著《磁疗法》，书中提出了“适量磁场”的新见解及根据不同疾病，将不同磁场强度、体积、数量的磁体作用于不同腧穴，并视疾病变化，及时予以调整的治法治则，从而为磁疗法奠定了发展基础，受到了磁疗学界广泛的关注。

此外，在稀土永磁发明、应用的同时，电磁体与动磁场相继被用于临床实践中。如在 20 世纪 60 年代，陈公先在国内研制出一种低频、交变综合磁疗机，由于此机具有震动、磁场、热能的综合效应，对多种病能产生较好的疗效。20 世纪 70 年代林真又发明了利用小型电动机使稀土永磁体进行转动的旋磁机，由于机体小，使用方便，效果好，很快得到了推广。进入 20 世纪 80 年代以后，多种类型的电磁疗机大量出现，交变磁场、恒定磁场、脉动磁场、脉冲磁场及动磁场出现在了各种不同的磁疗机中。磁疗法逐步成为一种新型独特的疗法。

第一节　磁疗法及基本原理

磁疗法作用原理一是磁场刺激人体的经络腧穴，从而起到疏经活血、调节脏腑的作用，二是磁场把其自身的物理能作用于人体后，引起人体内神经、体液等发生一系列的理化反应，从而达到治疗疾病的目的。其具体体现在下列五个方面。

一、镇痛

1. 磁疗的镇痛作用是多方面的，如磁疗能改善血液组织营养，因而可以减轻或消除由缺铁、缺氧、炎性渗出、肿胀压迫神经末梢和致痛物质聚集等引起的疼痛。

2. 磁场能提高致痛物质水解酶的活性，使致痛物质水解或转化，达到止痛的目的。

3. 磁场可刺激穴位，疏通经络，调和气血，通过穴位下的神经反射来降低末梢神经的兴奋性，进而达到止痛效果。

磁疗法的镇痛作用是比较明显的，而且疗效迅速，一般来说，磁场强度越强，镇痛作用越明显。关于它的机制，磁场可以降低感觉神经的兴奋性，使人体痛阈提高；磁场还可增加体内内啡肽的浓度，抑制某些致痛物质的活性，消除局部组织肿胀，从而达到镇痛的目的。

二、抗炎消肿

炎症的病因有生物性和非生物性两种。生物性炎症是由细菌、病毒、寄生虫引起的。非生物性炎症是由低温、高温、各种毒物、机械创伤等引起的。

一般来说，磁疗对非生物性炎症和生物性炎症导致的慢性病证作用较好。因为磁场可以使局部血液循环加快，组织通透性改善，有利于渗出物的消散、吸收；加之磁场还能提高机体的非特异性免疫力，使白细胞活跃，吞噬能力增强，故而有消肿抗炎作用。

三、降压降脂

磁场能加强大脑皮质的抑制过程，对自主神经有调节作用，使机体微循环功能加强，可引起血压下降。磁场的降压作用，临床应用较早，实践证明，应用体穴磁片贴敷法、耳穴磁珠法、旋磁法、电磁法、磁化疗法、磁带法等，对高血压病均有较好的疗效。通常认为它是通过磁场作用于经络穴位，刺激了神经末梢，通过调节神经系统功能，改善血管的舒张和收缩机能，减少外周血管的阻力，使血压下降。

磁场能使胆固醇的碳氢长链变成短链，成为多结晶中心，加上红细胞转运，使胆固醇易于排出，所以又有降血脂作用。

四、镇静

磁疗对经络和神经、体液等都有一定的调节作用，不仅可以改善睡眠状态，促进入睡和延长睡眠时间，还能缓解肌肉，减轻瘙痒等。

五、抑制肿瘤

磁疗对良性和恶性肿瘤均有一定的抑制作用。对过渡性肿瘤，如纤维瘤、脂肪瘤等，可使之缩小或消失。对恶性肿瘤，如消化道肿瘤、淋巴肿瘤、肝癌、肾癌等，亦可改善症状、抑制生长或缩小肿块等。

第二节　磁疗法常用的器具

磁疗法是一种物理疗法，它是利用磁场直接或间接作用于人体，以达到治病或保健的目的，因而它离不开各种各样的磁疗器具。而临床疗效的高低，又与磁疗器具的性能好坏密切相关。近年来用于医学临床与研究的各种磁性器具逐渐增多，按其主要的用途，大致可以将其分为永磁磁疗器具和电磁磁疗器具两大类。永磁磁疗器具由于体积较小又不需电源，通常制成可随身携带的磁疗器具。例如，用于穴位或患区直接贴敷的磁片，以及把磁片或磁块缝装在衣物、首饰或其他生活用品内的永磁磁疗器具。电磁磁疗器具一般体积较大，而且需要有外电源供电，所以，它多半在家庭使用或在医院使用。

一、永磁磁疗器具

磁体根据形状的不同，又分为磁片、磁块、磁柱、磁珠。其中磁片多用于贴敷，磁柱多安装在磁疗机的机头上，磁珠多用于耳穴。临床上多用的是磁片，它分大、中、小三种规格。磁体的制造通常采用四种材料，即永磁铁氧体、稀土钴永磁合金、铝镍钴磁钢和近年来研制成功的铷铁硼永磁合金。

贴敷于人体体表穴位上的磁体，应注意其表面磁场强度的强弱。表面磁场强度，除由材料的性质决定外，与磁体的大小及厚度有关，表面磁场随磁体厚度的增加而变大，随直径的增大而变弱。

1. **磁片：**它主要用于穴位（或患区）的直接贴敷。其用法简便，又经济、安全，因此用量也较大。一般制成各种规格（大小和形状）不同的薄片。其中小号磁片的直径在1cm以下，中号磁片的直径为1～3cm，大号磁片的直径大于3cm。各种磁片的厚度，一般小于0.5cm的称磁片，厚度大于0.5cm以上的，通常称为磁块。目前已有将磁片附在特制的胶布上，像膏药一样，使用更为方便。

2. **将磁块（或磁片）装在生活用品中的磁疗器具：**它是把磁块（或磁片）缝装或嵌装在各种生活用品之中。这些磁块（或磁片）相当于间接贴敷在人体的穴位或患区。从某种意义上来说，它比直接贴敷磁片更方便、舒适，又避免贴胶布对皮肤的刺激。这类永磁磁疗器具的品种很多，例如穿戴的衣物有磁疗鞋、磁性帽、磁胸衫（或磁背心）、磁腰带、磁护膝等，又有部分首饰，如磁项链、磁戒指、磁耳环等；还有其他生活用品，如磁枕、磁被褥、磁坐垫（或包括磁靠背）、磁躺椅和磁床等。

上述这些永磁器具，可以使磁块的磁场作用到全身任何穴位或患区，所以，应根据不同疾病和病灶部位来选用这种永磁磁疗器具或调整磁块在其中的位置，方能起到治病与保健的作用。

另外，还有些永磁器具，它并不是将磁块（片）直接贴附于人体的，如磁化水杯，也有将磁块装在运动器械上的磁疗器具，如各种形式的旋磁机、振动磁按摩器和滚动磁按摩器等。

二、磁疗机

1. **旋转磁疗机**：简称旋磁机，是目前使用较多的一种。其形式多种多样，但它的构造原理比较简单，是用一只小马达（电动机）带动2～4块永磁体旋转，形成一个交变磁场或脉动磁场。

2. **电磁疗机**：其原理是由电磁铁通以电流产生磁场，所产生的磁场可以是恒定磁场也可以是交变磁场。临床上所用交流电磁疗机大部分是在矽钢片上绕以一定量的漆包线，通电后产生一定强度的交变磁场。交变磁场频率一般为50Hz，磁场强度500～3000Gs。磁头有多种形式，圆形的多用于胸腹部和肢体，凹形的常用于腰部，环形的常用于膝关节，条形的常用于穴位或会阴部。

3. **振动磁疗器**：又称按摩磁疗器，它是由常用的“电动按摩器”改装而成。在按摩器的顶端打几个孔，装入2～4个磁体。使用时，接通电源后，装入的磁体一起发生振动，形成脉动磁场，这种磁疗机对人体腧穴有磁疗和机械按摩两种作用。

第三节 磁疗法常用剂量及其测定

一、常用剂量

在治疗过程中，有无疗效及疗效好坏，剂量是否适当是关键性的问题。所谓磁疗剂量就是根据治疗不同疾病、不同体质的患者，所使用的最有效的磁场数值。其中，磁场强度是剂量中的一项重要内容，但磁场梯度、场型、磁通量及治疗时间等同样不能忽视。

剂量是否恰当，不但与疗效有直接关系，与副作用的发生率也有直接关系。剂量未达到阈值，不会产生疗效。但剂量过大，不但易产生副作用，甚至对机体会产生危害。因此，磁疗过程中根据患者年龄、病种、体质等的不同，应遵循以下几个原则确定磁疗效量。

1. 幼儿剂量应小。如系新生儿，贴敷磁片最多不能超过4粒，每粒不宜超过0.01T。

2. 成人应根据不同病种决定剂量大小，风湿、类风湿关节炎，坐骨神经痛，剂量可大些。高血压，失眠等，剂量宜小。

3. 敏感者，剂量应小。对磁反应迟钝者，剂量可大。

4. 对白细胞数量少的患者，血压低者，老年人，病情复杂者，危殆病人，宜用小剂量。

5. 对支气管扩张、肺结核活动期有咯血倾向者，宜在病变部位远处取穴，贴敷磁性较低磁片，不宜采用磁疗机治疗。

6. 头部穴位，宜用小剂量。内脏疾病，宜用中、小剂量。四肢疾病，宜用大剂量。

二、磁疗剂量的测定

磁疗剂量的测定实际上就是磁场的测定，测量磁场的方法和仪器种类很多，目前临床用来检测各种磁疗器具的磁场最常用的是高斯计或称特斯拉计。磁场强度单位是高斯（Gs）或特斯拉（T），1T＝10000Gs。

第四节 磁疗法常用的穴位与操作规程

一、常用的穴位

磁疗法常用的穴位以人体十二经脉和任督二脉的经穴为主，辅以经外奇穴、阿是穴和人体相应反射区。

二、操作方法

目前国内常用的一些磁疗方法，概括起来，可分静磁穴位贴敷法、动磁治疗法、电磁治疗法、磁场电脉冲治疗法、磁针法等几大类。其中，静磁穴位贴敷法和动磁疗法临床应用较广，故作为重点进行介绍。

（一）静磁疗法

磁疗法是将磁片或磁珠贴敷在穴位表面，用以产生恒定的磁场治疗。

1. 直接贴敷法：用胶布或伤湿止痛膏将直径5～20mm、厚3～4mm的磁片，直接贴敷在穴位或痛点上，磁片表面的磁场强度约为数百至2000Gs，或用磁珠贴敷于耳穴。常用的直接贴敷法有以下几种。

（1）单块贴敷法：只使用一块磁铁片，将其板面正对治疗部位，这种方法主要用于浅部病变。

（2）双块对置贴敷法：将两块磁片的异名板面，以相对的方向贴敷到治疗穴位上。如内关和外关，内膝眼和外膝眼等常用这种方法。此法可使磁力线充分穿过治疗部位。

（3）双块并贴法：是将两块磁片并列在一起的贴敷方法。适用于发病部位较大的部位。操作时，可以同名极排列，亦可以异名极排列。若同名极排列，可以使磁力线更深地透入患者的体内。可是同名极的两个磁片难于靠近，故必须保持一定的距离。如果异名极排列，磁力线透入患者体内浅，两个磁片容易接近。

（4）耳穴贴敷法：在耳壳的耳穴上贴敷磁珠，磁场强度一般为 200～500Gs 或 1000Gs 以上，磁珠的直径为 1～3mm。一般每次只贴一耳，每次贴 3～5 个耳穴，不宜过多，以免磁场相互干扰。一般 5～7 天后换贴另一耳。

2．间接贴敷法：是将磁片缝在衣服或放在布袋、塑料膜内而制成磁带、磁衣、磁帽、磁袜等。穿戴时，磁片对准穴位，使其接受磁场的作用。本法主要用于对胶布过敏者，磁体较大、不易用胶布固定时，或慢性病需长期贴敷磁片的患者。

（二）动磁疗法

1．交变磁场疗法：电磁疗机有多种类型，使用方法大体相同。选择合适的磁头置于治疗部位，然后接通电源，调节磁场强度。在治疗过程中，病人可有振动感及温热感。每次治疗时间为 20～30 分钟，每天治疗 1 次，10～15 次为一疗程。

2．脉动磁场疗法：利用同名极旋磁机，将机器对准穴位进行治疗。若病变部位较深，可用两个同名旋磁机对置于治疗部位进行治疗，使磁力线穿过病变部位。若病变部位呈长条形，部位也表浅，可采用异名极并置法，将两个互为异名极的旋磁机顺着发病区并置，如神经、血管、肌肉等疾患常采用这种形式。

3．脉冲磁场疗法：磁疗机能够产生脉冲磁场、直流脉动磁场、疏密脉冲磁场、渐强脉冲磁场。脉冲频率为 40～100 次/分，磁场强度为 1500～1800Gs。每次治疗 20～30 分钟，每天治疗 1 次。

（三）磁针法

磁针疗法具有针刺与磁场的双重作用。局部常规消毒，将针刺入穴位，再在针刺部位贴敷磁片，磁片的表面磁强度为 1～2T。每次治疗 20～30 分钟，每天治疗 1 次，10～15 次为一个疗程。

也有将皮内针刺入皮肤后，在裸露于皮肤的针尾部固定一个磁片，磁片的表面磁场强度为 0.07～0.16T，此种方法应于活动不多的部位，以免因活动较多而引起疼痛。

磁提针是近年来研制的磁与针结合成一体的治疗器。它是由磁体、圆针及手柄等部分组成，手柄内部有聚磁结构，因而使磁场能成束状聚集于圆针上，针尖部位的磁场强度高，此针在按压穴位时，磁束进入人体穴位内，能发挥针和磁的双重作用。治疗时，将此针直接按压在穴位或痛点上，使针体与穴位皮肤表面呈90°即与体表垂直，同时稍加压力，每次取2~3个穴位，每个穴治疗1~15分钟，每天治疗1~3次。

第五节　磁疗法的适应证和禁忌证

一、适应证

由于磁场类型、方法较多，剂量可大可小，因而磁疗的适应证十分广泛。磁疗法主要治疗各种急慢性疼痛性疾患，如关节炎、扭挫伤、腱鞘炎、滑膜炎、网球肘及急慢性肠炎、支气管哮喘、高血压、月经不调、皮肤瘙痒、疣、毛细血管瘤等。内、外、妇、儿、五官、皮肤等科，也均有多种适应证，可治疾病达百种以上。只要剂量应用适当，尚未发现绝对的禁忌证。例如皮肤发生溃疡，过去认为不能磁疗，但临床实践证明，磁疗对此病有较好疗效。一般认为磁疗对镇痛、消肿、消炎疗效显著，对止泻、降压、镇静、安眠、止痒、止咳等均有一定疗效。不少疾病有效率可达90%左右，而且有较好的远期疗效。

二、禁忌证

磁疗法尚无绝对禁忌证，但对以下情况一般不用或慎用：

1. 有出血或有出血倾向者。
2. 带有心脏起搏器者。
3. 体质极度衰弱者。
4. 严重心肺功能、肾脏功能不全者。
5. 孕妇下腹区。
6. 白细胞少于4×10^9/L，皮肤溃疡、有出血性疾病者及急性危重疾病者禁用。
7. 极个别对磁场过敏而不能耐受者。

第六节　磁疗法的优点及注意事项

一、优点

磁疗法根据中医辨证论治的原则，使用不同场强、体积的永磁或电磁体，因而在治疗过程中除具有疗效显著、适应证广泛的两大优点外，还具有以下优点。

1. **经济节约**：磁疗中的贴敷法，和针灸疗法相似，费用低廉。磁片可以用多年，大磁片破碎成小磁片后，有棱角处以棉纱包裹，仍可使用。磁疗机价格虽高一些，但比起其他物理疗法器械，仍较经济节约。同时可解决偏远农村缺医少药问题。

2. **易学易用**：磁疗法中最常用的贴敷法，医生只要熟记常用的穴位，准备一些磁片和胶布，即可开展工作。当然，这只是对初级医护人员而言。如要熟练地循经取穴，掌握好各种疾病的不同剂量，了解各种磁疗器具的功用、性能和特点，仍必须经过一段时间的学习和实践。

3. **省时省力**：磁疗中的贴敷法，是一种最节省医生治疗时间和体力的疗法。医生给患者贴敷磁片后，可以3~5天甚至更长时间复诊而调整一次。

4. **无痛苦，无创伤，十分安全**：磁疗法最大的特点，是治疗时没有任何创伤和痛苦。对畏针怕痛的儿童，尤为适宜。当然，由于个体差异，或由于方法、剂量不当，有的患者也会出现头昏、乏力、疼痛加重等反应。但停止磁疗后，这些反应即自行消失。因而磁疗法是一种十分安全的疗法。

5. **可同时治疗多种疾病**：若患者患多种疾病，用磁疗法可同时对这些疾病进行治疗。与药物治疗相比，磁疗法的局限性较小。如患者同时患关节炎、高血压、胃炎、失眠，将磁片或磁疗机作用于足三里、膝眼、中脘等穴，则对几种病都可产生一定作用。如应用剂量适当，或同时应用几种磁疗方法，综合治疗，效果更好。

二、磁疗法注意事项

（一）磁疗法剂量的应用与掌握

其剂量分为小剂量（场强小于1000Gs）、中剂量（场强1000~2000Gs）、大剂量（场强2000Gs以上），应根据不同情况灵活选用。一般年老、体弱、婴幼儿，开始宜用小剂量。由于人体各部位对磁场的敏感性不完全相同，不同部位采用的磁疗剂量也应有差异，一般头颈、胸腹区开始应用小剂量；对冠心病、高血压病、神经衰弱等病，一般宜用小剂量；对病变部位较深或肢体的病变，可应用中剂量磁场；个别情况如用于止痛而且使用时间不长时，也可以使用大剂量；对于使用小剂量疗效不明显且又能耐受者，也可以适当增加磁场强度。

（二）不良反应

磁疗法是安全的，但像其他物理治疗方法一样，由于个体差异或因使用不当，极个别人在磁疗过程中会出现一些与治疗作用无关的不良反应。

在20世纪70年代末80年代初，由于没有掌握磁疗法作用的规律，因而不良反应率较高，约10%左右。经过研究与探索，现不良反应发生率明显减少，为1%以下。磁疗的不良反应主要表现有气促、心慌、胸闷、恶心、嗜睡、失眠、疲乏、血压升高、白细胞减少以及局部瘀斑、疼痛等。一般在磁疗中常常逐渐减轻甚至消失。个别通过降低磁场强度、缩短磁疗时间、减少治疗范围、改变磁疗方法等，磁疗法的不良反应也会随之减轻或消失，极个别仍不消失者停止磁疗，不良反应也随之消失。对年老体弱者应用磁片贴敷时，贴敷的磁片数量不宜过多。头、颈、胸区磁疗时一般宜用小剂量磁片，根据治疗的需要，又无不良反应时，也可适当增加磁场强度。对年老体弱者，开始宜用小剂量的磁场，当疗效不明显又无不适时，也可适当增加磁场强度。在磁疗过程中，应注意观察，如有不适时，及时调整磁疗范围及磁场强度。旋磁法不良反应低于静磁法，体质衰弱的患者考虑首先使用旋磁法。应用双磁片或多磁片贴敷时，磁片之间的距离一般不要少于3cm，否则，容易形成磁场的短路，影响其作用深度。为了避免磁片刺激皮肤，最好在磁片与皮肤之间垫一层薄纱布或薄纸，当磁片贴敷时间长时，可以适当移动敷磁部位或更换穴位，避免因磁片贴敷时间过久而刺激皮肤。电磁法时，由于电磁场产热，随着治疗时间的增加，磁头温度会升高，如温度过高可灼伤皮肤，因此，在进行电磁疗时，要注意治疗时间不宜过长，电流强度不宜太大，并注意询问病人的感觉，以便及时调整治疗时间及电流强度。

（三）不良反应处理及预防

如不良反应轻微，不需要特殊处理。但在临床上对一些特殊病例，应根据不同情况，采取相应的预防处理方法。

1. 对极个别接触磁或进入磁疗室，即大汗淋漓、血压下降、口唇发绀者，须立即停止磁疗，改用其他疗法。

2. 对血压偏低、白细胞偏低、年老体虚、病情复杂者、肺结核咯血、支气管扩张患者，宜距病变处远端取穴，剂量宜小，适应后再加大剂量。

3. 遇到不良反应轻微患者，可继续磁疗。如不良反应仍不消退或有加重倾向，应减少剂量，改变磁疗方法，或暂缓磁疗，或停止磁疗。

4. 如对磁或胶布过敏只出现局部反应时，可用布或纸片等将磁片与皮肤隔离使用。

5. 不良反应的产生，大多在开始磁疗后不久出现，如接受磁疗一段时间后，即不会再出现不良反应。若有的磁疗一段时间后仍有不良反应出现，应仔细检查，是否由其他原因引起。总之，不论有什么不良反应，停止磁疗后不良反应即会逐渐消失，一般不会留下任何后遗症状。

第七节　磁疗法的临床应用

一、咳嗽

取穴：实证取天突、膻中、肺俞、合谷。头痛者加曲池、太阳。风寒者加外关、大椎。虚证除上述穴位外，并可根据病情及患者体质加丰隆、定喘、内关、神门及支气管部位。

操作：每次取3~6穴，实证以贴敷S极为主，虚证以贴敷N极为主。效果不佳时，并可加耳穴贴敷，取肺、气管等穴。

磁场强度（简称磁强）：0.05~0.15T。

磁体：穴位用小块，支气管部位用中块。

注意事项：贴敷法每日至少贴敷1小时以上，如适应时，可经常穿气管炎背心。顽固难治者，每日以磁疗机治疗后，再加贴磁片，或长期穿气管炎胸衫。

二、哮喘

方法1

取穴：实证取天突、膻中、定喘、肺俞、尺泽、足三里。虚证取肺俞、膏肓、气海、肾俞、足三里、太渊、太溪。

操作：选2~4穴，实证以贴敷S极为主，虚证以贴敷N极为主。

磁强：0.05~0.1T。

磁体：小块。

方法2

取穴：取神门、肺、皮质下、镇咳点。

操作：选2~3穴，以磁珠贴一耳，3~5日后，换贴另一侧。

注意事项

1. 开始磁疗，宜用磁强较低、距支气管较远穴位治疗，如适应后再加大剂量；如发现患者对磁过敏，有诱发疾病倾向，即停止治疗，改用其他疗法。

2. 小儿支气管炎、小儿支气管哮喘的磁疗，均可参照上述方法治疗，但剂量应根据年龄适当减少。

三、胃痛

取穴：实证多与情绪、精神因素有关，宜取中脘、内关、足三里、阳陵泉、太冲等穴，如与饮食有关，宜加合谷、三阴交等穴。虚证病情较重、较久，消瘦面黄，宜取脾俞、胃俞、内关、中脘、足三里等穴，有瘀血者，宜活血化痰，理气和胃，取内关、中脘、足三里、肝俞、胃俞、膈俞、公孙、三阴交等穴。

操作：每次取3～5穴。实证以S极贴敷为主，虚证以N极贴敷为主。

磁强：：0.05～0.15T。

磁体：中脘用中块，其他穴位用小块。

注意事项：长期坚持，有较好疗效。对顽固难治者，应在治疗后长期穿用胃痛磁疗带。

四、便秘

取穴：实证取中脘、天枢、足三里、曲池、内庭。虚证取三阴交、复溜、照海、支沟、足三里、大肠俞。

操作：选3～5穴，实证以S极贴敷泻之，虚证以N极贴敷补之。

磁强：0.05～0.15T。

磁体：腹部用中块，其余穴位用小块。

注意事项：对顽固难治者，于每次用磁疗机治疗后，再加贴磁片。

五、中风

取穴：上肢活动不遂取肩髃、曲池、手三里、合谷、外关等。下肢活动不遂取环跳、阳陵泉、足三里、风市、悬钟、解溪、昆仑等。口眼歪斜取地仓、颊车、内庭、四白、太冲、人中等。语言不利取哑门、廉泉、通里、照海等。

操作：初病以S极贴敷为主，病久以N极贴敷为主。早期以患侧穴位为主，后期适当加健侧穴位。每次选2～6穴治疗。

磁强：0.05～0.1T。

磁体：小块或小片。

注意事项

1. 中风后遗症，头部不宜用带强烈振动、声响的磁疗机，肢体可用有轻微声响、振动的磁疗机。

2. 磁疗对中经络及痰瘀阻滞型的中风效果较好。

六、消渴

方法1

磁水法：每天饮标准磁水器处理过的水，长期饮用。

方法2

取穴：胰俞、肺俞、脾俞、肾俞、足三里。口渴配少商，多食配中脘，多尿配关元。

操作：根据症状选3~5穴，上、中消以S极为主，下消以N极为主贴敷。

磁强：0.05~0.15T。

磁体：小块。

注意事项

1. 磁疗期间，应严格控制饮食，多食蔬菜及蛋白质类食物，忌食糖类。

2. 根据体质状况，加强运动，待血糖、尿糖恢复正常后，再逐步恢复饮食。

3. 应长期饮用磁化水。

七、痹证

方法1

取穴：常取阿是穴，并可根据患病关节取穴。

下颌关节：听宫、翳风、合谷。

脊椎关节：夹脊穴、殷门、委中、人中。

肩关节：肩髃、肩髎、天宗、中渚、阳陵泉。

肘关节：曲池、天井、合谷。

腕、掌、指关节：外关、手三里、阳溪、阳池、腕骨、大陵、八邪、四缝。

腰骶关节：腰阳关、第17椎下、压痛点、委中、昆仑。

髋关节：环跳、居髎、阳陵泉、绝骨。

膝关节：鹤顶、梁丘、膝眼、阳陵泉、阴陵泉。

距小腿关节：解溪、丘墟、太溪、昆仑、阳交、交信。

趾关节：八风、公孙、束骨、阳交。

操作：上述各穴，俱以S极贴敷。

磁强：0.05~0.3T。

磁体：四肢关节用小块，髋关节用中块、大块。

方法2

根据发病部位，选用磁护膝、磁护腕、肘关节磁疗器，长期配戴。

注意事项

1. 磁疗治疗风湿性关节炎需要较强的磁场，并注意症状消失后，继续巩固一定时期。

2. 热痹不宜应用交变电磁法。

3. 磁疗治疗类风湿性关节炎早期病变，效果较好，如关节强直畸形后，即收效甚微。另外，磁疗对消除肿胀及疼痛有较好疗效。部分患者磁疗后如出现疼痛加重，系正常现象，可停2~3天或改变磁疗方法，继续磁疗，对改善活动功能有一定作用。较顽固者，用磁疗机治疗后，再加贴磁片或配戴磁疗用品。

注意事项

1. 环跳等穴距体表较深，应用磁性较强的磁疗机或磁块治疗。

2. 本病不宜用旋磁机治疗。

八、面瘫

方法1

取穴：地仓、颊车、阳白、四白、合谷。风邪盛者加太阳，气虚者加足三里。

操作：选3~5穴，患侧以N极贴敷，健侧以S极贴敷磁片。

磁强：0.05~0.10T。

磁体：小块。

方法2

磁针法：选穴和治疗方法与上法基本相同。

九、失眠

方法1

取穴：神门、内关、心俞、足三里、肾俞。肝肾阴虚加三阴交，头昏加至阴。

操作：选3~5穴，实证以S极贴敷，虚证以N极贴敷。

磁强：0.05~0.10T。

磁体：小块。

方法2

取穴：耳穴神门、皮质下、肝、肾、枕、心。

操作：根据症状，选2~3穴，实证以S极、虚证以N极贴敷磁珠，每次贴一侧耳穴，1 周后换贴另一侧耳穴。

方法 3

磁枕法：患者睡眠时使用装磁片的磁枕，亦有较好疗效。

十、术后伤口疼痛

取穴：将磁片消毒后，用无菌纱布将磁片包好，直接绑敷于伤口处，如有感染化脓，可将双磁片绑敷于化脓伤口两端。并可根据伤口部位循经取穴。

操作：以 S 极贴敷为主。

磁强：0.05～0.2T。

磁体：根据伤口面积大小，选用中、小磁片。

注意事项

1. 为伤者换敷料，采用此种方法，可减轻患者痛感。
2. 发现化脓时，采用此法治疗，磁片及纱布应严格消毒后使用。

十一、肩凝症

取穴：肩髃、肩髎、臑俞。

操作：取 1～2 穴，以 S 极贴敷。并可在肩前后痛点明显处，以大磁片 N、S 极相对贴敷。

磁强：0.04～0.2T。

磁体：大、中、小块。

十二、颈项痛（颈椎病）

方法 1

取穴：颈椎发病部位及大椎、大杼穴。

操作：实证以 S 极、虚证以 N 极贴敷。

磁强：0.06～6T。

磁体：小块。

方法 2

取穴：大椎、大杼。

操作：将磁片贴妥后，患者仰卧，将交变磁棒置于颈部两侧，即见磁块振动，治疗 20～30 分钟后，切断电源。但是贴敷磁片不必取下。

注意事项：此病不宜用振动磁疗法，特别是年老、体弱患者，振动稍久易出现心慌、头昏不适等症状。

十三、皮肤溃疡

取穴：患部。

操作：先将溃疡面常规消毒后，上盖消毒纱布，再将消毒磁片贴于纱布上，以胶布固定。并在血海等穴取N极贴敷配合。

磁强：0.07~0.15T。

磁性：中、小块。

十四、近视

方法1

取穴：鱼腰、承泣。

操作：如用电磁眼镜，磁头对准所选穴位，每次治疗15~20分钟。如用永磁眼镜，每次治疗30分钟。

方法2

取穴：肝俞、肾俞、太阳、鱼腰、承泣、睛明。

操作：选2~4穴，以N极贴敷。

磁强：0.03~0.08T。

磁体：小块。

方法3

取穴：耳穴目、肝。

操作：以磁珠N极贴敷。

磁强：0.01~0.03T。

磁体：磁片。

注意事项

1. 眼附近穴位，宜用低磁强磁块贴敷，时间不宜过长。
2. 远视、色盲等各种眼病，均可参照上述方法治疗。

十五、耳鸣耳聋

取穴：翳风、听宫、中渚、肾俞、太溪穴。

操作：选2~4穴，实证以S极、虚证以N极贴敷。

磁强：0.05~0.15T。

磁体：小块。

主要参考书目

1. 张莉. 百病中医拔罐疗法. 北京：学苑出版社. 1999.
2. 黎胜，谭雄，陶燕华. 中医拔罐疗法. 上海：世界图书出版公司. 1999.
3. 张弘. 中国拔罐治疗学. 北京：军事医学科学出版社. 1996.
4. 杨雅西，李景玉，刘颖. 拔罐治百病. 吉林：吉林科学技术出版社. 1993.
5. 植兰英，蒙贵清. 拔罐疗法. 南宁：广西科学技术出版社. 1991.
6. 廖品东. 中医踩跷疗法. 北京：科学技术文献出版社. 2004.
7. 罗才贵，刘明军，陈立. 实用中医推拿学. 四川：四川科学技术出版社. 2004.
8. 邱模炎，陈映辉. 中国医学非药物疗法. 北京：中国中医药出版社. 2003.
9. 秦云峰，张小平. 中医外治疗法集萃. 呼和浩特：内蒙古科学技术出版社. 2002.
10. 贾林山. 中医实用外治法精义. 北京：科学技术文献出版社. 1996.
11. 靳士英. 实用中医外治法. 北京：人民军医出版社. 1999.
12. 吴震西. 中医外治求新. 北京：中医古籍出版社. 1998.